POWER TRIP
The Story of Energy
エネルギーの物語

マイケル・E・ウェバー
Michael E. Webber
柴田譲治 訳

わたしたちにとってエネルギーとは何なのか

原書房

エネルギーの物語

わたしたちにとってエネルギーとは何なのか

目次

序章　エネルギーの物語

エネルギーには素晴らしい能力がある。闇を照らし寒い冬を暖めてくれる。食物を保存し水を浄化し、都市を安全にし、エネルギーのおかげで世界中を旅することもできる。もっときっぱり言うなら、エネルギーは目に見えない文明の基盤だ。文明そのものを築いていると言ってもいいだろう。エネルギーは目には見えないが実在する。多くの考古学者は、石や青銅、鉄といった道具を製造した原料から先史時代の人類の進化段階を特定する。しかし近代以降の人類史を時代区分するなら、社会の基盤となっているエネルギーの変化を目安とするのが適しているだろう。[1]この数百年間でみると社会や政治、科学、文化の重要な転換のほとんどは、少なくとも部分的には、エネルギー利用能力が進歩した結果として起きている。

エネルギーを賢く管理し、その長期的な持続可能性、妥当な価格、安全性を確保することで、健康と富が得られる。しかしやみくもにエネルギーを利用するだけでは、病気を患い貧困に陥る。このように重要な存在でありながらエネルギーは目に見えないため、普通はその存在を意識すらしていない。石油や電気ならともかく、一般的なエネルギーについて考えることはないし、そもそもエネルギーが何であるかについて知る必要もない。しかしある日突然エネルギー価格が上昇したり、形態が変わったり、あるいは十分な量が得られず実質的に利用できなくなれば、世界的な社会崩壊が起きるだろう。

わたしたちとエネルギーの関係は絶え間なく変化している。そして今まさにわたしたちはエネルギー転換のただ中にいて、ある国では温暖化ガスの排出削減に取り組み、他の国ではエネルギー利用を普及、改善しようとしている。こうした各国の事情による様々な政策と同時に、世界人口の増加、経済成長、都市化、モータリゼーション、工業化、電化も進んでいる。エネルギーの消費量、利用法、形態が変化しつつある。

実はこうしたエネルギーの転換には大きなリスクが伴う。エネルギーは他に類をみない特別な存在だからだ。公衆衛生や生態系、世界経済、個人の自由にいたるまで、社会の中でこれほど広範に影響を与える物理的要因はエネルギーをのぞいて他にない。エネルギーは起業精神や技術革新の重要な推進力であり、社会の経済的原動力だ。人類に大きな可能性を与えてくれるエネルギー、それが不足すれば多くの人々が路頭に迷うことになる。特に現代の生活にエネルギーは欠くことのできない存在で、エネルギーを安心して安全に利用できることが、移動の簡便性と豊かさを実現する前提条件となっている。エネルギーが枯渇すれば食品は腐り、水不足や水質汚染が生じ、職場が残っていたとしても通勤ができなくなるだろう。世界には電力や下水施設、安全な飲料水を利用できない10億以上の人々が、貧困から脱出する道を求めている。正しい意思決定にはこうした現実を真摯《しんし》に受け止める必要がある。そしてわたしたちの日常生活のあらゆる部分にエネルギーが関係していることをまず理解しなければならない。

気候変動は国境を越えた課題のひとつだ。その対策として、人類史上初めて世界が共同してエネルギー問題に取り組まなければならなくなった。世界の人々が共通の課題を検討するにはまず集まって議論する必要があるが、それもエネルギーあってこそ可能になる。エネルギーはグローバリズムが展開する基盤でもあるからこそ、エネルギー問題にグローバル・ソリューションが必要なのは当然のことだろう。検討しなければいけないのは、数兆ドルをいかに投資して、手頃な価格でクリーンかつ安全なエネルギー利用を保証するシステムを構築、刷新するかだ。気候変動による最悪の結果を回避するためにもこの判断を数年のうちに行わなければならず、その判断が今後数十年以上にわたって、数十億の人々の生活に影響する。

エネルギーの将来について賢明な決定を下さなければならない時に、まず心に留めておかなければならないのは、わたしたちが大切にしているあらゆることにエネルギーが関わっているということだ。エネルギーは表向きは顔を出さないものの、あらゆる場面に関わり世界に深く浸透している。どの形態のエネルギーを利用するべきかあるいは禁止すべきかについて多くの議論が交わされているが、この現代社会を特徴づけているのは、エネルギーの最終的な用途だ。つまり、わたしたちはどんな形態のエネルギーを利用するかについては無頓着でいながら、それでいて清潔な水と保存食品、質の高い生活（経済的な余裕があれば、快適な住まいと生活ができる）を享受《きょうじゅ》する機会、生活の場を変える移動の自由、安全性から得られる心の安らぎを求めている。だが、こうした最終的な用途と便益である水、食糧、輸送手段、富、都市、安全保障、これらはすべてエネルギーなくしてありえない。

エネルギーという魔法

古典的な定義によれば、エネルギーとは仕事をする能力のことだ。つまり楽しみや有益なことを実現する能力のことだ。作物を収穫し、冷蔵し、飛行機で世界中に輸送することを実現する能力である。当然エネルギーなしで仕事はできない。文明はエネルギーを利用することで生まれる。そしてエネルギーがなくなれば文明を維持できない。またエネルギーは物理的な意味での保存量で、本質的に有限の資源だ。エネルギーを新たに作り出すことはできず、わたしたちにできるのはエネルギーを移動したり他の形態に変換するだけだ。エネルギーの変換による環境への影響を抑えつつ、変換で得られる便益を利用すること、それがエネルギーとの付き合い方の基本だ。

エネルギーが重要であることはわかっても、それだけではエネルギーについて理解しているとは言えない。エネルギーが実在することはわかるし、その存在を測定することもできる。ところがエネルギーは見えないし触ることもできない。実はエネルギーについては説明することとすらできないのである。ノーベル賞受賞者のリチャード・ファインマンは「現代物理学では、エネルギーが何かについては何も言えない。そのことを自覚しておくことが大切だ」[2]と述べている。目には見えないのに、仕事をする能力がある。エネルギーは不思議な存在だ。

有名なＳＦ作家のアーサー・Ｃ・クラークはかつて「十分に進歩したテクノロジーは魔法と区

別がつかない」という「第三法則」を発表した。[3] クラークは人間が共同で実現する技術革新能力について科学界はあまりに悲観的すぎると感じていた。そんなクラークが腹立ち紛れに書いた未来に関する一連のエッセイから生まれた法則だ。楽観主義者のクラークは魔法と見分けがつかないようなテクノロジーの進歩を確信していた。その魔法というのが現代のエネルギー・システムで、クラークはエネルギーに関連する多くの驚くべき進歩を例に挙げて自らの正しさを主張した。

スイッチを入れたりボタンを押したりするだけで家庭や工場に照明や情報、暖房、清潔な飲料水、十分な食糧、移動、安らぎそのほか多くのことを文句も言わず供給してくれる。エネルギーの魔法たるゆえんだ。レオナルド・ダ・ヴィンチは「その力（火のエネルギー）によって、ほとんどすべてのものがその自然状態から別の状態へと転換する」と述べ、変化をもたらすエネルギーの力を認識していた。本書の目的はこのエネルギーの魔法を解明し、その変化をもたらす力を祝福することにある。

アメリカでは毎年１×10^{15}ＢＴＵ（ＢＴＵは日本語で「英熱量」と呼ばれるエネルギー単位で、約２５０カロリーあるいは約０・３ワット時）のエネルギーが食物のかたちで摂取されている。アメリカの人口３億２５００万人の身体の基礎代謝を支えるエネルギーだ。しかしアメリカで消費されているエネルギーの総量は１００×10^{15}ＢＴＵにのぼる。つまり生命を維持するよりはるかに多くエネルギーを消費していることになる。生命維持以外に消費されているエネルギーは暖房や冷房、移動などに利用されるわけだが、つまりアメリカ人は自身のほかに99人の生命を維持するのと等価なエネルギー量を消費していることになる。まるでわたしたちは従順な（キロワット時やＢＴＵという形態の）99人の召使いに命令を下す皇帝のようだ。エネルギーは摩天楼がそびえる現代の都市で暮らす能力も提供してくれる。現代都市ではエレベーターや高架水槽、室内照明が不可欠で、それらはすべて電力によって作動する。今日のアメリカの農家は第二次世界大戦の終わり頃と比べ、単位面積あたり2倍以上の収量をあげている。[4]電動ポンプによる灌漑《かんがい》、天然ガスからできる化学肥料、石油からは殺虫剤、さらにディーゼル駆動のトラクターや収穫機などの機械化の導入により、農業の進歩を実現したのもエネルギーだ。その結果、エネルギーを当たり前に利用できる国々では食糧も十分に得られている。

　わたしたちはエネルギーによって、移動能力も得ている。工場の稼働や産業の発展にエネルギーを利用することで以前より豊かになるという社会的移動能力と、ガソリンやジェット燃料で場所から場所へと移動する物理的移動能力だ。古代を生きたわたしたちの祖先は都市間を移動するだけで何週間もかけていたが、そんな祖先にとって大陸を数時間で越え地球を一日足らずで一周してしまう現代の移動速度は、わたしたちがSF映画でテレポーテーションを見て思うように、魔法だと思うだろう。こうした魔法的スピードの核心にあるのもやはりエネルギーなのだ。

エネルギー物語は文明物語

　何千年もの間エネルギーの物語は遅々として進まなかったが、現在の先進諸国世界では数百年前頃から、物語の展開は格段に面白くなってきた。先進国世界はエネルギー利用が改善されることによる恩恵を実証し、環境問題への影響を削減しつつその便益をいかに維持するかに取り組んでいる。物語の流れとしては過去のエネルギー消費の事情を知っておくことも有益だが、エネルギーについての最も重要な課題は、地球を疲弊させずいかにしてエネルギー利用を拡大するかで、これはごく最近の問題だ。数百年前まで文明の最も重要な要素といえば水だったが、産業革命以降は燃料の進歩と革新的な機械が組み合わさり、エネルギーが水と並ぶ文明の二大要素のひとつとなった。産業革命まで人間とエネルギーの関係はほとんど変わらず、エネルギーの歴史としても注目すべき変化はみられない。したがって産業革命は、エネルギーを議論するうえで時代を区切る重要な境界となっている。

古代の有機物や遺物の年代測定に炭素同位体を利用するように、社会の近代性の指標としてエネルギーを使うことができる。利用しているエネルギーの種類とテクノロジーが時代を示す目安になるのである。まだ発展していない過去の社会では、牛糞や木材、木炭、藁など素朴な固形燃料を使っていた。こうした燃料を燃やしてエネルギーを得て住居を暖房し、食物を調理し、また消石灰や石鹸を作るなど日用品も手作りしていた。この熱で金属を柔らかくしたり鋳造したりもした。こうした素朴な燃料で製品を作ることもできたし建築資材にもなった。たとえば木材はバイオエネルギーといわれるエネルギーのひとつだが、太陽から得られるエネルギーを光合成で何年もかけて植物体に蓄積したもので、暖房用の薪となり、建物や船、柵を作る資材となり、紙を作るパルプとなった。

古い文明では水の流れや風、動物を動力として利用し人々や商品を輸送した。ヨーロッパの古い風車や中世の水車はかつては粉を挽き、木材を製材し、ガラスを研磨する工場の駆動力となったわけだが、そのイメージは今では古い社会の様子を表現するための常套手段となっている。

時代が進むにつれ燃料の性能は向上する。煤《すす》が多く暗かった蠟燭《ろうそく》や松明《たいまつ》に代わって照明として幅広く利用されるようになったのが鯨油だ。しかし結局鯨油も室内照明用の灯油に追い払われる。灯油を使ったオイルランプは鯨《くじら》の脂肪を燃やしたときの刺激臭もなく安価で明るかった。石炭はエネルギー密度が大きいため、燃やすととても暖かく、薪や牛糞を燃やしたときほど煙が出ないので、室内暖房と産業用の燃料として好まれた。つまり石油が鯨を救い、石炭が森林を救ったことになる。石炭の高い燃焼温度は金属加工には好都合で、石炭の登場により鉄鋼が登場し、さらに鉄鋼が優れた道具の発達を可能にした。ある意味で好循環といえるこうした状況の中で、石炭はイギリスの炭鉱ブームに火をつけ、坑道はどんどん地下深くへと掘り進められた。しかし炭鉱は出水との闘いで、ポンプの普及が急がれていた。石炭を燃焼させて駆動する蒸気機関を発明したのはトーマス・ニューコメンだったが、炭鉱の出水を汲みあげるポンプの必要性に目をつけたジェームズ・ワットがこの蒸気機関を改良した。蒸気力ポンプの登場により鉱山の出水問題は解決され、石炭のさらなる増産が可能になった。

この蒸気機関は史上初めて熱を運動に変換することを可能にした。熱は燃料を燃やすだけで簡単に生産できる。昔は機械的運動を持続させるには（水の流れなどの）水力や風力（帆船や風車など）あるいは筋力（自力で歩くか動物の力を借りる）に頼らざるを得なかった。燃料を燃やして得られるエネルギーで水を沸騰させ蒸気にし、その蒸気でピストンを駆動すれば機械的運動が生まれる。これが蒸気機関だ。このブレイクスルーがエネルギーと技術革新の好循環を生み出した。石炭を焚き口から火室へ放り込むと鉄の塊のような蒸気機関車が動き出す。石炭を燃やした溶鉱炉で鋳造された鉄製のレールの上を走り、それによって近代的な装置で採掘された石炭が遠方の炭鉱からでも輸送できるようになった。

当時は蒸気機関が奇跡のように思えたことだろう。しかしその奇跡も内燃機関に取って代わられることになる。石炭で動く巨大な蒸気機関は採鉱装置や船舶、列車など重量級の輸送手段には適していたが、個人や家族の交通手段としてはあまりに大き過ぎた。ガソリン駆動のエンジンは、蒸気機関と比べると、ずっと軽量でしかも出力も大きいので交通手段として優れ、人間の移動能力に革命をもたらした。当時、個人が自動車で移動するという衝撃は強烈だったはずだ。この革命的出来事が世界最大の産業をいくつか生み出している。自動車製造業（石炭をエネルギー源とする鋼鉄と、電力で操業する工場で石油から製造されるタイヤを使う）、自動車燃料の製油業、そして道路建設業（石油から得られるアスファルトと石炭を燃料として製造するセメントを使う）。ガソリン車という交通手段が得られたことで、遠隔地同士でも相互に接続し合う社会が構成されるようになり、電力によりビル群が空へ向かってそびえ立つ都市での生活が可能になったように、エネルギーの技術革新によって居住地と生活スタイルも変貌した。

エネルギーの形態とそれに関連するテクノロジーには、人が意識しようとしまいと、時代が記憶されている。映画監督やアーティストが古代や中世の時代をビジュアル的に表現しようとすれば、井戸から手で水を汲みあげ、馬に乗り、薪を燃やす様子を描写するだろう。１８００年代後半の産業革命を表現しようとすれば、工場や鉄道、船舶が石炭を燃やし煙突から黒い煙を巻き上げている様子を描くだろう。20世紀を表現するにはガソリン車と電化製品が描写されることになる。
エネルギーの技術革新もわたしたちの時代を同定するタイムスタンプになる。蒸気機関のようなエネルギー変換システムが産業革命を生み、タービンエンジンはジェットの時代を実現させ、トランジスタが情報の時代を先導した。エネルギーが生物の代謝を機能させ、現代の文明都市の代謝の動力源となっていることを思えば、エネルギーの進歩が人類の時代を刻んでいるというのもよくわかる。

科学的発見や医療の進歩こそが本当の人類の歩みを刻んでいると論じることもできるだろう。しかしエネルギーはそれらよりもっと基本的だ。エネルギーがなければ医師は人命を救えない。金属製外科用メスは化石燃料を利用して鍛造されているし、外科医には手術部位がよく見える明るい照明が必要だ。薬剤は石油化学製品でプラスティック製医療装置は天然ガスが原料、消毒には水を加熱する電力が必要だ。

エネルギーは単に生活を彩ったり心地よくするだけではない。エネルギー利用の民主化を進めれば経済的不平等は減少する。国民がエネルギーを利用できる国は一般的に社会的自由度が高い。夜の地球を空から眺めてみれば、都市の光が煌《きら》めき、電力を利用している地域がわかる。明るく輝く韓国に比べてお隣の北朝鮮が暗いのは、独裁政治とエネルギーの貧困が実は表裏一体であることを示している。エネルギーによって人はある場所から別の場所へ移動できるし、学生は照明を使って夜も勉強ができる。だからエネルギーは自由そのものでもある。教育を受けることは経済的な機会を得る最善の道だ。教育によって知識を得ることで民主主義の機能が改善され、独裁制へ抵抗が強化される。

特に重要なのはエネルギーが水道供給の改善に利用できることだ。エネルギーと水が豊富に利用できるようになれば食糧を大規模に生産できるようになり、農業労働者数が減少しても農地単位面積あたりの収量を拡大できる。食糧の生産性が上昇すれば、労働者は他の専門的な仕事に携われるようになる。エネルギーに支えられた職業の専門化により、多くの人が富を蓄積しやすくなった。エネルギーは工場を操業するために利用され、機械そのものを駆動する他に、照明や空調など工場内の環境を快適にして生産性を上げる装置の稼働にも利用された。さらに電気照明によって家庭での照明コストが下がり照度も改善されたことで、農作業に駆り出される必要がなくなり学校で勉強できるようになった子どもたちは、さらに勉学に励みやすくなった。

こうしてエネルギーのおかげで人口に占める農家の割合は少なくても、国民の食糧を賄えるようになった。一方で農村での生活にあこがれても、農業の技術的進歩により農村での就業機会は減少し、そうした思いは実現しにくくなった。結局多くの人々、特に若者は職を得るために、また新たに蓄積した富を消費するために、さらに都市で得られるエンターテインメントや文化活動を楽しむ自由を得るために、都市へ向かった。エネルギーによって余暇時間ができたことで、オペラを聴いたり映画を見たりするなど文化を味わい、息抜きをして生活の質を高めることもできた。

都市での生活には食物や商品そして人々を輸送する近代的な交通機関が必要だった。個人用移動手段である自動車は、生活が豊かになっていくいわゆる社会的移動とうまくかみ合い、都市に集中しつつある人々に移動の自由をもたらした。都市労働者は郊外に居住できるようになり、仕事や休暇には飛行機や船も利用できるようになった。こうした輸送システムを担ってきたのが蒸気機関車やガソリン車で、いまやロケット燃料で推進する宇宙船まである。

エネルギーは個人や都市、国家の安全にも関わっている。公共照明というかたちで、連続殺人犯など犯罪者が潜む都市の暗闇を照らし、都市に安全をもたらした。原子爆弾や爆弾を投下するジェット機など戦争の武器も生み出した。さらにエネルギーは戦争の原因にもなり、攻撃目標となり、戦時には重要な戦略決定要因となる。エネルギー安全保障と国家安全保障が絡み合っていることが、２００１年9月11日の同時多発テロ以降、21世紀前半の国防戦略の大前提となり、欧米の石油消費と健康で安全な生活に対する脅威とが無関係でないことが明らかになった。エネルギーが現代文明存続の核心となった時、安全保障上最大の弱点ともなったのである。

こうしたエピソードを接《つ》ぎ合わせていくと、エネルギーの物語が文明の物語として読めることがわかるだろう。

地球規模の課題としてのエネルギー

まず初めに認識しておかなければならないのは、エネルギーが文明を構築するのであれば、エネルギーは文明を破壊することもできるということだ。ノーベル賞を受賞した傑出した化学者リチャード・スモーリーは最晩年の数年をかけて、彼が考える世界の最重要課題を伝えてきた。スモーリーは人類の十大課題を重要な順に次のように示した。（1）エネルギー、（2）水、（3）

食糧、（4）環境、（5）貧困、（6）テロと戦争、（7）病気、（8）教育、（9）民主主義、そして（10）人口だ。[5] エネルギーがリストのトップに来ているのは、エネルギーの利用可能性がそれに続く9つの課題を解決する鍵となるからだ。クリーンで信頼性の高い安価なエネルギー利用を維持するという問題を解決できれば、水問題も解決する。十分な水とエネルギーがあれば、灌漑施設や肥料、トラクターが利用できるようになり、作物を栽培して収穫し、流通させることができるようになる。こうして食糧安全保障の問題が解決する。利用するエネルギーをクリーンにすることは、環境への影響を回避し軽減するために欠かせない。しかし人々が飢えている時に環境保護を優先するのは難しいだろう。だから食糧問題が環境問題より優先度が高くなっている。エネルギーを利用できるようになれば貧困から脱出でき、不平等が改善されるためテロ戦争のリスクも減少する。エネルギーを使うことで食物の冷蔵や飲料水の消毒が可能になり疾病のリスクも減少する。世界の多くの地域では女性と少女が毎日薪集めに1・4時間かかっていて、学校に通うことができない。[6] 現代的形態のエネルギーを使ってこうした家事労働が楽になれば、少女たちが学校へ通えるようになる。電気で照明ができれば夜でも勉強ができる。教育は民主主義を行き渡らせるための重要な要素で、教育を受けた女性は子どもの出産数が減少する傾向が知られているので、エネルギーが利用できるようになれば教育環境が改善され、民主主義が強化され、人口の増加速度が抑えられることになる。

　スモーリーの理論によれば、エネルギーは世界で最も重要なチャンスであり、同時に最も重要な課題でもある。世界には大きなエネルギー不平等が存在する。世界の人口ひとりあたりが平均的に消費しているエネルギーは、イギリス国民の半分、イギリス国民の消費量はアメリカ国民の半分、アメリカ国民の平均消費量は典型的なテキサス州の人々の消費エネルギーの3分の2だ。世界人口がこのまま増加し、世界中の人々がテキサス州と同じ消費水準でエネルギーという魔法を求め、活気ある工場と空調のある快適な住居、大きな車を持つとすると、世界のエネルギー生産と消費を一桁増加させなければならない。現在の国家安全保障の水準と世界エネルギー・システムの環境影響への程度を考えれば、エネルギー生産、輸送、利用を10倍に拡大することは大きな転換がなければ絶対に不可能だ。

大気を汚染せず、海洋を酸性化させず、大地を丸裸にせず、これだけの規模のエネルギーの便益をすべての人に提供するには、新たな魔法が必要になる。それがわたしたちに課せられた地球規模の課題だ。

第一章 水

生命と文明は水とともに始まった。だからエネルギー物語もまず水から始めることにしよう。個人にとっても社会にとっても水を確実に得られるようにすることは最優先の課題だ。何と言っても水は生命に欠かせないものだからだ。身体を育むためにも作物を育てるにも水がいる。細胞レベルで見れば、身体の循環システムに水は不可欠だ。水がなければ身体は活動できず、脱水症状を起こし死に至る。たとえ脱水による死は免《まぬが》れたとしても、わたしたちが食べている作物を栽培するのに水が必要だから、結局は飢えて死ぬことになる。また天候から身を守るための衣服に必要なコットンやウール、革など繊維類も手に入らない。

世界中の多くの地域では、わたしたちの身体や農耕に必要な水はエネルギーを使って汲《く》みあげ、輸送し、浄化処理をしている。産業革命時代に進歩した燃料と機械が登場して以降、エネルギーは水とならび文明に最も重要な二大要素のひとつとなった。実際、水の汲みあげと浄化は社会のエネルギー利用の最優先課題のひとつだ。現代の上水道システムが直接エネルギーに依存していることを考えれば、現代文明はエネルギーと水がなくてはあり得ない。またエネルギー・システムそのものが、そのサプライチェーンの上流でも下流でも水に依存している。[1] こうしてエネルギーと水が相互に関係し合っている点については良い面と悪い面がある。

進歩したエネルギー形態を利用できるようになるまで何千年もの間、文明の最も重要な基盤となっていたのは水だった。[2] また人間が大きな社会を組織する動機も水にあったことが指摘されている。つまり集団的に水資源を管理する必要性をのぞけば、社会を形成する理由が存在しないというのである。[3] 中国ではこうした水と社会のつながりを「治《ジー》」という漢字で表現した。「管理する」「水を治める」という意味がある。『エコノミスト』の記事によれば「ポリティクス（politics）は中国語で『政治』。この言葉にも『治』という漢字が使われている。『台』つまり『堤防』を意味するつくりの左側に水滴を3つ並べたさんずいで構成されている。この漢字からもわかるように、政治と治水には密接なつながりがある」[4]

一方、先コロンブス期のアステカ社会の言語、古典ナワトル語では、都市のことをアルテペテル（altepetl）と言った。水を意味するアトル（atl）と山を意味するテペトル（tepe-tl）を結合したもので「水の山」を意味する。アステカの人々も都市の形成には治水が欠かせない要素と考えていたことがわかる。

美しい水道橋と公共噴水はローマ帝国の重要な構築物だ。ローマの水道インフラは帝国による支配を明確に象徴するものだった。だから新しい領土を征服すれば、まず水道を建設しその地をローマ化することでその強大な権力を知らしめたのである。[5]

豊富な水と人間の共同作業が文明を醸成する。これが水とエネルギーの結びつきの良い側面だとすれば、悪い側面は水不足と水争いが起きれば社会が衰退することだ。中国の洞窟を調査している研究者は、古代中国で長続きした5つの王朝のうち唐（618〜907年）、元（1271〜1368年）、明（1368〜1644年）は、各々の王朝の終わりに何十年も干魃《かんばつ》が続いたことから、水不足がきっかけとなって王朝が崩壊したのだろうと結論づけている。同じように13世紀のクメール王朝、西暦900年にはマヤ文明、さらにアメリカ南西部砂漠地帯の古代プエブロ文化（ナヴァホ族などの先住民にはアナサジとして知られる）の崩壊も干魃が関係していた。

他にも多くの事例がある。たとえばMENA地域（中東と北アフリカの一帯）では、終わることがないような社会不安に苛《さいな》まれている。そこでは水資源が酷使され、そこから食糧供給にしわ寄せが及び、状況をさらに悪化させている。2010年代中頃に起きたシリア難民危機は、干魃で作物を収穫できなくなり莫大な数の農民の生活が破綻したことと直接関係している。[6] この干魃の大惨事によりシリア農民は移住を余儀なくされ、大量の難民となってヨーロッパへ流れ込み、世界中で政治的反動の引き金を引くことになった。その反動が2016年のドナルド・トランプの大統領選勝利とイギリスのEU離脱へつながる道を開いた。MENA地域での干魃の影響は地球の裏側にまでおよび、アメリカとイギリスの政権を揺るがしたともいえるだろう。

公衆衛生にとっても水は重要だ。10億以上の人々が今も浄化施設や下水道を利用できないでいる。パリの世界エネルギー機関（IEA）のアナリスト、モーリー・ウォルトンは2018年の世界水の日に解説記事で「清潔な水と下水道設備をどこでも利用できるようにするには、エネルギーが必要」[7]と述べている。公衆衛生の問題を解決するには、まず水問題を解決しなければならない。そして水問題を解決するには、エネルギー問題を解決する必要がある。何より国連の持続的開発目標（ＳＤＧｓ）の達成にそれは不可欠だ。

エネルギーと水の相互依存性があることから、一方に無限の利用可能性があれば、他方も無限に利用できる。無限にエネルギーを利用できれば、深い井戸を掘り長い水道を敷設し、海水を淡水化して喉の渇きを癒《いや》せるので、水問題は解決するだろう。そして無限に水を利用できるとすれば、河川を堰き止めて水力発電が可能になり、砂漠でバイオ燃料となる作物を育てればエネルギー問題はすっかり解決するだろう。しかしこれらの解決法にはどちらにしても心配な環境への影響がある。たとえば河川に汚泥を堆積させ、水源に大量の表面流水が入り込む。海水を淡水化すれば、その結果生じる濃度の高い大量の塩水を処理する方法を開発しなければならない。しかしわたしたちが生きているこの世界ではエネルギーと水を無限に利用することはできない。わたしたちは制約のある世界に生きているのである。エネルギーと水は密接に関係しているため、一方の制約が他方の制約ともなる。そしてどちらかが不足すれば文明全体に影響が波及する。

機械を動かす水

近代的なエネルギー・システムで水を利用するようになるまで、水は機械の動力と輸送に利用されていた。常に水の流れがあって大きな落差があれば、落水の力を利用することができた。高所にある水の位置エネルギーは機械的エネルギーに変換できる。水が落ちると大きな木製の水車を回し、それが駆動軸を動かし、木製あるいは金属製の歯車や車軸からなる装置を介して有益な作業をする道具を駆動する。流水に仕掛けた水車でガラスを磨き、穀物を製粉し、糸車を回転させ、鍛冶屋のふいごを動かし、製材用の巨大な丸ノコを駆動した。こうした機械力が労働者や家畜の筋力による仕事を補助し増幅していた。

水は輸送にも利用された。河川や湖、海は何千年も輸送に利用されてきた。最終的には運河などの人工的な水路が建設され、人々や商品の移動を促進した。そして輸送に利用する水と製造に利用する水がうまく結びついた。水車を使い水の力で商品を製造し、運河でその商品を容易に効率的に顧客に届けることができた。

こうした異なる要素が結集することでアメリカの水路、時にはその結集地点が近代経済の動力源となった。マサチューセッツ州ローウェルでは、ある頭の切れる所有者がいくつものダムや閘《こう》門《もん》、運河のシステムを使って水の流れを管理し、落水の位置エネルギーを作業所や工場の動力に利用したい製造業者に切り売りした。[8]

アメリカでは水力が豊富に得られたため、水は工業化の原動力となった。水の専門家マーティン・ドイルによれば「18、19世紀の開拓移民は水車の動力となる小さなダムを囲むように集落を建設し」さらに「サスケハナ川の水力は植民地の穀物の製粉に、メリマック川はニューイングランドの織物工場で織機を動かすために欠かせないものだった」[9]。この点でイギリスは対照的で、容易に採掘できる石炭は豊富にあったものの水力には恵まれていなかった。そこでイギリスの製造業が動力として利用したのは水力ではなく蒸気力だった。「東海岸沿いの入植者はまず最初に水車を設置し、入植地建設に欠かせない木材を製材した。木材はヨーロッパでは供給不足だったがアメリカでは豊富に利用できる重要な原材料のひとつだった。イギリスで最初の製材所が建設されたのは１６６０年代になってからのことで、ニューイングランドではそれまでに数百軒もの製材所が稼働していた」。最終的に「製材所と製粉所が植民地経済の柱となった」[10]

製粉所の稼働により小麦の製粉とトウモロコシのひきわり粉を製造する生産性は増大した。１ブッシェルの小麦を製粉するのに人力なら約２日、馬なら数時間かかった。それが18世紀の典型的な水力製粉所では毎日数十ブッシェルもの小麦粉やひきわり粉を生産できたのである[11]（１ブッシェルは約３５リットル）。

当然のことだが、加工製品は原材料そのものより価値が高くなる。木材用に切り倒した木は、立ったままの木よりも価値があり、小麦粉は小麦よりも価値がある。現代の例で言えば、ガソリンは原油より価値があり、化学製品は天然ガスより価値があるということだ。勤勉な人間はエネルギーを使って天然資源を価値の高い商品に格上げした。つまり付加価値をつけて他の地域へ輸出したのである。さらに最終製品は価値密度も高くなるため、賢明な手段でもあった。どういうことかというと小麦粉は小麦より重量あたりの価値が高く、小麦より輸送も簡単だ。同じことは小麦栽培に投入する水についても言えた。１ポンドの小麦の栽培には１０００ポンドの水が必要だが、その量の水を出荷するより、１ポンドの小麦粉にして出荷する方が理にかなっていた。水とエネルギーは様々な商品の加工を可能にし、同時に価値も創出していたのである。

水力は筋力に比べれば動力源として大きな進歩だったが欠点もあった。水力で仕事をさせるには高低差を利用して莫大な量の水を流さなければならないからだ。すでに述べたようにイギリスをはじめ世界の多くの地域では、自然条件に恵まれず水とエネルギーの結合をうまく利用することができなかった。アメリカでも水力に不利な地域は広大に広がっていた。そんな地域で革新的な進歩をもたらしたのが蒸気力だった。

燃料を燃やして発生する熱で水を沸騰させれば、蒸気の力で重量級の機械装置でも駆動できた。産業革命の時代はまさに蒸気の時代で、蒸気機関の発明が熱を運動に転換する機会を生み出した。熱の生産そのものは初歩的な技術で必要な燃料も容易に調達できたが、革新的だったのは熱を運動に転換する仕掛けだった。

アメリカで蒸気機関への転換が起きたのは１８００年代の終わりだった。蒸気力を得るために必要な水の量は、水力を得るのに必要な量と比べればほんのわずかでよかった。水車を駆動できる高低差のない平坦地でも、蒸気力に利用するくらいの水なら十分にあった。蒸気は水力以上のエネルギー出力が得られるだけでなく、製造業者は河川から離れてどこでも自由に工場を建設できるようになった。

蒸気を作るボイラーの熱は薪でも賄《まかな》えたが、燃料としてさらに優れていたのが石炭で、薪より汚染が少なく低コストでより多くの熱を生産できた。燃料、特に化石燃料を利用することでわたしたちは河川の周辺から離れ、都合のいい場所へ移動できるようになった。水力を利用する場合、平坦な土地には注意が必要だが、蒸気力ならそうした気遣いの必要はない。こうしてシカゴやクリーヴランド、デトロイトといった大都市が湖岸の平野部に誕生した。地形的に水力は期待できなかっただろうが、湖を経由すれば出荷が容易で、近くには多くの原材料もあった。水の流れが紡ぐ工業化の物語には背景に地理的条件があったが、エネルギーはそうした工業化の様相を一変させ、地理的条件にかかわらずほとんどの場所で工業化を実現できるようになった。

水が支えるエネルギー

水の直接利用から蒸気の利用へ移行したことで人間の活動範囲が広がったが、次の大きな進歩が待っていた。水を利用した発電が製造業者にさらなる自由度をもたらしたのだ。水や蒸気は輸送しにくかったが、電気なら何百キロ離れた土地へも電線で送れる。

電気の時代も蒸気の時代と同じように変革の時代となった。ベンジャミン・フランクリンが１７００年代に行った有名な実験で、雷と静電気のスパークの類似性をありありと実証して見せたものの、18世紀から19世紀初頭にかけての電気実験は、実験台の上で行うレベルに過ぎず、科学的興味を満足させることにとどまっていた。利用していた装置も小さなバッテリーつまりボルタ電池など低電圧の直流を用いたものだった。大規模な交流システムによってモーターや安価な白熱灯などの電気製品が利用できるようになり、電気が毎日の生活を支えるもののひとつとなるのは１８００年代後半になってからだった。１９００年代後半に情報経済が姿を現した時と同じように、電力の普及も臨界点を超えると一気に進展した。

電気は様々な方法で生み出せる。最も簡単な方法がコイルのまわりで磁石を回転させて電流を誘導する方法だ。

すでに何百年も前から知られていたように、水を使えば簡単に水車を回転させられる。流水は上射式水車を回転させ、製材所の回転刃や製粉所の石臼、織物工場の紡《つむ》ぎ車などの装置の動力源として使われた。この手法を応用して磁石を回転させて発電ができるようになった。世界最初の水力発電所は1879年にフォックス川に建設され、ウィスコンシン州アップルトンで数百個の電球を灯した。この最初の水力発電用ダムはそれほど大きくはなく、その外観は発電所というより機械力を利用した中世の水車小屋を彷彿《ほうふつ》させるものだった。

こうした小規模の水力発電所は1800年代後半に続々と稼働を始め、白熱灯と産業用小型モーターの電力需要に応えた。そうした発電所の中には1882年に竣工したナイアガラの滝発電所のように、単純に滝の上から流れ落ちる自然の高低差を利用するものもあった。しかし何十メートルもの落差を得られないその他の場所では、ダムで貯水し人工的に落差を作る必要があった。初期のダムは水位を数メートルあげる程度の小規模な貯水池で、この程度の構造物なら河川の自然の流れに大きな影響を与えるとは考えられなかった。その後、発電や洪水調節、船舶の航行、灌漑など多様な目的のために、さらに大きなダムが建設されるようになった。

1800年代の終わりには工場の電化が始まった。1900年時点ではシカゴの工場で電化されていたのはわずか4パーセントだったが、30年後には78パーセントまで普及した。[12] これらのダムと安価に利用でき出力の大きな電力により、アメリカは競争力のある経済的優位性を獲得した。

1920年代のアイルランドでは、アメリカの電化された工場に追いつこうと、電力供給委員会がシャノン川を利用した水力発電による国内電力系統の敷設を計画していた。[13] 同じ頃ドイツではオスカー・フォン・ミラーがミュンヘン郊外に水力発電システムを建設中だった。この時建設されたワルヘン湖発電所はふたつの湖の間の２００メートルの落差を利用したもので、現在も運用されている。

安価で信頼性が高い電力という形態のエネルギーの魅力は、確かにダム建設を促進したが、ダム普及の裏にはそのほかの理由もあった。アメリカの経済が発展し人口も増加していたため、氾濫原での経済活動も増え、洪水による災害が増加していた。洪水による壊滅的被害は、洪水リスクを抑えるためのダムと堤防の建設を急がせた。こうしたダムは洪水管理のためのインフラではあったが、発電所も組み込めるため、洪水管理の副産物として電力も供給でき一石二鳥ということになった。

１９２７年のミシシッピ大洪水では洪水が堤防を乗り越え家屋に襲いかかった。この大洪水がダム建設を強力に推し進めるきっかけとなったと言ってもいいだろう。その損害は想像を絶するもので、連邦政府予算が30億ドル以下だった時代に、一度の災害で10億ドルもの莫大な損害が生じ、70万人が家屋を失い、家屋やその屋根の上、堤防の一番高い部分、木の上などから救出された人は30万人にのぼった。水専門家のマーティン・ドイルはこうした壊滅的洪水の結果として「河川は高度に設計され最適化された水力機械システムとなった。20世紀前半の洪水が契機となり、進歩主義者がイデオロギーを与え、ニューディール政策が資金を提供した」[14]と述べている。つまりいくつかの異なる力が集約してアメリカの河川に発電所が生まれ、近代的経済を駆動するようになったのである。

それから間もなくして第二次世界大戦に備える軍は、洪水調節用に建設されたダムで発電される電力を大量に必要としていた。アメリカは依然として大恐慌の影に包まれ、雇用は不足していた。こうした大きな流域プロジェクトはその有益な機能の実現と同時に、人々に雇用を提供する手段にもなった。こうしてアメリカにおけるダム開発の拡大は１９３０年代に加速し、その後数十年間続いた。その間フーヴァー・ダム（当初はボールダー・ダムと呼ばれた）やシャスタ・ダム、グランドクーリー・ダムなどいくつかの巨大ダムが建設された。

アメリカ合衆国における初期のダム建設のほとんどが太平洋岸北西部のコロンビア川流域と南東部だった。これらのダムから供給される豊富な電力を利用し、巨大発電所のすぐそばでは大規模な軍需品生産が始まった。アルミニウムの生産だった。第二次世界大戦ではそれ以前の戦争と比べ航空機への依存が高くなり、新たにアルミニウムの大きな需要が生まれた。アルミニウムはボーキサイトを原料に電気を投入して生産されるため（鉄鋼の場合はアルミニウムとは対照的に原料の鉄鉱石に熱を投入して生産される）、アルミ精錬所の多くがダム近くに立地した。豊富な電力によりアルミニウムの生産速度はかつてないものとなった。

ほかにも電力の大きな需要があった。核兵器用濃縮ウランだ。ウランは電気で稼働する遠心分離機で濃縮するため、莫大な電力を消費する。戦争が頂点に達した時、ウラン濃縮だけで国内電力消費の１パーセント以上が投入されていた。[15] ダムは戦争遂行における重要なインフラで、ウラン加工の主要核研究所はワシントン州のコロンビア川のダム近くとテネシー州のテネシー川流域開発公社（ＴＶＡ）が建設したダムの近くにあった。ワシントン州のパシフィックノースウェスト国立研究所とテネシー州のオークリッジ国立研究所など、アメリカ合衆国エネルギー省の主要な核処理研究所のいくつかが今も同じ場所にあることから、当時の様子がうかがえる。

TVAは独特の準政府機関で、地域に供給する水と電力の管理もしている。テキサス中央部のコロラド川下流河川公社と太平洋岸北西部のボンネヴィル電力局も同様だ。TVAは女性参政権運動の副産物という意味合いもあって1933年に創設された。1920年に女性が選挙権を得た後、女性活動家は別の重要問題に取り組むため、女性有権者同盟を組織した。その成果のひとつがTVAを立ちあげるうえで重要な役割を果たしたことだった。[16] 女性活動家がTVAを支持したのは女性の雇用を増やしたかったからだが、同時にディープサウス（米国深南部）での女性ならではの希望、つまり家庭で電気が利用できるようにしたかったのである。[17] 電力と電気製品は、選挙権と同じく女性の自由を実現するものだった。

かつて陸軍省が第一次世界大戦時にアラバマ州マッスルショールズでの建設を渇望していたダムに新たな息吹を吹き込んだのがTVAだった。今日のTVAは大きな組織になり、管理範囲も広がって、多くのダムのほかに石炭火力発電や原子力発電まで含まれる。

マッスルショールズはテネシー川沿いに位置し、音楽の都メンフィスとナッシュヴィルに挟まれている。音楽好きならマッスルショールズはフェイム・スタジオがあることでおなじみだろう。アレサ・フランクリンやエタ・ジェイムズ、パーシー・スレッジ、ザ・ローリング・ストーンズ、オールマン・ブラザーズら世界でも有数のアーティストたちがヒット曲を録音したスタジオとして知られる。[18] 音楽とダムとのつながりは、マッスルショールズを超えアメリカの偉大なフォーク歌手にまで届いた。ダム建設をめぐっては、ダム貯水池により谷全体が水没し、地域生態系に傷跡を残し、魚の回遊を阻《はば》み、いくつかの事例では多くの人々が移住を余儀なくされたため、ダム建設反対運動も起きていた。ボンネヴィル電力局はこうした状況を打開するため、水力発電の利点を強く印象付けるPR活動を展開した。宣伝映画やポスターを制作し、ついにはフォーク歌手で「我が祖国（This Land is Your Land）」を作詞作曲したウディー・ガスリーにコロンビア川沿いのダムをテーマにした歌の制作まで依頼している。[19]「ロールオン・コロンビア」や「グランドクーリー・ダムの歌」がダム建設推進に有効に作用した。

現代的な水力発電ダムは、発電の段階からクリーンかつ効率的で、頑丈で単純な仕組みで、すぐに定格出力を得られるため、今でも魅力的な発電方法だ。対照的に石炭を燃やす火力発電や核分裂反応熱を利用して水を沸騰させる原子力発電は、定格出力に達するまで数時間あるいは数日間もかかる。現代の電力系統には不都合な真実があるのだ。大部分の発電所、すなわちほとんどすべての原子力や石炭火力、天然ガス火力は、発電所を始動する前にあらかじめ電力が供給されていなければならないのだ。鶏が先か卵が先か、そんな仕組みになっている。では嵐や装置の不具合で停電になったらどうなるのか？　数は少ないが「自力起動《ブラックスタート》」と格付けされている発電所があり、これらの発電所は停電中でも発電を開始できる。ダムの場合は、停電しても重力が消えることはないのでブラックスタートが可能だ。そこでダムから他の発電所に電力を供給し、発電機を起動させてからその発電所を系統に接続するということもよくある。こうした点からみても水が現代の経済全体を支えていると言っていいだろう。

ダムは発電の段階では比較的クリーンなため、温室効果ガスの排出を抑制したい利害関係者の間では評判がいいが、環境への影響はゼロではない。ダム建設は生態系に重大な影響を与える。大きな谷を水に沈め、人々を移住させ、その地理的景観は二度と元に戻すことはできない。さらに魚の回遊が阻害されるため、魚をタンパク源にしている人々や漁で生計を立てている人々に連鎖的に打撃を与えることになる。ダムはその機能の有益性から依然として魅力はあるが、こうした欠点があることから反対運動がしばしば組織され、アメリカやヨーロッパでは巨大なダム建設はほとんど不可能になっている。

しかし水資源プロジェクトは文明社会の証のようなもので、政治家が建設を後押ししたりダムにその名を残したりするなど、支配階級の間では政治力の象徴として利用されている。たとえばパリ郊外にある有名なヴェルサイユ宮殿では、大規模な給水塔と水力発電システムが建設され、数万人に配水する一方で、噴水で贅沢さを演出し、水力システムが機能だけでなく美しくもあることを実証しようとした。

19世紀にはエイブラハム・リンカーンが航行と商業用の水インフラ、つまり運河の建設を支持し続けた。ドイルは1927年のミシシッピ大洪水の後「洪水制御インフラ・プロジェクトは、その後半世紀の間ばら撒《ま》き政治の常套《じょうとう》手段となった」[20]と述べている。当時世界最大のダムにも最終的にハーバート・フーヴァー大統領の名が冠された。地方の小規模ダムでさえ、たとえばテキサス州オースティン郊外のブキャナン・ダムは地元選出下院議員の名がつけられ、政治家の自慢の種にされた。こうした政治とダム開発の馴れ合いを不朽のものとしたのがウェンデル・ウィルキーだった。今日のアメリカ南部の大手電力・ガス持株会社であるサザンカンパニーの前身企業で最高経営責任者を務め、1940年には共和党大統領候補に選出された。しかし大統領3期目を目指し、エネルギーと水の広範なインフラ・システムを自らのレガシーとして残すことになるフランクリン・デラノ・ルーズヴェルトに苦杯を喫した。

水インフラ建設による政治的な見返りは、アメリカに限ったことではない。アジアやアフリカ、南アメリカでも、ダムは地域を電化する方法であると同時に、多面的な便益が約束されることから政治力を確かなものとするために利用されている。たとえばインドのサルダル・サロヴァール・ダムは100万の農家のための灌漑用水と3000万人分の飲料水、1・5ギガワットの電力、そして5000人の雇用を供給することが目的だ。[21]

水力発電所は敷地の広さも発電量も実に巨大だ。世界最大の水力発電所は中国の三峡《さんきょう》ダムで、発電能力は22ギガワットと原子力発電所20基分の規模だ。フーヴァー・ダムはラスベガスに近く景観が美しいこともあって格好の観光地となっているが、あの途方もない大きさのダムでさえ発電量は2ギガワットだ。1800年代後半に建設されたこうした初期のダムの発電能力は三峡ダムの1000分の1に過ぎない。

三峡ダムの建設は中国指導者らによって数十年かけて進められ、最終的に2000年代に竣工した。このダムの大きさは容易には理解できない。ダムの貯水池の全長はイギリスの国土と同じくらい長いのだから、とにかく巨大だ。[22] 貯水池の水量があまりに莫大なため、地球の自転を減速させてさえいる。400億トンにもなる水塊を海抜数百メートルまで上げた結果、地球の中央部がごくわずかにふくらむ形状になり（その結果慣性モーメントが大きくなり、回転速度が小さくなるので）、1日の時間が1億分の6秒だけ長くなる。[23] 今度会議に遅れることがあったら、三峡ダムのせいで時計が狂ったことにしたらどうだろう。

三峡ダムの規模とリスクは、その水量と発電量を考えれば尋常ではない。人間の思い上がりの究極的な証だ。確かに洪水に関する災害リスクを減らし、長江の航行を便利にはしたが、多くの集落もろとも谷全体を水没させた。地質学者は貯水池の水による地震と湖底地滑りを懸念する。水を含んで柔らかくなった貯水池周辺の土に新たな負荷がかかり始めるからだ。実際に三峡ダムが稼働し始めてから最初の10年間で、このダムが引き金となってマグニチュード2・0以上の地震が500回以上、地滑りが400回以上発生している。

三峡ダムが崩壊すれば、下流域に生活するおよそ1500万人以上の生命を危険に曝《さら》すことになる。[24] 水塊が巨大な波となって一気に谷を下るため、下流域の人たちが逃げる時間的な余裕はない。不幸なことだが、地震活動の活発なヒマラヤ地域には、竣工あるいは建設中、また計画中のダムが600以上あり、重大な崩壊リスクに曝《さら》されている。インドのテーリ・ダムが崩壊すると、科学者の推定によれば高さ200メートルの水の壁が下流に襲いかかり200万人の命が危険に曝されるという。[25] そんな大破局が起きないよう願うばかりだが、残念ながら実際にダム崩壊は起きている。2017年2月にはカリフォルニア州のオロヴィル・ダムをあわや決壊かという事態が襲った。大雨が一度降っただけでもダムが強度限界に達しうることをまざまざと見せつけた事象だった。雪解け水と大量の降水でオロヴィル・ダムの水面が緊急放水路の高さを超え、ダムを激しく浸食し始めた。20万人近い人々が避難を余儀なくされたが、幸いにして決壊にまでは至らなかった。もし決壊していれば大変なことになっていただろう。そして１９７０年代には致命的なダム決壊が立て続けに起き、このことも動機となって１９７９年にジミー・カーター大統領はアメリカ合衆国連邦緊急事態管理庁（ＦＥＭＡ《フィーマ》）を創設している。[26]

三峡ダムは確かに世界の度肝を抜く水力発電ダムだったわけだが、さらに巨大なダムが計画されている。コンゴ民主共和国のコンゴ川で計画されているグランドインガ・ダムだ。コンゴ川の流量は世界第2位、高さ約90メートルの滝から毎秒４万３０００立方メートルの水が流れ落ちる。グランドインガ・ダムはこの滝をダムサイトとする計画だ。息を呑むようなプロジェクトの規模は、出力40ギガワット、三峡ダムのほぼ2倍だ。しかし大部分が流れ込み式発電所で、容易に取水発電ができ貯水池も必要ない。ただ設計によっては水の落差を稼ぐため小さな貯水池を設けることも考えられている。アフリカ大陸の既存の発電容量を40パーセント上乗せする見込みだ。利用できる電力が大幅に増加すればアフリカにとって大きな恩恵となるだろう。産業が活発になり雇用と富が生まれ、人々は貧困から脱出できる。確かにこうした便益は魅力的だが、農地の水没や生態系への悪影響、何万人もの移住など、他のダムを悩ませているのと同じ理由でこのプロジェクトにも異論が多い。[27] 一帯の豊かな生態学的環境がダム湖の底に沈み、湖底では植物体の嫌気的分解が進みメタンガスを発生させるだろうし、蚊などの病原菌媒介生物の個体数も増加するだろう。また堆積物が貯水池内にとどまり下流に運ばれなくなるため、下流農地の肥沃度にも影響を与えるだろう。このダムの費用は１０００億ドル近くになり、汚職がはびこる国で政界とのコネがあり、政治権力から恩恵を受けている企業にとっては垂涎《すいぜん》のプロジェクトで、その触手を伸ばしているが、貧困なコミュニティーではその電力の恩恵も受けられず、ダムの悪影響が心配される。現在グランドインガ・ダム計画は、小さい部分で工事が進展しただけで頓挫《とんざ》している。

水はダムの他にもエネルギー・システムで重要な役割を果たしている。水車で機械力、水力タービンで電力、また石炭やガス、石油、薪などを燃やした熱や原子炉の熱は、水を沸騰させてその蒸気でタービンを回転させ、世界の電力の4分の3近くを生産している。さらに原子力発電所や火力発電所は発電効率を上げるために湖や河川、海の水を使って冷却している。アメリカの典型的な家庭では毎日およそ20〜40キロワット時の電力を消費しているが、その電力を発電するには毎日約1000〜2000リットルの冷却水が必要になる。その同じ家庭が洗濯や料理、飲料用（芝生の水撒き分は含んでいない）に毎日利用している水は約600リットルだ。[28] つまりわたしたちは蛇口やシャワーで使うより多くの水を照明やコンセントの利用で消費していることになる。

電力系統の燃料として使われる石炭やウラン、またレアアースなどの資源は、その採掘過程で掘り出した岩石から目的とする鉱物を洗い出すために水を使う。実際、アメリカ西部で水の所有権が確立されるようになったのも、1800年代の西部における採掘ブームで水が不可欠だったからだ。[29] アメリカ東部では水の所有権ではなく、所有地に隣接する河川から十分な量の水を利用することができる「沿岸権」が定められていた。しかし採掘活動によって河川から遠く離れたところで水需要が生まれると、水そのものの所有が重要な権利として、土地所有権から分離された。

水は燃料の生産にも利用される。トウモロコシなどエネルギー作物の栽培に灌漑は欠かせない。トウモロコシを自動車用エタノールに転換するバイオリファイニングや発酵過程では水蒸気が用いられる。石油と天然ガスは水攻法や水圧破砕法《フラッキング》などの技術を使って回収される。水攻法の場合は油層に加圧した水を注入し、石油とガスを押し出す。水圧破砕法《フラッキング》は、シェール層の岩盤に化学物質とプロッパント（細かいセラミック製ビーズや砂のようなもの）を混ぜ込んだ水を高圧で注入し、亀裂を作ると同時に割れ目を開いたまま保つことで石油と天然ガスを回収する。また燃料の精製には熱媒体として蒸気が利用される。そして最終的に燃料を輸送するためにも水が欠かせない。石炭は、艀《はしけ》で内陸水路を移動し、石油や石油精製品、液化天然ガスの貿易には海上輸送を利用する。

総計すると、アメリカで消費される水の約10パーセントはエネルギー部門で利用されている。[30] 地域によっては石油と天然ガス生産用の水利用はもっと大きい割合になり、最も大切な水利用について、地方自治体と産業界が対立することもある。地域によってはシェール革命により流域全体の水利用に圧力がかかっている。流域の１か所で水圧破砕法により水が消費されると、下流の石油化学工場ではシェールから得られる天然ガスを高付加価値の化学製品に転換する蒸気が必要になり、さらに多くの水が消費されるからだ。

エネルギーはそのサプライチェーンの上流、下流ともに決定的に水に依存しているため、必要な時に、必要な場所で、必要な手段で水が得られなければ、エネルギー部門が破綻する可能性がある。世界を見渡せばこうした例には事欠かない。干魃や洪水、熱波、寒波によってエネエルギー系統が破綻し、停電や燃料不足で命にかかわる事態が生じている。

予想外の良い知らせもある。化石燃料を燃焼させると水が生成する。炭化水素は水素と炭素の原子が互いに結びついてできる鎖状あるいは環状の多様な化合物だ。たとえばメタンの化学式はCH_4、プロパンはC_3H_8、ガソリンなら平均組成はC_8H_{15}だ。こうした炭化水素の燃料を空気中の酸素（O_2）と反応させると主にふたつの燃焼生成物ができる。二酸化炭素（CO_2）と水蒸気（H_2O）だ。二酸化炭素は赤外線を捕捉するので、炭化水素を燃焼させると排気浄化装置を設置していない限り必ず温室効果ガスが発生する。水蒸気も温室効果ガスだが、地球の水循環に加わり、その循環に寄与している。テキサス州立大学オースティン校でのわたしたちの研究から、世界中の化石燃料の燃焼により大気中に供給されている水は毎年１２０億トンにのぼると算出された[31]。大気中の水蒸気総量に比べればごくわずかなので、気候変動に寄与するほどではないが、無視できない量だ。燃料を燃やして水ができるとは直感に反するようだが、化石燃料の利用により確かに大切な水が生産されるのである。

水によって実現したエネルギーの活用は革新的だが、否定的な側面もあった。汚染だ。エネルギーを使って水を処理し浄化しているというのに、皮肉なことにエネルギーの生産過程で水質を重大なリスクに曝しているのである。エネルギーによる水質汚染には多くの形態がある。そのひとつが熱汚染だ。たとえば火力発電所は冷却に水を使うが、その過程で温度が上昇した冷却水は河川や湖、海に排水される。この排水が非常に高温であれば水生生物がリスクに曝される。エネルギー・システムは生物にとって危険な温度にまで水を冷却することもある。いくつかのタイプのダムは非常に冷たい水を放水することがあり、これが魚類の繁殖周期を狂わせる。天然ガス受入基地では液化天然ガス（ＬＮＧ）を受け入れるが、ＬＮＧは摂氏マイナス１６０度という極低温で船に積載され輸送されてくる。この温度と比較すると周囲の海水はずっと温かいため、陸上パイプライン用にＬＮＧを気化させる熱源として海水が利用されている。この過程で隣接する海水の熱はＬＮＧに奪われるため、かなり冷却されることになる。

エネルギー生産のための水利用にも深刻な化学汚染のリスクがある。ダム建設から始まったあのテネシー川流域開発公社が、２００８年のクリスマス・シーズンに同公社のキングストン石炭火力発電所で大規模な石炭灰の流出事故を起こした。この流出で４００万立方メートルの石炭灰が1平方キロ以上の土地と20軒以上の住宅を覆い尽くし、甚大な損害をもたらした。石炭灰の除去作業にも膨大な費用がかかる。事故から10年足らずで、新聞は「石炭灰流出事故で新たに判明。除去作業員ら１８０名が死亡・重体」と報じた。石炭灰の除去作業で有毒化学物質に曝露《ばくろ》した結果だった。[32] 流出事故後の10年間で30名以上の作業員が除去作業で死亡しており、犠牲者はさらに増えることが予測されている。

水に関わる他の環境影響として放射能汚染がある。原子力施設からの放射性物質の漏出や、石油や天然ガスの回収に伴う自然起源放射性物質（ＮＯＲＭ）などによる。ほかにも採取産業から出る膨大な鉱山廃棄物や原油の流出、バイオ燃料生産に由来する化学肥料の流出、水圧破砕法に伴う化学物質注入の影響もある。結局のところ、エネルギーはダーティ・ビジネスでもあるのだ。

企業は廃棄物を処理しないまま小川や河川に廃棄してきた。それが当たり前のような時代が長く続いた。1900年代のはじめに建設業界がこうした慣習を支持したことは、わたしもひとりのエンジニアとして非常に恥ずかしいことだと思う。1903年の『エンジニアリング・レコード』誌はその論説記事で「上流都市が下水処理作業を強制されるより」上流の都市は廃棄物をそのまま小川に廃棄し、下流で取水する都市が浄化処理する方が「よっぽど公平である」と断言したのだ。[33]その結果1900年代はじめのアメリカでは工場などで集められた廃水のほぼ全量が小川や湖に生下水、未処理下水として垂れ流しにされていた。企業が廃棄物を浄化せず河川に廃棄できるとするこの発想は、現在の企業が浄化装置を設置しないまま（二酸化炭素放出というかたちの）廃棄物を大気中に放出している言い訳に通じるところがある。

汚染は衝撃的なかたちでも現れる。かつてカヤホガ川はひどい汚染で、しょっちゅう火災が起きていた。水が燃えるなど尋常ではなく恐怖さえ感じる。カヤホガ川は石油精製や石炭の輸送を担い、製鋼所、化学工場、製紙工場が立ち並ぶ工業地帯の中心を流れる。1969年まであまりに汚染がひどく「南北戦争以降少なくとも十数回、おそらくはそれ以上火災を起こしている。そもそも1930年代まで地方紙は川が燃えること自体より、消火活動をすべき消防署不足を批判していた」。[34]1969年の火事が注目を集めたのは、ドイルも説明しているように、『タイム』という極めて有力な雑誌が取り上げたことによる。同誌の1969年8月1日号にはアポロ11号宇宙飛行士の月からの帰還記事、さらにチャパキディック島事件の記事もあった。メアリー・ジョー・コペクニが自動車事故で死亡し、この時運転していたのが上院議員エドワード・ケネディーで、彼自身は脱出して無事だった。『タイム』は飛ぶように売れた。読者の目当てはエドワード・ケネディーと宇宙飛行士の記事だった。目玉記事を読み終わってからパラパラとページをめくるうちにクリーヴランドの川火事のことを知った」とドイルは記している。

この「燃える川」のおかげで水質に注目が集まるようになり、他の雑誌や新聞でも水質問題が取り上げられ、その他の要因も加わって、その後立て続けに水質汚染防止法、大気汚染防止法、飲料水安全法、国家環境政策法と環境関連の法令が成立することになった。こうした経緯から飴と鞭を持つ環境保護庁（ＥＰＡ）が誕生し、規制権限（鞭）と同時に水質を浄化する取り組みには補助金を投入した（飴）。それ以来飲料水の浄化にエネルギーが投入され、廃水もエネルギーを投入して浄化してから河川へ流されるようになった。

エネルギーが支える水

英語圏の言語と文化には、水は目の前にあっても手に入らないものというイメージが浸透している。「水だ水、水だらけ、だけど飲める水は一滴もない」と老水夫が歌う。サミュエル・テイラー・コールリッジの１７９８年の詩「老水夫の詩」の一節だが、飲用に適さない海の水に囲まれた本質を突いている。

また“tantalize”（苦しめる）という英語が水にまつわる伝説に由来するのも驚くには当たらない。ギリシャの神々は神の食物を人間に与えたとして、ゼウスの息子タンタロスを責めた。大変な喉の渇きを与えてから、水溜りのそばに立たせた。タンタロスが跪《つまず》いてその水に口をつけようとすると水は引いてしまう。この神話は、水は豊富に存在し、あと少しのところで手が届くのに永遠に利用できないように思える、水と人類との関係を示すうまいたとえ話のようだ。しかし現代のわたしたちならエネルギーを使って水を手繰《たぐ》り寄せることができる。人類はエネルギーによってギリシャの神々の能力をも超越したといえるのかもしれない。

地球上の水を配分している中心的なメカニズムを水循環という。巨大で強力で途切れることのないメカニズムだ。アメリカ地質調査所の解説によれば「地球の水は常に移動し……水は常に気相、液相、固相の状態間を遷移している。その遷移過程は一瞬だが何百万年も継続している[35]」。長期的にはこの循環により様々な地域の洪水や干魃の強度が変化することはあっても、この循環そのものが止まることはない。

水循環により膨大な量の水が地球規模で移動しているのだが、実際にこの水を利用するとなるとなかなか厄介だ。確かに地球上には大量の水が存在する。しかしその大部分は塩水で、そのままの状態では利用できない。存在場所も都合が悪かったり（遠方であったり地下深くであったり、山の頂上の雪など）、1年のうち利用できる時期が限られていたりする（たとえばインドの一部では、モンスーン期にあたる1か月間は豊富に水が得られるが、それ以外の11か月は水不足に見舞われる）。そこでわたしたちはエネルギーを使って水を利用可能な状態にし（脱塩し、清潔にし、殺菌処理し、加熱する）、使いやすい場所（家庭や職場）へ輸送し、適切な時に（必要な時に）利用できるようにしている。水循環といえば豊かな水の存在をイメージしがちだが、水を利用するには水を適切に処理し輸送しなければならないのである。

残念ながら淡水は水全体のわずかな部分に過ぎず、地球全体の水の約97・5パーセントは塩水か汽水で、淡水はわずかに2・5パーセントだ。[36] 世界の淡水の大部分は氷のかたちで封じ込められているか、容易には利用できない場所にある。つまりわたしたちはエネルギーを投入して必要な場所に運ばなければならない。特に地下にある帯水層の表面から水を汲みあげるにはエネルギーがいる。また、大気中に上昇した水はその後雨として地上に降ってくるが、この雨水を集めるにも多くのエネルギーが必要になる。

地球の水循環の原動力になるポンプは、太陽から入射するエネルギーだ。地球に入射する太陽光エネルギーの半分以上は水を気化する過程で消費される。[37] 基本的な仕組みは太陽のエネルギーにより水が気化して大気圏の上部へ上昇し、その後重力の作用で雪や雨として地上に降りてくる。上昇した水の位置エネルギーをすべて捕捉できたとすると、13テラワットの出力が得られ、地球全体が消費する電力のおよそ2倍になる。大気中の水蒸気が地上に降り海に流れる間に、わたしたちはそのエネルギーを捕捉し、電力や灌漑、飲料水、その他の多くの目的に利用している。こうして水循環が一巡すると新たな循環が始まる。大気中の気化した水つまり水蒸気が水循環の重要な駆動装置となっているのである。[38] 大気中には世界中の河川水の総量の約8倍以上の水が蓄えられている。また氷河や雪には世界の湖をすべて合わせた水量の150倍の水がある。このように量の面では水は大量に存在する。

地球自体もいくらか水を上昇させている。たとえば地下水が自然に湧き出している場所もある。湧出口が自然にできたものであれば泉、人工的に作ったものが掘り抜き井戸だ。掘り抜き井戸は、地下深くまで掘ったり、穴を開けたり、切り込んだりして十分な圧力がかかっている地下水面に達すると、水は何もしなくても地表まで上がってくる。水量の多い井戸だと1分間に1000リットル以上の水が湧く。こうした井戸なら水を汲むためにバケツをつり下げたり、手押しポンプを使う必要はない。地下水にかかる圧力が強く、水が1メートル以上も吹き上がることもある。地球が水を押し上げてくれるのだから、こんな井戸があれば便利だ。しかもよくある開放井戸とは違い、不注意な人や目を離したすきに子どもが深い井戸に落ちることがないので、安全でもある。

ありがたいことに太陽と地球が大量の水を上昇させてくれている。しかしその恩恵が得られない場所では、人間や家畜の筋力や電動ポンプの機械力など他の形態のエネルギーを利用して水を汲みあげなければならない。

そこで水の汲みあげや移動を補助する様々な装置が開発されてきた。ひしゃくのついた水車、てこ、バケツ、滑車、手桶、トレッドミルやメリーゴーラウンド式の装置では馬やラバを用いて揚水システムを駆動させた。そして数千年も前にいわゆるアルキメデス・スクリューが開発されている。古代エジプトではアルキメデス・スクリューが広く利用され、人力でスクリューを回して水を汲みあげていた。アルキメデス・スクリューはらせん状のブレードを連続的に回転させて揚水する。この発明は紀元前3世紀のアルキメデスによるものとされているが、現在も遊園地や浄水場などの最新の揚水装置に利用されている。堅牢なデザインは数千年の時を経ても有効であることの証明だ。

水は密度が大きく、1リットルあたり1キログラムもある。そのため揚水には大きなエネルギーが必要だ。密度が大きいので水は冷媒や熱媒体として非常に重宝されてもいるが、揚水には多くのエネルギーを投入しなければならない。つまり汗を流すかお金をかけることになる。揚水に必要なエネルギーは高低差や単位時間あたりの揚水量、パイプ径、水とパイプの間の摩擦などに依存する。井戸から水を汲みあげるには、水を下向きに引っ張る重力に逆らって仕事をするエネルギーがいる。10リットルのバケツ1杯分の水を100メートル持ち上げるには約1万ニュートンメートルのエネルギーが必要だ。たとえば川から土手の上までの高低差が10メートルあるとすれば、10リットル揚水するのに1000ニュートンメートルのエネルギーがいる。大したエネルギーではないようだが、水の量が増えれば必要なエネルギーは増え、高低差が大きくなれば必要なエネルギーはさらに大きくなる。

連続的に水を供給する場合は、仕事量よりも必要な出力で見る方が便利だ。地下100メートルにある帯水層から1日約1000万リットル（毎秒110リットル）を揚水するには、（平均的なアメリカ人1万8000人分）107キロワットの出力がいる。典型的な家庭で平均1〜3キロワットの電力が必要なので、そのポンプの出力はおよそ30〜100戸分の電力になる。

アメリカで中規模の人口100万人程度の都市は1日に5億7000万リットルの浄水処理をした淡水がいる。近くの河川から丘の上の浄水場まで100メートル以上の高低差を揚水するとすれば、6メガワット強の出力があるポンプが必要だ。大きな風力タービンは1機で約1メガワットの出力が得られるので、この規模の都市だと水を川から丘の上に揚水するだけで5〜6機のタービンをフル稼働させなければならない。その後浄水処理をしてから丘を下って各戸に配水される。

かつてはこの水を人力で汲みあげていた。世界の貧困地域では今もそれが現実だ。東南アジアやサハラ以南のアフリカでは、水を運んでくるのは女性や少女の仕事だ。そのため彼女たちは毎日働く時間や学校の授業時間を割いて、水を入れた重い壺を頭に乗せてバランスをとりながら、あるいは水を吊るした天秤棒を肩に乗せ遠い水場から運んでくる。井戸から学校までは2キロ近くも離れている。水を運ぶだけで仕事が終わるわけではない。水場の水は処理しないと飲用にならないからだ。水場から遠く離れパイプ配管や集中浄化装置、電動ポンプその他の便利な装置がない集落では、昔ながらの方法で水を沸騰させて殺菌処理をする。燃料を得る場合も水の場合と変わりはない。たいてい女性が遠くから燃料を集めてくる。しかも行き帰りに誘拐されたりレイプされる場合もある。世界の多くの地域で、女性や少女が薪を集めるのに１日１・４時間かかっていて学校に通えないでいる。[39] 最新のエネルギーを利用して少女たちがこうしたつらい雑用から解放されれば、学校へ通って教育を受けられるようになる。

水と燃料を運んで帰ってもまだ次の仕事がある。燃料を使ってお湯を沸かさなければならない。燃料にするのは作物残渣や牛糞など動物の糞便、木、未処理の石炭で、調理や暖房用のストーブで燃やす。残念だが煤が出て熱効率の悪いこの調理用ストーブはうまく機能せず、室内空気を汚染し、毎年２５０万人の女性と子どもの早死ににつながっている。つまり時代遅れのエネルギーと水のシステムによって、水と燃料を集める女性がリスクに曝され、さらにその燃料を使って水を殺菌することでもリスクに曝されている。そして文字どおり少女から教育を奪い、何百万もの女性を死に追いやっているのだ。

このように時代遅れで労働集約的な方法によってエネルギーと水を得ていることが、社会の繁栄と経済的機会を奪っている。[40] 世界で最も貧困な女性たちは慣習的に作物の栽培と収穫を任され、穀物を製粉し、さらに家事の雑用をこなさなければならない。こうした家事に追われ、教育を受けたり家庭を離れて働く時間もない。学校に通えたとしても、夜教科書を読んで勉強する照明はないだろうし、授業を受ける時間を割いて水汲みに行かなければならない。もちろん仕事をして収入を得、独立する機会などほぼありえないので、貧困からの脱出もかなわない。

こんな話はどうせ遠く離れたどこかの発展途上国でのことだろうと思うかもしれないが、それほど遠くない昔にアメリカでも経験していた。ミズーリ大学は１９２０年に、農場主を後押しして水システムの近代化を進める運動の一環としてポスターを制作している。実によくできたポスターで、「農婦の夢」というタイトルで女性が描かれている。おそらく貧農の女性で、擦り切れた服にボロ切れのようなものをかぶっている。凍てつく寒さの中、手押しポンプの井戸で水を汲み手袋もつけずにバケツを両手に下げて凍りついた登り坂を家に戻るところだ。この荒涼とした絵から水を汲んでくる家事のつらさが伝わってくる。ポスターの上部にはこの農婦の夢が描かれている。ショートスリーブのこぎれいな服装に快適な室内、シンクで蛇口をひねれば温水が出て、その湯気が天井まで立ち上っている。もちろんこのポスターのターゲットは男性ではなく女性だ。近代的なシステムを利用できない場合、誰が一番苦労させられるのか、住宅を近代的に改善することで一番助かるのは誰かがよくわかる。今日のアフリカで苦しめられ弱い立場に置かれた女性が水汲みに悪戦苦闘している姿は、1世紀前のアメリカの農村で苦しめられ弱い立場に置かれた女性そのものだ。水とエネルギーが便利に利用できるようになれば物語は新たな展開を見せることになる。

こうした女性たちの夢、つまり解決策はみな同じだ。近代的な水システム（室内配管とポンプ）に、ポンプを動かす電気と水を加熱する燃料などの近代的エネルギー・システムがあれば、飽き飽きするような雑用を減らせる。さらに食洗機や洗濯機などの最新の家電製品でアメリカ女性はさらなる自由を得た。[41]アメリカの指導者たちもこうした女性の自由獲得をうまく利用することができた。アメリカの技術が冷戦相手より進歩していることを誇示するために女性の解放を利用したのである。1959年にアメリカ副大統領リチャード・M・ニクソンとソ連の首相ニキータ・フルシチョフは、アメリカのテクノロジー展示会を訪れ、ニクソンがアメリカのモデル・キッチンの前で立ち止まった時、いわゆるキッチン・ディベートがあった。ニクソンは冷蔵庫やオーブン、食洗機などの家電製品を指して「主婦の家事仕事が楽になった[42]」と強調したのである。調理や掃除といった家事雑用に時間を取られることなく、煩わしく危険なものでもなくなり、女性は社会に出て単純労働ではない就労の機会を得られるようになった。そしてアメリカ文化は働く女性に配慮する方向へと転換し始めた。

水の汲みあげにエネルギーを利用するのは初めの一歩だ。次には用途に合うように水に手を加えなければならない。淡水で清潔かつ安全にし、加熱したり、殺菌処理したり、圧力をかけたり、冷やしたり、凍らせたりする必要がある。浄水したり排水を処理して適切な状態にするのに必要なエネルギー量は、様々な因子に依存する。たとえば水源の汚染状態や水の用途にもよるし、処理施設の物理的特性や処理方法にもよる。数百年に及ぶ産業の発達と人口増加によって廃棄物は増え、自然水路はひどく汚染されていた。汚染がひどくなると、水処理に必要なエネルギーも増加する。[43] 汚れた水の浄化といえばユニコーンの神話が思い浮かぶ。ユニコーンの角には小川の毒を除去する魔力があると伝えられ、そのことが人々を魅了した。[44] 今日ではこの魔術的なユニコーンの角の代わりにエネルギーが利用される。

清潔な水と衛生設備は重要なものだが、公衆衛生と飲料水供給の密接な関係が科学的に明らかにされたのは、１８００年代中頃になってからのことだ。１８４９年にコレラが人間の糞尿で汚染された水源を通じて広がることを、初めて科学的に証明したのがロンドンのジョン・スノウ博士だった。ひどく汚染されたテムズ川（当時は未処理の下水が垂れ流されていた）から水を引いていた共同井戸が、１８４８年のコレラ大流行の原因であることを突き止めたのだ。１８５４年、ロンドンは再び同じようなコレラの大流行に見舞われた。

ところがこの時もコレラの死亡者数は急増した。かつてロンドンで起きた有名なペスト大流行時の死亡者数を超え、ある小さい街でわずか10日間で５００名が死亡する惨憺たる結果となった。残念ながら、人間の糞尿で水が汚染され人々を死に追いやっているというスノウ博士の発見は、国会で却下されていた。それは当時浸透していたイデオロギーと折り合いが悪かったことと、問題を解決する対策に莫大な費用がかかると考えられたからだった。今日でも人間の排出物が自らの首を絞めていると主張する気候科学者が、スノウ博士と同じような拒絶反応を受けている。もちろん気候問題の場合はコレラより状況はゆっくりとしかも間接的に悪化するのだが、この問題を解決するにも新たなインフラへの大きな投資が必要になる。スノウ博士はのちに英雄として名誉回復されたが、おそらく気候変動リスクの警告を発し対策を提案している現代の科学者にも、同じ運命が待っているのかもしれない。

しかしイギリスの国会もようやく重い腰をあげることになる。１８５８年のロンドンでグレート・スティンクとして知られる事件が起きたことがきっかけでようやく対策を取るための立法に動いたのだ。下水は未処理のまま何十年もテムズ川に垂れ流されてきたわけだが、この巨大都市をなんとか支えていたのはテムズの流れで、汚物を海へ流し去ってくれていた。ところが１８５８年の夏は熱波と干魃が重なり、汚物を洗い流してくれるはずのテムズ川の水が減少した。よどんだ水と空気により極めて毒性の高い臭気が発生した。国会議事堂はこのテムズ川の悪臭が届く範囲にあったため国会は臨時休会となった。この事件はいろいろな意味で不幸かつ不快なものだったが、野心的な公共事業の創出につながった。総延長約２０００キロに及ぶ下水道を３００万人が生活する過密都市に埋設することになったのだ。このプロジェクトは汚物処理の問題を解決するだけでなく、テムズ川に美しい堤防を築くことにもなった。この堤防は現在もロンドン都市景観の重要な要素として健在で、堤防沿いは多くの散歩を楽しむ人たちで賑わいをみせている。

１８００年代中頃ならロンドンっ子にとって水問題は汚物をテムズ川に流してしまえば解決できた。しかし今日では世界人口が増加し都市も大きくなり「流してしまう」ではことが済まない。汚物を薄めるだけでは解決にならなくなったのだ。工業化した現代社会では水に流すのではなくエネルギーを投入する。浄水するにもエネルギー、下水処理をするにもエネルギーを使う。下水道が散歩道になったロンドンの経験でもわかるように、適切な対策をとれば、水問題を解決すると同時に他の目的に利用できる構造物の建設にもつながる。

同じ頃シカゴでも同じような問題に直面していた。シカゴでは下水をミシガン湖につながるシカゴ川に排水していた。つまりシカゴではミシガン湖をトイレとして、同時にその水を飲料水として利用していたのだ。ロンドンが水問題に取り組んでいた同じ頃、シカゴでは1849年と1854年にコレラが大流行し、どちらの流行でも数百人の死者が出た。「要するにシカゴはその水システムと廃棄物処理システムのせいで生活するには危険な都市になった」[45]とドイルは端的に述べている。スノウがコレラと汚染飲料水という点と点をつないでから数十年後、アメリカの科学者は下水で汚染された水と、様々な都市に惨事をもたらした腸チフスとの関係を科学的に立証した。

都市が大きくなり都市と川との距離が近くなると、廃棄物が増加し危険性が増した。最終的に、都市は原水を安全に飲めるようにする水処理システムを建設した。水質を改善するための高度な水処理技術には化学物質や送風機、撹拌器《かくはんき》、濾過《ろか》装置などが組み込まれ、どの装置にもエネルギーが必要になる。こうして都市の水処理システムにより水を安心して飲めるようになったことは、近代文明以降、過去150年の間で最も偉大な公共政策のひとつといえるだろう。[46]発展途上諸国でも、電力の利用と現代的なエネルギー装置の普及を推進すれば、同じような変化が起きるだろう。生活条件が改善されれば女性が貧困から離脱し、生きるための多くの選択肢を得ることにもなる。

産業革命以降の科学と民主主義の進歩も確かに重要だが、世界ではいまだに11億以上の人々が飲料や調理、洗濯に使う清潔な水に恵まれないという公衆衛生最大の課題が残されている。[47] この数字は2025年には18億人まで増加すると予測されている。中国だけでも1億人の水源汚染が放置されたままで、世界には下水処理が行われていないことにより、26億人が飲料水が原因の疾病にかかりやすい状態にある。2000年時点で48億人近くの人々つまり世界人口の80パーセントが水を確保できず、生物多様性が重大な脅威に曝された地域で生活している。世界の公衆衛生を改善するうえで、重大な意味を持っているのが水質の改善だ。

生活の質を改善する重要な贅沢品ともいえるのが屋内トイレだ。アメリカなら屋内トイレは普及しているので当たり前のことと思うだろうが、世界には屋内トイレが使えない人もいる。公衆衛生を改善するためにどこでも清潔な水が得られるようにするには、水を処理し必要な場所へ輸送する大量のエネルギーが必要になる。しかし不注意にただエネルギーを投入するだけでは、別の問題が悪化することになりかねない。エネルギーで水が清潔になり公衆衛生が改善されたとしても、エネルギー利用自体が環境を汚染するとすれば、その汚染物質が水システムに取り込まれ、改善されたはずの便益が帳消しになるかもしれない。煙突や排気管から放出された汚染物質が空気に混ざり、その結果早死にが生じ、労働者が病気休暇をとったり体調を崩したり、病気の子どもの世話で出勤できなくなったりすれば、生産性も低下する。エネルギー消費に伴って放出された汚染物質は大気中に蓄積される。通常の気象条件であれば、排出物質はオゾンなどの有害化学物質に変化し、微細粒子はわたしたちの肺の奥深くに入り込み血流に乗る。酸は酸性雨として地上に降り水路に流入して生態系を破壊する。

エネルギーは水処理のほかに、水の加熱にも用いられる。医療器具を殺菌し、手を洗い、擦り傷や傷口の洗浄にも欠かせない。水が物質を浄化するという発想は数多くの宗教的伝統に伝えられていて、聖水や沐浴といった概念は多くの宗教に共通する特徴でもある。

一般的に汚れた水ほど処理に多くのエネルギーが必要になるし、最終用途に高度な清浄性が求められる場合にも多くのエネルギーが必要だ。病院や半導体製造用のクリーンルーム、食品加工工場では、工業装置の冷却水や農地の灌漑水よりもはるかに清浄な水が必要になる。水処理に必要なエネルギー量は用途によって大きく異なるのだ。

石炭は水質への影響について表と裏の顔をもつ。石炭を採掘し熱源として利用することで水質が汚染されるが、石炭によって水を浄化することもできる。『ビッグ・コール(*Big Coal*)』の著者ジェフ・グッデルは明快に「石炭採掘にはふたつの方法がある。山から石炭を除去するか、石炭から山を除去するかだ」[48]と指摘する。後者の方法は山頂除去採掘法として知られ、薄い石炭層が露出するまで山頂を爆破しては残土を隣接する谷に捨てる。その結果水路は埋められ川の流れは汚染されるのだからその影響は凄まじい。その後石炭を燃やせば、汚染物質と酸性雨に変化するガスを放出し、さらに水を汚染する。燃焼後に残った石炭灰は谷全体を埋め尽くす。皮肉なのは、大気を汚染し水を汚している石炭が、水を浄化するために必要な電力を生産していることだ。また遠方の石炭火力発電所から送られてくる電力を使って電気調理器を利用すれば牛糞を燃やすより室内の空気を汚染しないですむ。

ペットボトル入りの水を生産するには大量のエネルギーを消費するが、ここにも表と裏の顔がある。[49]水を加工、瓶詰め、密閉し冷蔵するといったそれぞれの過程でエネルギーが必要だが、製品ライフサイクルの中で最もエネルギー消費が大きいのは、ペットボトルそのものの製造過程だ。さらにペットボトルをトラックや飛行機あるいは船で長距離輸送すれば消費エネルギーはさらに増加する。現代の都市では地域の水源から水を供給する水道システムがうまく機能していて、その水はエネルギー効率よく安価な費用で処理されている。一方ペットボトル入りの水は、輸送距離にもよるが、都市水道水より1リットルあたり1000〜2000倍も多くのエネルギーを消費する。こうした状況を考えればペットボトル入りの水に余分なお金とエネルギーを使うなど、なんの得にもならない無駄使いのように思える。ところがハリケーンなどの自然災害で地域水道システムが全滅した場合や、水システムが汚染されているかそもそも水システムが存在しないような発展途上国では、ペットボトルの水で命が救われることもある。

家庭では快適に暮らすため、水と関連していろいろな場面でエネルギーを消費している。髪の毛を乾かす（水分を蒸発させる）のに電気ヘアドライヤーを使う。電気ケトルでお茶を入れる。バックヤードにあるプールの水を循環させるのにも電気を使う。こうした家電製品は想像以上のエネルギーを消費し、その電力需要が系統電力に負担をかける。ベネズエラの女性のあいだでは髪の毛をスタイリングすることが流行っていて、ヘアドライヤーはどの家庭にもある家電製品のひとつだ。このヘアドライヤーの消費電力は1〜2キロワット。なんとプラグドインＥＶ（電気自動車）の充電に必要な電力と同程度なのだ（もちろんヘアドライヤーの通電時間は数分だが、ＥＶ車の充電には何時間もかかる）。同時に何百万台ものヘアドライヤーが利用されれば、ギガワット単位の電力需要サージが生じる。典型的な原子力発電所の出力は1基で約1ギガワットであることを忘れてはいけない。２０１６年のはじめ、ベネズエラは深刻な干魃に見舞われていた。ベネズエラでは電力の多くを水力発電に依存しているため、干魃は電力不足リスクの増大を意味した。この国家的危機を回避するため、ニコラス・マドゥロ大統領は「国のエネルギー危機が続いているので、女性にヘアドライヤーの使用をやめるよう促し、代替となるスタイリングのコツまで提案した」。大統領のアイデアというのは「女性が指で髪を梳《す》く姿は美しいし、髪は自然に乾く[51]」というもの。一国の大統領が女性にヘアスタイリングの方法を指南する必要性に思いいたったことは、様々な点から注目に値するが、エネルギーの信頼性を維持するために大統領がこうした発言をしたことも衝撃的だ。

ベネズエラの女性がヘアスタイリングに取り憑かれているとすれば、イギリスでは紅茶にご執心だ。その共犯が連ドラ。ＢＢＣが放送中の「イーストエンダーズ」という連続テレビドラマは非常に視聴率が高い。放送が終了すると、ほぼ一斉に１７５万個の電気ケトルにスイッチが入る。ひとつのケトルの消費電力は1〜2キロワットだからヘアドライヤーと同じくらいで、３〜５分の間におよそ3ギガワットの電力サージが発生する。[52]もうひとつサージで思い当たるのがアメリカのスーパーボウル中継だ。コマーシャルの時間になるとほぼ同時に多くの人がトイレを使うため下水サージが起きる。イギリスの電気ケトル・サージの場合は予備電源を待機させていて、フランスの発電所やウェールズの揚水式水力発電所も利用される。揚水式水力発電所というのは、あらかじめ水を高いところに貯めておいて、電力が必要になった瞬間に放流して発電するものだ。[53]

プールのポンプも電力需要が増加する原因になる。1台の出力は約0・5〜1キロワットだが、電気ケトルやヘアドライヤーとは違って、水泳シーズンになればバックヤードのプールで水を循環させるため24時間連続でポンプを稼働させる。ある研究では、プールのポンプは近隣の電力需要ピークの8パーセント近くを占め、夏季の家庭電力需要ピークの20パーセントに当たると結論している。[54] この論文を読んだ時思わず笑ってしまった。なぜかといえば分析の対象になったのがカナダのサザンオンタリオの世帯だったからだ。北方気候のカナダではいくら何でも夏の水泳の聖地でないことは明らかだろう。カナダで水泳プールの調査を行うなんて、テキサス州ヒューストンで除雪機の調査を行うように思えたのだ。

水を汲みあげ、処理し、調整するなど水に関連して様々な場面で利用するエネルギーを総計すると膨大な量になる。水分を飛ばしたり、配水に、また浄水処理や廃水処理に世界全体の電力消費の4パーセントが消費され、灌漑用ポンプのディーゼルと淡水化システムで使用する天然ガスは石油換算で5000万トン分のエネルギーになる。[55] アメリカではエネルギー総消費量の約13パーセントを水システムと蒸気システムが占める。[56] この13パーセントのうちの3分の1、つまり全体の約4パーセントが産業で水を加熱して蒸気にするのに用いられている。そしてさらに全体の4パーセントが家庭や事務所での単純な水の加熱が占める。アメリカでお湯を沸かすために消費されているエネルギーは、スイスで1年間にあらゆる目的で利用される総エネルギー量より多い。結局アメリカでは、照明用の電球に消費されるエネルギーより水システムで用いられるエネルギーの方が多いのである。

解決策

エネルギーと水が相互依存関係にあることから、いくつかの分野横断的な便益といくつかの連鎖的問題が存在する。水の利用によってエネルギーの利用が可能になり、エネルギーの利用によって水利用が改善される。この強い相互依存があるため、一方に生じた問題は他方にも及ぶ。つまり水とエネルギーというふたつの資源については、双方の問題を悪化させずに両資源の信頼性を改善するような利用法を考えなければならない。

エネルギーと水の利用を改善する方法のひとつはスマート・テクノロジーの導入だ。センサーやデータ、安価なコンピューターを利用し、システムの監視と運用方法を最適化する。家庭では様々な家電製品がどのくらいエネルギーと水を使っているのか、さらにその利用パターンをよく知ることが重要になる。もうひとつの方法は先端的テクノロジーを利用すること。イスラエルは水ストレスのある地域にあり、国家安全保障の観点から隣国に水供給を頼ることもできない。そこで節水（水需要の削減）と堅固な脱塩システム（水供給の増加）など先端的テクノロジーとの組み合わせに目を向けた。こうしたイスラエルの対策は功を奏し、現在ではこのテクノロジーが世界中に輸出されている。

水の再利用も選択肢のひとつだ。「トイレの水を飲む」システムと揶揄《やゆ》する者もいるが、うまく機能する。イスラエルと同じく、シンガポールもいつまでも水の供給を隣国に頼っているわけにはいかない。そこで２０００年に「ニューウォーター」（NEWater）という水再利用施設を建設した。このシステムで１日約20万キロリットル、飲料水のおよそ30パーセントを再利用水で供給し、２０６０年までに供給能力を３倍に伸ばす目標だ。「トイレの水を飲む」水再利用処理システムは軍にとっても重要だ。前線への水輸送は費用がかさむだけでなく人命にも関わる。数千キロに及ぶ長距離水輸送はソフトターゲットとして敵に狙われやすく、地元商店のペットボトル入りの水や水道料金と比べると１リットルあたりの水の費用は最終的に２～３桁も大きくなってしまう。そこでアメリカ軍は巨額を投じ、エネルギーを使って水質の悪い流水から飲用水を得るオンサイト水処理システムの試験を進め配備を行った。このシステムには高額の費用がかかり、前線基地へシステム資材を輸送する余分な貨物スペースがいるが、一旦準備が整えば水を大量に輸送する必要がなくなり、人命を無駄にしないで済む。

　宇宙空間へ地球から水を輸送するのは途方もない費用がかかるため、国際宇宙ステーションにも飲料水を生産する再処理水システムが搭載されている。[57] 宇宙へ貨物を輸送する費用は１キロあたり約２万～20万ドルかかる。つまり軌道上の宇宙飛行士に１リットルの淡水を輸送するだけでそれだけかかるということだ。このように宇宙ステーションでは淡水が高価なため、洗浄や尿、汗や息の凝縮水分から得られる雑排水を回収、処理して飲料水にしている。宇宙飛行士は水洗便所を使用しないので宇宙ステーションではトイレ排水は発生しない。

実はスタンフォード大学でのわたしの博士論文は、宇宙船内の水処理システムを開発するアメリカ航空宇宙局（ＮＡＳＡ）ジョンソン宇宙センターのプロジェクトの一環でもあった。機械工学の大学院研究者のひとりとして、様々な微量ガスを測定できるレーザーを基本にしたセンサーを発明し配置した。その研究から生まれたわたしの特許のひとつが微量アンモニアの濃度を測定するセンサーで、宇宙船内の水処理システムの状態を監視するのに役立つ。[58]

その他の方法としては、省エネ、節水型の水システムへの転換も考えられる。風力タービンや太陽電池パネルなどの再生可能電力テクノロジーを使えば電力生産に熱を使わないので、冷却塔の必要もない。タービンの部品を製造する鉄鋼工場でも、太陽電池パネルを印刷する半導体工場でも必要な水は少量だ。もちろんオンサイトでの装置の洗浄には水がいる。しかしそれ以外の水の消費は取るに足らない量だ。また水処理システム自体も年々性能が向上し、システムの省エネとともに水質そのものも改善されている。風力や太陽光などの低炭素エネルギー資源と、改良が進む水処理システムの統合には多くの利点がある。

また浄水用パッシブ・システムなど革新的なアイデアもいくつかある。そのひとつがスイスのベスターガード社が製造する浄水装置ブランド「ライフストロー」だ。サイズも個人用ストローやウォーターボトルから家事などに利用できるホーム・サイズのタンクまで揃っている。このライフストローの処理技術により、能動的エネルギーを投入せずにバクテリアと寄生虫を除去するなど、いくつかの重要な水処理問題が解決できる。

良いニュースは省エネが強力な手法だということ。水とエネルギーには相互依存関係があるため、水の節約はエネルギーの節約となり、省エネが節水につながるのである。ありがたいことに家庭で省エネや節水を進めるには費用効果の高い数々の方法がある。[59] イリノイ大学アーバナ・シャンペーン校アシュリン・スティルウェル博士のチームによる研究は、アメリカの典型的家庭であまり費用をかけずに電力消費を年間7600キロワット時、水消費を15万リットル削減できると結論づけている。しかも効率がよく無駄のない改善法の実行に要する費用は、電力料金や水道料金が安くなることで回収できる。家庭の省エネや節水を進めるには、省エネタイプの電球や低流量トイレ、高性能の家電製品、スマート・コントロールを利用してもいい。このような省エネと節水の知恵は、資源を節約し都市と交通の効率を向上させる方法をめぐりこれからも繰り返し現れるテーマだ。

現代のエネルギー・システムには水が不可欠で、逆に水システムにはエネルギーが欠かせない。これだけ密接な関係性があると、エネルギーと水は同意語とさえ思えてくる。しかし、そうした強い関係性があるため、一方のシステムが破綻するリスクは連鎖的にすぐに他方へ伝わる。そしてエネルギーと水は、社会にとって重要な食糧や輸送、富、都市、安全保障の基盤でもある。

第二章　食糧

食糧もエネルギーの一形態で、わたしたちの身体が機能するために欠かせない。そして農場からフォークまで、食糧システム全体を機能させるには大量のエネルギーが必要だ。現代的なエネルギー形態が電動ポンプや水処理システムを介して水利用に革新をもたらしたように、トラクター用のディーゼル燃料、肥料や殺虫剤など農薬製造に必要な石油や天然ガス、冷蔵に用いる電力など、現代的なエネルギー形態が登場したことで食糧システムにも革新的変化が起きた。進歩したエネルギー形態によってわたしたちは重労働の足かせから解放され、機械化と施肥、冷蔵によって自然の気まぐれによる影響を緩和し、害虫の蔓延を抑えることもできた。その結果が20世紀の「緑の革命《グリーン・レボリューション》」だ。農業の姿を一変させ、農場の生産性は指数関数的に伸びた。少数の人間で非常に多くの人々の食を賄えるようになり、人口爆発にもかかわらず、エネルギーによって着実に農地面積を拡大してこれたことは、素晴らしい進歩の物語だ。良いニュースとしては、食糧難だった発展途上国が十分なエネルギーを利用して食糧を豊富に得られるようになったこと。悪いニュースは、依然として10億以上の人々が栄養不足か食物を満足に得られない状態にありながら豊かな国では食物が過剰に供給され食品ロスの問題が起きていることだ。＊

人は安静状態でも1日2000キロカロリーを消費する。単位をBTU（約250カロリー）で表現すると1日ひとりあたり約1万BTUのエネルギーに相当する。だから1年間にすると安静状態のアメリカ人3億2500万人の生存には年間1×10^{15}BTU、全世界では$2・5 \times 10^{16}$BTUが必要になる。ところが実際にアメリカ合衆国で消費されている総エネルギー量は100×10^{15}BTU、全世界では600×10^{15}BTUのエネルギーを消費している。つまりわたしたちは生命の維持に必要なエネルギーよりずっと多くのエネルギーを消費していることになる。実はこの余分なエネルギーは交通や産業、エンターテインメントなど生命維持とは別の目的に利用されている。さらに食糧安全保障の世界的危機を解決するためにも多くのエネルギーを費やしているが、政治、汚職、市場の失敗などに遮《さえぎ》られ、実際に飢えている人々の手に食物を届けることができていない。

食糧システム全体を機能させるには大量のエネルギーがいる。生存に必要なエネルギー量と比べるとその比率は約1対10。アメリカの食糧システムでは、生きていくのに必要な1クワッド

＊　国際連合食糧農業機関（FAO）によると、食糧不足とは「人々が成長と発達そして快活で健康的な生活を送るのに必要な安全で栄養価のある食糧を十分に得られない状況」のこと。Marian Napoli"To- wards a Food Insecurity Multidimensional Index (FIMI)"（修士論文、Roma Tre Universita Degli Studi, 2011）を参照。著者の考え方では、食糧不足にあるとは人が24時間飢えているということであって、嵐によって食糧輸送が阻まれたり、給料が遅配されたりして食糧を十分に食べられなかったり、バラエティー豊かな食事が得られない状態は、食糧不足とまでは言えない。

（quad ＝ 1 × 10^{15} BTU）の食糧エネルギーを得るために、作物の栽培、灌漑、施肥、収穫、加工、包装、貯蔵、冷蔵、流通、調整そして処分に10クワッドのエネルギーを投入している。だが生存に必要なのはカロリーだけではない。栄養素とカロリーの組み合わせが重要になる。人間はレタスだけでは生きていけないのだ。良いニュースとしては、こうした必要を満たすためのエネルギーが手に入れば、十分なエネルギー投入によって豊富な食糧が得られることだ。安定した制度と法の支配に基づく進歩した社会を形成するには、誰もが食べることに困らないようにすることが何より重要だ。しかし同時に悪いニュースもある。食糧システムの環境への影響を示す「フードプリント」が大きいことだ。食糧に関わるエネルギーや水、土地の利用、汚染物質放出の「フットプリント」が大きいのである。[1] 過剰に購入した食品を腐らせ、まだ食べられる商品を捨ててしまう。こういったことが状況をいっそう悪くしている。世界で多くの人々が飢えているというのに、食糧生産に投入したエネルギーや土地、そして水を無駄にしているからだ。[2] 食糧不足にある人々へ食糧供給を増やしつつ環境への影響を低減するという、食糧問題の両面を解決することは、世界で最ももどかしい課題のひとつだ。

エネルギーが水を支え、水が食糧を支える

読者のご想像通り、食糧とエネルギーの物語は水から始まる。わたしたちの食糧システムの根幹にあるのが光合成で、この作用によって最終的に太陽光エネルギーが化学エネルギーに転換されて植物体に蓄えられる。この光合成に欠かせない重要な要素が太陽光と二酸化炭素そして水

だ。このうちしばしば制限要因となるのが水で、二酸化炭素と太陽光は一様にとはいかないまでも世界のどこでも得られる。また窒素やリン、カリウムなどの栄養素も植物の代謝には重要な役割を果たしている。

農地を灌漑するために水を引くことは、数千年にわたる文明物語の重要なエピソードのひとつだ。[3]長い用水路から畝間《うねま》の溝に水を引けば集中的に作物を灌水できる。作物を栽培できるようになると、動物を家畜化してタンパク源としたり労働力として利用できるようになった。雄牛や馬は運搬や耕運に、雌牛と山羊からはミルクと肉が得られ、猫は鼠などの害虫駆除に、そして犬が外敵から人間を守ってくれた。水資源の管理は食糧生産の増大に欠かせない重要な要素で、狩猟採集による食から新たな形態の食への変化を促し、1か所に定住して作物を栽培する文明を出現させた。こうした社会が数千年間続いてきた。そして20世紀になると、わたしたちの食糧システムは新しいエネルギー形態、すなわち石油や天然ガス、電力などの投入に依存するようになった。

水利用による地下水位の低下や、近隣の水源の水質が劣化したり枯渇したりすると、農地や集落に必要な水を得るために、より多くのエネルギーが必要になった。アルキメデス・スクリューなどの革新的な機械装置によって低い位置にある水を汲みあげて近くの農地へ引くことはできるが、そうした機械を動かすには動力がいる。水を汲みあげる井戸の深さや、輸送する距離、水の量があるレベルに達すると、汲みあげは人間や動物の能力を超えた。この問題に応えたのが蒸気機関、そして最終的に電動ポンプという近代的なエネルギー・システムだった。地下数十メートルから水を汲みあげ、地上を何千キロも輸送して砂漠に花を咲かせ、カリフォルニアのセントラル・ヴァレーのような半乾燥地帯でも果樹やナッツ類を栽培する可能性が開かれた。

安定した社会を築くには十分な食糧が必要で、それを実現する重要な前提となるのが水資源の確保だ。安定した社会なら世代を超えた長期的課題にも取り組める。ヨーロッパでは農業生産が安定し、収量も増加したことで、指導者は世代を超えた野心的プロジェクトの推進を決断し、数百年をかけて大聖堂を建設することもできた。[4] 食糧が豊かであることが力強く持続的な成果を実現する証《あかし》として、これら美しい建築物の多くは今も古《いにしえ》の場に佇む。

社会が豊かになり農業の生産性が上昇すると、人々はタンパク質が豊富な食事を求め、芋や種子、ナッツではなく動物性タンパクを摂取するようになった。この食事の変化によって人間は健康に成長し長生きできるようになった。しかし否定的な側面もある。動物性タンパク質を得るには、家畜を肥育させる飼料作物を栽培しなければならず、それには肥料や灌漑が必要になり、土地と水そしてエネルギーを集約的に利用する。家畜用飼料は肥育には必要だが、飼料の80パーセントは人間の食用にはならないため、人間は牛を利用して低品質の飼料を高品質の食糧にアップサイクルしているとも言える。[5] わたしは授業でよく次のようなジョークを飛ばす。いつの日か、雑草など人間の食用にならない低品質な植物を摂取し、それをコンパクトで密度の高い高品質のタンパク質に転換する移動式で汎用性の高いバイオリアクターを開発しなければならなくなる。このジョークのオチは、その革新的テクノロジーの名は人呼んで「ウシ」である。

食糧システムには革新と進歩の物語がある一方で、全体として想像をはるかに超えた大きな環境フットプリントを残している。正しい解決策を見極めるには、システム全体をしっかり見渡す必要がある。

農場に関わるエネルギー――施肥と機械化

水が利用できることは農業システムが機能する必要条件のひとつに過ぎない。栄養素も不可欠な条件だ。窒素は最も重要な栄養素のひとつで、植物性タンパク質と最終的には動物性タンパク質を構成するアミノ酸の主要元素となる。ありがたいことに、大気中には二原子分子の気体として窒素分子が最も多く含まれる。ところが多くの作物は、液体か固体の窒素化合物でなければ根茎から効率的に吸収することができない。

自然は長い時間をかけて植物が根茎から窒素を吸収できる土壌を形成してきた。何千年もかけて展開されてきた様々な過程により、土壌中の窒素が豊富になり肥沃《ひよく》になったのである。しかし、毎年作物が栽培されるようになると、窒素は作物に吸収され収穫されるため土壌中の窒素は枯渇し、畑の生産性が低下した。この問題を緩和したのが三圃式《さんぽしき》農業といわれる輪作の発達だった。この輪作のローテーションに組み入れる作物のひとつが大気中の窒素を固定するマメ科植物だ。[*] 特別なやり方で作物の種類をローテーションさせることで、作物を栽培して土壌中の窒素が枯渇してもマメ科植物など他の作物を栽培することで窒素を補充できた。

こうした自然肥料には他に糞尿があり、窒素とリンが豊富に含まれる。また多様な作物を混植しながら牛や山羊、豚、鶏などの家畜を育てる方法もあった。家畜は自らの餌となる飼料作物の

＊「窒素固定」とは大気中の窒素を植物その他の生物体が利用できる形態にすること。

肥料を生産しながら、最終的には農家や消費者の口に入る食糧となる。こうした農業システムはとても強靭で何千年も続いてきたが、規模の面で本質的な制約があった。農場から一定の半径を超えて家畜の糞尿を撒くのは実用的ではなかったからだ。グアノつまり鳥類やコウモリの糞も一般的な肥料として市販されていたが、そうした天然資源は枯渇していった。

そんな中で現代的なエネルギーが登場すると、農業はその姿は一変した。自然のままだと土壌中に栄養素が蓄積される速度は非常に遅かった。20世紀前半、ドイツの化学者がハーバー＝ボッシュ法を開発した。この方法は一連の化学反応を介して主にメタンからなる天然ガスをアンモニアに転換することができる。さらにこのアンモニアから窒素分の豊富な肥料、つまり化学肥料が製造され、液肥として圃場に施肥することもできた。このハーバー＝ボッシュ法により農業は本質的に変貌することとなった。化学肥料により単位面積あたり、農家ひとりあたりの収量が飛躍的に伸びたのである。農家は肥料として糞尿を撒くという制約から解放され、作物も丈夫になり成長速度も非常に早くなった。第二次世界大戦後、戦争により農地が損害を受けたため世界的な食糧不足が起きた。さらに多くの人が戦争の犠牲となったため、農業労働者も不足していた。こうした限界状態を克服できたのは化石燃料から合成された化学肥料のおかげで、食糧の供給量を回復し、再び何億もの人々に食糧を提供できるようになった。

化学肥料の利用は急速に伸びた。「１９６０年代まではアメリカのトウモロコシ畑の90パーセント以上で窒素化学肥料を施肥していた。単位面積あたりの施肥量は20世紀後半で10倍に増え、その頃には最大収量が得られる施肥量より多くの肥料が投入されるようになっていた。肥料を過剰に投入するようになると、作物は与えられた肥料をすべて吸収することはできない。すると大量の窒素が農場から流出し、灌漑用水路に流れ込み、小川や河川に流入した」[6]。化学肥料の利用によって作物の生産性は増大したが、他のエネルギーの進歩でもみられたように、否定的な側面もあった。農地からの肥料の流出は水域の藻類の成長を促進し、環境問題となった。藻類が死ぬと、それを餌にするバクテリアが急増して水中の酸素を消費し尽くし、貧酸素水塊水域「デッドゾーン」が発生した。

化学肥料はこの物語のエピソードのひとつに過ぎなかった。化学肥料の利用には異論もあるが、他にも除草剤や殺虫剤、防黴剤など様々な農薬が流通していて、どれも石油化学製品から製造され作物被害を著しく減少させた。バッタなどの害虫が大発生すると広大な農地の作物を短時間で食い尽くす。その損害は莫大で、多くの人々が食糧危機に曝される。こうした破局的状況を回避する助けとなるのがエネルギーを投入して生産される殺虫剤だ。

これらの化学物質の利用が農業を変貌させたことは疑いの余地がない。こうした変容の大部分は肯定的な結果をもたらし、食糧不足のリスクは低下し、作物は自然界の厳しい仕打ちにも耐えられるようになり、生産性は目覚ましく増大した。小さい土地で多くの食糧が生産できるようになったことで、環境への負荷も低減する。しかし噴霧した農薬が食物に付着、浸透し、農地からの流出により生態系を汚染するので、環境損失が蓄積するにつれ農薬と汚染のトレードオフが消費者を悩ませることになる。

農業には農地を耕し、収穫し作物を加工するなど多くの労働力が必要だ。人類史の大部分はこうした労働を筋力でこなしていた。小規模な農作業なら簡単な農具と人間の筋力で用が足りるだろう。馬や牛などの家畜が使えれば、鋤を引かせ、重量物を運搬させることができる。その代わり栽培した作物のかなりの部分は家畜の餌にまわり、残ったわずかな作物を市場で売っていた。それが現代的エネルギーの投入により、この割合が人間に有利な方へと変化した。

農業には道具も必要だ。化石燃料すなわち石炭を燃焼させて鉱石を融解すれば鋳造が可能になった。また石炭は鋼《はがね》を固くする炭素の供給源にもなった。その結果手頃な値段で耐久性のある金属が豊富に生産されるようになったのである。こうした優れた金属から手頃で優秀な道具が製造できるようになる。頑丈な馬鍬やレーキ、鍬、鋤といった農具が鍛造できるようになり、こうした道具を使って農作業が改善された。古い鋤板つまり木製の鋤は金属製の鋤となり、金属は頑丈で長持ちし土を深く耕せるため、植物にとって重要な地中の栄養素を地表に移動させることができ、生産性も向上した。

内燃機関の出現により状況は再び変化した。ガソリン・エンジンやディーゼル・エンジンで駆動するトラクターやコンバイン、トラックを農民が利用できるようになったのだ。タンクに燃料を詰めれば複数の家畜を使うよりずっと広い農地を短時間で管理できた。投入する労働力が削減でき、逆に収量は増大し、家畜用の餌が減少した。エンジン出力はもともと「馬力」という単位で表現されていた。これはトラクターなどの機械装置が馬に代わり農作業を支えてくれることに敬意を表したもので、トラクターが馬何頭分の仕事にあたるのかを知りたい購入希望者に便宜を払う意味もあった。アメリカの農場では1920年頃に馬類の利用はピークとなり、当時2500万頭以上が農作業に利用されていたが、トラクターの登場とともに利用は急減し、1960年には全米の農場でわずかに数百万頭になっていた。[7] 筋力からディーゼルの力への移行は急速だった。

労働集約的な農業からエネルギー集約的な農業への移行により、人間や動物の筋力が頼りだった重労働は化石燃料が担うようになった。工業化が遅れている国々では、トウモロコシなど穀物1ヘクタールの生産に必要な労働時間は1000時間以上になるが、アメリカなど先進工業国ではわずか約10時間だ。[8] つまり機械化により労働時間は100分の1に短縮したことになる。100人分の仕事をたったひとりでこなせるようになったのは、自由に利用できるエネルギーが99人分の仕事を埋め合わせてくれるおかげだ。

食品に関わるエネルギー――加工、包装、保存、調整

前節で取り上げた農業生産性の向上も、エネルギー集約型のサプライチェーン全体を見れば、生産性改善のほんの一部に過ぎない。実際、食品の加工、包装、保存、調整には農場より多量のエネルギーが投入されている。

農業生鮮品の多くは卵や果物、野菜のようにそのままの状態か簡単な包装をして消費される。そのほかの農産食品はさらに加工が施される。砕いたり切ったり、包装、下ごしらえ、缶詰作業などを施し、ある種の精製品に仕上げる。家畜は食肉処理工場へ送られ、皮を剝ぎ、鶏なら羽をむしり、肉の切り身に加工される。これらすべての段階には機械作業などのエネルギー投入が必要

だ。スライスした食パンも製品になるまでには、食糧システムの様々な段階で多量のエネルギーが投入されている。

何千年もの間、穀物を製粉する力となってきたのが中世の上掛け水車で利用した水力やオランダの風車で利用された風力だ。こうした水力の必要性から、ミネソタ州ミネアポリスのような工業の中心地が生まれ、ピルズベリーやゼネラルミルズといった大手食品製造業が本拠地を置いた。穀倉地帯のグレートプレーンズ、プレーリーに近く、ミシシッピ川沿いで水力を確実に利用できたからだ。現在のミネアポリスのウォーターフロントにはかつての製粉工場跡に立派な製粉博物館ミルシティ・ミュージアムがあり、製粉史の殿堂となっている。ピーク時の1880年から1930年にかけてミネアポリスは世界製粉業の中心地だった。[9]

こうした加工段階の後、食品を収める容器と包装にさらにエネルギーが投入される。ガラス製の牛乳瓶やペットボトル、アルミ缶、発泡スチロール製のトレイ、紙パックなど、どの容器をとってもエネルギーを投入して製造しリサイクルしている。1970年代前半、著者もまだ若かった頃、家に週2回牛乳が配達されるのが待ち遠しかった。今や絶滅寸前となった牛乳の宅配システムだ。当時の牛乳は再利用できるガラス瓶に入っていた。飲み終わると空き瓶を玄関前に置いておく。すると牛乳配達が新しい牛乳を宅配した時に空き瓶を回収した。約2リットル入りのガラス製牛乳瓶には、製造時に約4500キロカロリーのエネルギーが投入されている。[10] そして2リットルの全乳に含まれるエネルギーはおよそ1300キロカロリー。[11] ということは、牛乳瓶には牛乳そのものより3倍も多くエネルギーが投入されていたわけだ。全国で利用されているあらゆる種類の包装の量と、そこに投入されるエネルギーは相当な規模になるわけで、できる限り容器を再利用することが確かに重要なのだ。

食糧サプライチェーンでは保存の過程もエネルギー集約的な要素のひとつだ。現在は食品保存には電気冷蔵庫や冷凍技術が利用される。しかし少し前まで食品の保存には塩や燻そして氷が使われていた。自然に氷ができる地域なら、冬の間に氷を集め地下倉庫や断熱した倉庫などの冷暗所で保存し、家庭へ配達した。家庭には「アイスボックス」という食糧貯蔵用キャビネットがあり、一番下に氷を収めるスペースがあった。かつて隆盛した採氷は今では文化的なメッセージとして取り上げられ、たとえば大ヒット映画「アナと雪の女王」のオープニングシーンでは氷を切り出す様子が見られる。フランス王ルイ14世はヴェルサイユ宮殿に一年中アイスクリームで来客を接待できるように氷室《ひむろ》を設置していた。[12] ミシガン州ではシカゴの食肉処理場や精肉出荷業者とニューヨーク、ボストンなどの東部市場を結ぶ鉄道網沿いに貯氷庫が並んでいた。[13]

シカゴに食肉処理工場の出現したことは、グレートプレーンズと中西部の農場主そして主要な人口集中都市の消費者にとって画期的な事件だった。シカゴは食肉産業における役割からいつしか「ポルコポリス」(豚肉の都)と呼ばれるようになっていたが、そのシカゴについて、著名な歴史家ウィリアム・クロノンは「ハイプレーンの牧草とアイオワの肥育場のトウモロコシでよく太った子牛にとってシカゴが終着駅となる。シカゴで家畜は処理されるのだ。巨大なストックヤード(家畜置き場)の脇にそびえる薄汚れた煉瓦造りの建物。そこでは死そのものの様相も変化した」と述べている。[14] シカゴは最終的に子牛の精肉出荷センターとなった。しかしもともと扱っていたのは豚だった。採氷が容易になるまでは食肉保存の主要な方法は塩蔵か燻製で、これらの方法で塩蔵ベーコンやハム、燻製ソーセージなどの製品にするには牛肉より豚肉の方が適していたからだ。

食肉を保存する氷インフラが構築されたことで、畜産農家も経営の季節変動から解放された。それまで豚肉の生産は冷涼期に限られていたため、冬のものとされていたのだ。しかし氷を使って低温を保てる貯蔵施設では豚肉をいつでも解体処理できるようになり、一年を通して利用できる食肉となった。同じように現代の都市農家も温室を設置して気候や天候による作物への影響を回避している。またグローバルな食糧サプライチェーンの発達により、季節を問わず旬の果物や野菜を選べるようになったことにも通じる。シカゴを本拠地とする精肉出荷業者にとって、氷の鉄道輸送は革命的な出来事だった。だからこそ新たに氷の需要が増え「1840年代には地元業者がシカゴ川の氷を採氷し始め、1850年代の終わりには近隣の池まで利用していた[15]」。氷の池も次第に枯渇していった。すると石油が鯨を救い、石炭が森を救ったように、電気冷蔵庫がこうした氷の池を救った。精肉出荷業者が生み出した氷詰め肉の市場は、自ずと電気冷凍肉市場へと進化した。そして冷凍倉庫によって競争的に有利になる冷凍フルーツなど他の食品にも冷凍保存が波及するようになった。

精肉加工業者は無駄が嫌いだった。解体した家畜をくまなく利用する方法を追求し、衣服用のボタンや肥料、接着剤など数多くの商品を生み出した。こうした伝統から「精肉業者は、カナキリ声以外は豚を徹底的に利用する」という決まり文句で語られることが、シカゴ市民の自慢だった。この気質は石油産業の精油業者に受け継がれ、１８００年代後半の揺籃期には無駄が多かった石油産業も、原油を一滴たりとも無駄にしないようになり、その方針は今日も続いている。

人々が氷詰めの肉を食べるようになったことで文化の変化も生じた。それまでの消費者は腐った肉を食べればまずいし下手をすれば食中毒になることを実生活の中で学んでいた。だからかつては腐った肉を口にするリスクを恐れて地元の肉屋の新鮮な肉を求め、遠隔地の精肉業者の新鮮とはいえない切り身の肉は敬遠したものだった。こうした地元食品（ローカルフード）と遠隔地で生産された食品（リモートフード）との間の緊張関係は、今日もグローバル食品製造企業と闘う各地のローカルフード運動に見ることができる。緊張の大きな要素となっているのがエネルギーだが、そもそもエネルギーがなければリモートフードという概念自体ほとんど意味をなさない。食肉販売業者は消費者のこうした輸送距離に対する恐怖心を解消しなければならなかったが、距離には利点もあった。食肉解体工場がシカゴにあることで、ボストンなどの消費者にとっては、家畜の解体作業から適度な距離を置くことができたからだ。

食物の保存に古くから用いられてきた一般的な方法が塩の利用だ。塩は肉やチーズを腐敗から守るためにとても重要な材料だったので、戦略的資源ともされていた。20世紀に石油をめぐって戦争が起きたように、かつては塩をめぐる戦争が起きた。塩が食糧システムにとって非常に重要な存在だったからだ。[16] 莫大な富が得られる石油が動機となって試掘業者が世界中の土地を命までかけて探索したとすれば、フランスの探検家が大洋を渡って魚を獲り帰港してそれを販売できたのは塩のおかげだった。魚の腐敗を防ぐ塩は当時はとても重要なものだった。

1800年代に塩がどれほど貴重なものだったのか、現在のわたしたちには想像もできない。1930年代にマンハッタンの中心地にロックフェラーセンターが建設された時、カール・ポール・イェンネヴァインが依頼され制作した「大英帝国の産業（Industries of the British Empire）」という作品が、五番街620にあるビルの東側ファサード、エントランス上に設置された。この巨大な青銅製ディスプレーは高さ約5・5メートル、幅約3メートルあり、大英帝国で最も重要な9つの産業を象徴する金色の人形が配置されている。そこには石炭やタバコなどの重要な商品と並んで塩も描かれている。[17]

塩をめぐる戦争が起きなくなったのは、塩に勝る技術、電気冷蔵庫が登場したからだ。電力でコンプレッサーを作動させ冷媒を圧縮して循環させせると、アイスボックスなどの密閉容器や室内を冷やすことができ、冷蔵庫やエアコンになる。アメリカ北部の採氷できる地域から遠く離れた南部や西部といった暑い気候でも、電気冷蔵庫のおかげで食糧の保存ができるようになったことは、大きい変化だった。さらに冷蔵なら塩味がつかない点で、塩蔵よりずっと優れていた。電気冷蔵庫の発明は他にも社会に様々な変化をもたらした。キッチンはこの重要な装置を収めるために空間デザインが変化した。電気冷蔵庫は当初は高価な贅沢品だったがすぐに必需品となり、同時にサイズもどんどん大きくなった。かつての電気冷蔵庫は電力消費量が大きかったため、1970年代から80年代には省エネ政策のターゲットにされた。こうした政策と技術の進歩の結果、冷蔵庫の平均容積は約500リットルから650リットルに増加したが、消費エネルギーは年間で平均2000キロワット時から500キロワット時に減少した。[18] 2015年現在でアメリカ家庭における消費電力のうち、冷蔵庫が占める割合は7パーセントだ[19]。

電気冷蔵技術は、食品の買い物習慣も変化させた。毎日新鮮な果物や野菜、肉を買うのではなく、1週間分の食品をまとめて買い込むようになった。毎日は買い物に出ないという新しい生活リズムは魅力的で便利でもあった。家庭で冷蔵庫がやってきたのと同時に大きなスーパーマーケットと、まとめ買いがしやすい自家用車の利用が浸透した。そしてスーパーマーケットには冷蔵、冷凍食品の棚がずらっと並んだ。上面を開けっ放しにした冷凍庫を水平に並べたコーナーもある。一見すると省エネの点から効率が悪そうだが、冷気は下に沈む性質があるので、最も冷たい空気は開けっ放しの冷凍庫内にとどまる。これと正反対の方法を用いたのが冷蔵庫と冷凍庫を組み合わせた家庭用冷凍冷蔵庫だった。暖気は上昇するというのに初期のモデルはどういうわけか冷凍庫が一番上にあった。庫内の熱と冷蔵庫のコンプレッサーの熱は冷凍庫部分に上昇するので、庫内の食品を冷凍しておくには多くのエネルギーが必要になる構造だった。その後効率を改善するために冷凍庫は一番下に配置されるようになったが、驚いたことに今でも冷凍庫を一番上に配置したモデルが売られている。

ここまでのエネルギー投入には輸送に関わる分は含まれていないし、まだ食品は農場から工場、そして冷蔵庫や冷凍庫に届いたに過ぎない。料理が皿の上に載るまでにはさらにエネルギーが必要だ。電気オーブンや電子レンジには数キロワットの出力がいる。その電力はエアコンで家屋全体を冷房する電力、または電気自動車の充電に必要な電力とほぼ等しい。パスタを茹でるのに湯を沸かしたり、パンを焼いたり、肉をグリルしたりするために消費するエネルギーなど料理に関わるエネルギーを足し合わせるとアメリカの総エネルギー消費の約1パーセントになる。ただし調理をするキッチンの空調に必要なエネルギーは含んでいない。[20] さらに調理用のガラス食器やステンレス鍋、ナイフ、プラスティック製への製造に投入されたエネルギーも加わる。

現代の家庭はたいてい天然ガスやIHを利用したレンジを利用しているだろうが、世界ではもっと素朴な調理器具での料理が数千年も前から続いていて、今もかわらない。水汲みの仕事を女性が担っていたように、世界中のほとんどの地域で家族の食事を用意するのも女性の役割だ。だから調理用の薪拾いの間に暴行を受けたり、誘拐されたり、もっとひどい目にあうこともある。家に帰れば、簡単な料理用コンロで燃料に火をつけ調理をする。薪でなければ炭や牛糞、藁を燃やすこともあるのだろう。こうした燃料とコンロでは大量の煤と煙そして灰が出る。だから調理で生じる屋内空気汚染によって毎年250万人もの女性や子どもたちが早死にしている。

女性がもっと進歩したエネルギー形態と効率のいい調理用コンロを利用できれば、煙で早死にせずにすむだろう。現代的なエネルギーを利用してこうしたきつい雑用を減らすことができれば、少女たちは学校へ通う機会が得られ、大人の女性には経済活動に参加して対価を得る新たな道が開かれる。

アメリカ合衆国建国の父のひとりベンジャミン・フランクリンもこの問題を気遣っていた。彼が開発したフランクリン・ストーブは煙と煤を集めて煙突を通し室内ではなく屋外へ排出するシステムで、革新的な発明とされた。フランクリン・ストーブによってキッチンも安全になった。かまどや炉も女性にとって危険な場所だったのだ。汚染された空気を吸うばかりか、女性のスカートやペチコートに火がつくこともあったからだ。植民地時代には、女性の主な死因で一番多いのが出産でそれに次ぐのがやけどだった。[21] フランクリン・ストーブはキッチンを安全にするだけでなく、主室の目立つ場所に設置して部屋を暖房し、家族が快適に過ごせることも想定されていた。

食品の流通に関わるエネルギー

食糧の交易は何千年も前から続いている。マルコ・ポーロがヨーロッパからアジアにかけて探検をした動機のひとつはスパイスの獲得だった。魚を求めたフランス人探検家は大西洋北西部を探検した。ローマ人が各地で小麦の商いをしていたことを示す古い形跡もある。特定の食糧については世界的に売買されてきた歴史もあるが、大量の食糧が広範にわたって交易されるようになったのはつい最近、第二次世界大戦後のことだ。

農産物や食糧の輸送もエネルギー集約的だ。化石燃料を利用する鉄道や船舶、トラック、飛行機そして乗用車が登場すると、食糧システムが世界的に展開しやすくなった。現在では一年中食べ頃のサラダやフルーツ、野菜が1万キロも離れた産地からやってくる。グローバル・サプライチェーンが一年中いつでも柑橘類を届けられるのは、世界のどこかでは必ず旬のシーズンを迎えているからだ。果物とレタスは南アメリカから、ナッツ類は北アメリカ、スパイス類は中国、肉類はヨーロッパからといった具合に、現在の食事は世界中の食物を好みに合わせて取り入れている。そしてエネルギーによって可能になった輸送システムは迅速かつ安価なため、食品が運ばれてきた距離のことなど気にかけることもない。世界中に網の目を広げるサプライチェーンとバラエティー豊富な食品が手に入ることは栄養面では好都合で、料理のメニューの幅も広がるが、食べるわたしたち自身は食物の生産現場から切り離され、食物に旬の季節があることすら忘れている。

食糧を世界中に輸送するために必要なエネルギーは莫大だ。しかし食糧サプライチェーンが現在のようなグローバル・ネットワークに拡大する前までは、食糧の生産はまず各家庭の裏庭や小規模農家に始まり、その後都心部へ供給する農村地域へと移動した。こうした流れの中でシカゴは商業の中心地へと発展し、クロノンはシカゴのことを「ネイチャーズ・メトロポリス」(自然の大都市)と呼んでいる。シカゴから半径数百キロ以内にあるいくつかの州から家畜が鉄道でシカゴの食肉処理工場へ送られ、解体、精肉されたのち東部市場へ出荷される。小麦やトウモロコシなど未加工の穀物も同じような経路でシカゴへ集められ、コーンミールや小麦粉といった規格化された製品に加工され、包装、販売された。都市が成長するにつれ、都市住民の食を賄う周辺農地も拡大した。しかし最終的には、食糧システムのネットワークの拡大は鉄道輸送の限界を越えることになった。

食糧のグローバル・サプライチェーンは「フードマイル」という概念を生んだ。食品が料理として皿の上に載るまでに、どのくらいの距離を移動してきたかを表す数値だ。巨大なグローバル・サプライチェーンは当然ながらグローバル農産企業と折り合いがよく、フードマイルの上昇と同時に小規模農家は巨大企業の構造に取り込まれていった。こうした企業体はエネルギーとテクノロジーに投資して農場での生産性と収量をあげ、世界人口ひとりあたりの食糧摂取量を改善した。こうした変化は善悪両面を併せ持つ。いくつかの大企業は、種子特許など問題の多い手法を導入して機械化農業の姿を一変させた。この種子特許によって家族農家が代々受け継いできた伝統的農業技法である自家採種ができなくなった。農場のありようも変わった。かつては懸命に働いても報われることのない農家が粘り強く農業の伝統を伝えてきたが、グランド・ウッドが描いた「アメリカン・ゴシック」のような文化的景観はもう見られない。その代わり、現代の農場のイメージは屋外工場のようなものになり、不特定の農場労働者と機械が休みなく単一の食糧を大量に生産する。社会にとって重要な文化的要素が失われつつあることを懸念した人々は、こうした農業の工業化に眉をひそめた。豊富な食糧が得られることはよかったが、同時に人々と食糧生産の場との分断を促した。食物の産地はどこかと聞かれれば、たいてい「そこのスーパー」と答える。食物が加工されてスーパーに到着するまでどれほどの労働が投入されたかなど想像することもない。

世界中で多様なローカル・フード運動が生まれ、食物に関する正しい知識の再発見を促している。アメリカではファーマーズマーケットがよく知られるようになり、消費者と生産者との間をつなぐようになってきた。フランスでは生活が脅かされると感じた農民が輸入食品に抵抗して暴動まで起こしている。しかしローカル・フードが省エネになるかというと、必ずしもそうとはいえない。遠隔地で栽培され地球を半周して輸入される食糧の方が、ローカル・フードより消費エネルギーが少ない場合もあるからだ。

例としてイギリスで食べるラム肉のことを考えてみよう。ロンドンで購入できるラム肉といえばイギリスの農場のものか、1万6000キロ離れたニュージーランド産だ。直感的には国産ラム肉の方が消費エネルギーは少なくてすみそうだが、実際にはニュージーランド産のラム肉を選択した方が省エネになる。[22]ラム肉をこれほど長距離輸送するにはそれなりのエネルギーがいるが、貨物輸送として最もエネルギー効率が高い船舶が利用される。またラムを肥育させるにも様々な形態のエネルギーが必要になる。国産ラム肉なら輸送距離は大したことはないが、もっぱらトラック輸送に頼ることになる。ニュージーランド産の輸入ラム肉も最後の数キロはトラックで運搬されるが、港から消費地までは国内の農場からより近い場合もある。もっと重要なのは、ニュージーランド産のラムは温帯気候下の草を食《は》んで育ち、その草は降雨だけで自然に成長することだ。イギリス産ラムの餌は穀物で、穀物の栽培そのものに灌漑や肥料が必要で、それには大量の水とエネルギーが投入される。この穀物栽培に要するエネルギーがラムの生産にかかるライフサイクル・エネルギーより多くなるのである。その結果イギリスまで地球を半周してやってくるニュージーランド産のラム肉であっても、全体の消費エネルギーはイギリス産よりも少なくなる。

もうひとつ有名な例としてワインがある。シカゴのワイン通なら、航空便経由で宅配されるカリフォルニア産ワインと、スーパーで購入するフランス産ワインとで、どちらが環境面で優れているか考えをめぐらすこともあるだろう。どちらの産地も世界に誇れるワインを生産することで知られる。カリフォルニアの方がシカゴから距離が近いことは確かだ。しかしカリフォルニア産が航空便で輸送され、フランス産がコンテナ船で出荷されて列車とトラックで輸送されるとすれば、国内産よりも海外産ワインを飲む方がエネルギー消費量は少ないだろう。[23] 要するに近ければいいとは限らないのだ。

だからローカル・フード運動は省エネの面では必ずしも効率がいいとはいえない。特定の作物栽培に適した土地であれば、その地域での生産による環境への影響は小さいだろう。逆にその土地が栽培に適していなければ、化学肥料と灌水に多くのエネルギーを投入して品質と収量を確保することになる。サウジアラビアやアラブ首長国連邦の砂漠でトマトや小麦の栽培が試みられている。乾燥気候でも地元で作物が栽培できるように努力することは、紛争時に海外からの輸入食糧が途絶えることを考えれば、食料安全保障を強化する意味で合理的といえるかもしれない。しかし資源への圧力は桁外れに大きくなる。砂漠で小麦を栽培するために必要な水の量は、アメリカ中部のグレートプレーンズなど伝統的な栽培地域と比べると、かなり多くなる。さらに産地が近いとしても（たとえば、カリフォルニア産ワイン）、エネルギー集約的な輸送手段で出荷されれば（列車に対して飛行機など）、距離が近いことによるエネルギー面での優位性は吹き飛んでしまう。

こうしたエネルギー面でのトレードオフがあるにもかかわらず、地元産の食糧には別の経済的あるいは哲学的な意味がある。妻とわたしはファーマーズ・マーケットで買い物をする。なぜならお金は地元経済の中で循環させるのがいいと思っているし、生産者とつながりを持つことが哲学的にも個人的にも満足感が得られるからだ。しかし地元の農家に土地の気候に合わない作物の栽培をお願いすれば、栽培に過剰なエネルギーを投入する誤った方向へ誘導してしまうことになりかねない。せっかく輸送に関わるエネルギーを節約しておきながら、その他のエネルギー投入によってその節約が帳消しになってしまうこともあるのだ。

食糧システムの全エネルギー

ここまで見てきたように食品には栽培や梱包、冷蔵、調整そして輸送にもエネルギーが投入されていることから、食糧システムとエネルギーの関係は一般に考えられているよりずっと多方面に及ぶことがわかった。そのエネルギーの消費量と土地利用の変化、そして農場で利用する肥やしや化学肥料からのメタンと亜酸化窒素の放出が加わることで、食糧システム(農業、林業その他の土地利用部門)は世界第二の温室効果ガス発生源となっている。温室効果ガス発生源の第一位は熱および電力生産部門、そして第二位の食糧システムに続くのが工業部門と輸送部門だ[24]。総合するとアメリカにおける食糧システムのエネルギー消費は、アメリカ国内の年間消費量のほぼ10パーセントになる。つまり食糧に埋め込まれたエネルギーは無視できない大きさで、注意を要する。食糧システムのエネルギー消費は、アメリカ全土の照明に消費されるエネルギーの約2〜3倍だ[25]。電球はコストを下げ明るさを改善するため長年にわたり数々の革新的技術が重ねられてきた。ところが食糧システムはその効率を改善する技術革新が十分とは言えない。省エネ対策を進めるにあたって政策決定者は従来から食糧システムのことは念頭に置いていなかった。その代わり電球や電化製品の規格の改善や自動車の燃費の向上に集中してきたのである。

カーネギー・メロン大学の研究者らは広範に及ぶ分析から、作物の産地を選ぶより食習慣の変化の方がエネルギー消費におよぼす影響ははるかに大きいことを明らかにした[26]。特に食肉生産は穀物と比べ、エネルギーと水そして土地を集約的に利用するので、食事から肉を減らせば資源の節約になる。[27] 赤肉が消費されるまでの様々な過程で放出される温室効果ガスは、鶏や魚より150パーセント以上も多い。だからカトリックの伝統に回帰し金曜日には魚を食べるか、月曜日には肉を食べないといった新たな食習慣に切り替えれば、食糧消費に伴う資源消費を劇的に削減できる。[28] エネルギーや土地、水を節約しつつ温室効果ガスの大量排出を防ぐには、まず食肉の節制、つまり食肉の消費を抑制することが（肉を完全に断つ必要はない）合理的ということになる。食糧システムは様々な過程が複雑に絡み合っているため、食肉消費量をゼロまで削減してしまうと、思いもよらない重大な結果が生じる可能性がある。たとえば食肉システムは穀物や果実、野菜類などの作物を育てるのに欠かせない肥料の供給源であり、耕作されていない土地を有効に利用することもできる。もし食肉生産が完全になくなってしまえば、天然ガスなど他の資源から化学肥料を製造しなければならない。つまり世界中の人々がヴィーガンやヴェジタリアンに転向したとしても、必ずしも食糧問題が解決するわけではない。

飽食、過食そして食品ロス

食糧システムの省エネを進めるには、自らの食事の量を減らすのもひとつの方法だ。実はアメリカでは食べ過ぎているのに栄養不足の状態にある。生存に必要なカロリーよりずっと多く摂取していても、その内容のバランスが悪いのである。悪いカロリー（糖や高度に加工された炭水化物など）ばかり摂っていて、良いカロリー（果実や野菜、そして良質な脂肪など）の摂取が十分ではない。

さらに悪いことにアメリカでは食糧は豊富なはずなのに「食物砂漠《フードデザート》」が点在する。これは近所にはファストフード店ばかりで新鮮で高品質の肉や農産物など生鮮食料品が買えない地区のことで、貧困者の多い都心の過密地域に多い。歩いて行ける店に置いてある商品は包装された日持ちのする加工食品ばかりだ。新鮮な果物や卵など簡単に栄養をバランスよく摂取できる食品は価格が高く、貧困層には手が出ない。

食事は様々な理由で変化してきた。1960年代後半、大統領就任演説に臨んだリチャード・M・ニクソン大統領は、食糧不足と食料品の値上がりの問題を解決することが、自らに課せられた大きな仕事だと訴えた。[29] 当時のアメリカは急速な成長を遂げていたものの、様々な人口統計学的理由があって農業生産性はその成長に追いついていなかった。現代のアメリカ人なら、食糧不足のリスクなどは他国で起きている話とたかをくくり、それほど遠くない過去にアメリカでも国家政策上の議論となっていたなど思いもよらないだろう。

こうした状況に応えるため、食品を手頃な価格で豊富に得られるよう食糧増産の支援を強化し、穀物を優先的に扱う政策がとられた。食品医薬品局（FDA）の栄養ガイドラインでさえ、乳製品、肉類、穀物そして果実と野菜という4つの食品グループをバランスよくとる食事の推進から、肉や果物、野菜を犠牲にして穀物を大量に摂取するピラミッド型の食事メニューへ転換した。これは不幸な転換だった。炭水化物の消費が増えればいくつかの慢性疾患と肥満につながるからだ。[30] そして実際シアトルこども病院による2016年の研究は、食事から穀物や乳製品、加工食品、糖類を除くことで活動性炎症性腸疾患をもつ小児患者が臨床的寛解を達成することを明らかにしている。[31] 農業に対する直接的、間接的な補助金が導入され、エネルギー投入が増大したことで生産性が向上し、トウモロコシは非常に豊富に収穫できるようになり値段も安価になった。同時にトウモロコシから高カロリー甘味料である異性化糖コーンシロップなどの副産物も生まれた。そしてこうした農場での変化と並行して、アメリカをはじめ世界中で顕著な肥満が蔓延中だ。

エネルギーによって実現した豊かな食糧は確かに多くの食糧不足問題を解決はしたが、意図せぬ結果も生んだ。特にアメリカではサービング・サイズがどんどん大きくなった。1950年代のマクドナルドでソーダ（この頃からマクドナルドはコカ・コーラ社と長期提携）のサイズは7オンス（約200ミリリットル）だったが、現在のスーパーサイズは42オンス（約1200ミリリットル）まで巨大化した。[32] フレンチ・フライドポテトとバーガーも巨大化した。[33] 欧米では食事で摂取するカロリー量が現在史上最高になっている。食事のカロリー量が急激に増加したのは最近の現象のようだが、数百年に及ぶ長期的傾向の中で増加してきた例もある。たとえば「最後の晩餐」を描いた数十点の絵画を比較した2010年の研究によると、キリストと彼の弟子に振舞われる食事の量が過去1000年の間に著しく増加していたという。[34] 絵画の話はともかくとして、食事量の増加傾向はしばらく続いているが、わたしたちの食事量を加速度的に膨張させたのは化石燃料だった。

食糧の過剰生産とそれに伴う過剰消費のために大量のエネルギーが投入されているわけだが、

わたしたちが肥満化することでさらに多くのエネルギーが消費されている。[35]世界に4億人以上といわれる肥満の成人に必要なカロリーを賄うためにエネルギーを消費し、さらに飛行機や自動車での移動にも重い体重のせいで余分なエネルギーがいる。食事量を健康な水準にまで減らすことができれば、エネルギーを不必要に消費しなくてすむし、健康な生活と長寿にもつながる。

問題は食品の消費量だけではない。その廃棄量も減らさなければならない。驚くのは、アメリカやイギリスなどの先進経済諸国では、まだ食べられる食品の25〜40パーセントが捨てられているのである。[36]これほど食品の廃棄量が多いとは衝撃的だが、それは豊富な食糧とその手頃な価格を推進してきた食糧政策と、質素な暮らしからの文化的転換による必然的結果でもある。

アメリカで廃棄処分された食品に投入されたエネルギー量は、驚くなかれ年間2クワッドを超えるのだ。[37]スイスやスウェーデンなどの国が一国で1年間に消費するエネルギー量に匹敵する。しかもこの2クワッドには食べられなくなって廃棄した食品のエネルギーは含まれていない。食品ロスは食糧サプライチェーンの上流でも下流でも、つまり農場や加工工場、スーパーマーケットそして家庭やレストランでも発生する。

食品廃棄物はアメリカの文化的現象とも関連していて、たとえば食べ放題のバイキング形式のレストランでは、どんなにたくさん食べても追加料金がかからない。皿に盛りきれないほど料理を載せておきながら食べ残したとしても、懐《ふところ》は痛まない。さらにほとんどのレストランはバイキングで必要以上の料理を持ち帰ることを認めていないことも、食品ロスの状況を悪化させている。もちろんレストラン側の姿勢も理解はできる。ドギーバッグに詰めて持ち帰れるなら、勘定を大幅に上回る料理を故意に持ち帰る誘惑にかられるかもしれないからだ。

レストランでの食品廃棄を減らすために、食べ残しを持ち帰る人もいる。しかし友人や家族から聞いた話だと、持ち帰りには文化的な抵抗感もあるようだ。食べ残しは食べたくないという人もいるのである。食品廃棄量の削減に向けて食べ残しを気持ちよく食べられるようになるには、まだまだ時間がかかりそうだ。

食品ロスのもうひとつの文化的側面として、食品を購入するときに見た目を重視しがちということもある。なんの問題もなく食べられるのに、食品スーパーでは傷があるとか形が綺麗でないというだけで多くの商品が売れ残り、腐ってしまう。これに対して、見かけの悪い果物を捨てずに食べることを支援するという、思ってもみない運動を開始した活動家もいる。[38]

この飽食の時代にあって、わたしたちは食物を選り好みしがちだ。食糧不足の時代には、食べられるものならなんでも食べただろう。祖父母からは、出されたものは残さず食べ、一皿目はあっという間に平らげたという話をよく聞かされたものだ。アフリカのサハラ以南の片隅で腹を空かした子どもたちなら、わたしたちが食べようとしない食物でも愛おしく食べるだろう。大恐慌時代には食物を無駄にしないという倫理観があった。食物がないことが普通だった時代だ。当時食品はなかなか手に入らず、値段も高騰していた。だからこそ食物を無駄にすることは恥ずべきことと考えられていたのだ。しかし今では食物を大切にするという文化的なこだわりは失われてしまった。

食品廃棄量の削減には、宗教的な意味合いが関わることもある。次にあげる逸話は、ビジャヤ・

ナガラジャンのエッセイからの引用だが、南インドの大都市マドゥライの郊外での事実に基づいている。

通りを行ったり来たりしながら食物の施しを受けようと一軒ずつ立ち寄る男や女の姿は普通のことだった……

ほとんどの家庭では、食事といえば出来立てのものを食べていた。家事を担わされる女性にとっては大変な仕事だった……

乞食がドアを叩けば施しを与えるのが習慣で、米やレンズ豆、野菜を提供した。調理したものを提供することもあれば材料そのままのこともあった。料理が残ってしまった時には無駄にしないように、みんなで乞食を探すこともあった。わが家の階上のバルコニーに出れば、近所の母親たちが娘に表に出るように叫ぶ声が聞こえる。乞食を呼び戻して施しを与えるためだ。そうすれば食物を無駄にしないですむ。乞食は道徳的にも生活のうえでも必要とされた存在で、各家庭で過剰になった食糧を受け取ってくれていた。食物を無駄にすれば、神を無駄にすることになる。それは神に対する冒瀆だった。女神ラクシュミーは米ひと粒ひと粒に宿ると言われていたからだ。

何週間か前に近所の家に冷蔵庫が到着した。それは一大事件だった。近所の人たちが集まってきて、街に冷蔵庫が初めてやってきた喜びを分かち合い、祝宴を楽しんだ。

何週間か後のこと、わたしは次のような場面に出会った。例の冷蔵庫を買ったばかりの隣人のドア口に乞食が立った時のことだ。戸口から擬音のような声がした。「シッ、シッ、シッ、ほかへ行って、どうしてあんたたちはいつもこの辺ばかりにくるのよ?」そんな風に聞こえた。

冷蔵庫を手に入れた女性は、おそらく冷蔵庫のないときとは食べ残しに対する意識が変わってしまったのだろう。毎日調理をしなくていいという女性が手にした自由は、施しを求めて彷徨う路上生活者にとっては生鮮食料品が手に入らなくなるという不自由を意味した。まさに食物に関する無駄という概念が、街に冷蔵庫がやってきたことで劇的に変化したのである。寛容という概念も別の性質を纏うようになった。寛容の習慣も変化した。余分な食糧は家庭内で工夫して使いまわしたり個々の家庭を超えて分かち合うのではなく、余分に食糧を手に入れては冷蔵庫に収めることが日常的になりつつある。[39]

化石燃料によって農業システムの機械化と産業化が進み、わたしたちは精神的に土地から切り離され、食物とのつながりを断ち切られてきたと訴える者もいる。その結果、人間が食べるために殺された動物に対して、また作物の栽培に多大な労力がかかっていることに対して敬意を払うことを忘れてしまったというのだ。化石燃料は食糧生産にかかる人間の労働も削減した。同じことは電力についても言えるだろう。電気冷蔵庫を利用できるようになると食品の寿命が延び、食品廃棄量と食事の準備にかかる労力は著しく減少した。このこと自体はいいことではある。しかし同時にわたしたちと食物との関係、そして食物を必要としている人々との関係も変化した。おそらくわたしたちの食に対する品性も失われたのだろう。

食糧安全保障

驚くのは、飽食の時代と言われながら、世界には少なくとも10億の人々が何らかのかたちで食糧不足に直面していることだ。裕福といわれるアメリカでさえ、毎日の食事がままならない人が数百万人もいる。次の食事はどこでありつけるかわからないという人たちも多い。

個人のレベルでいえば、食糧安全保障とは生きるか死ぬかの問題だ。国家レベルになれば、国家安全保障とのつながりも出てくる。エネルギーも国家安全保障と関係していた。作家のマーク・カーランスキーは著書『「塩」の世界史』で「塩は食物の保存に欠かせないものだったので、17世紀のイギリスの指導者らは、イギリスが国家としてフランスの海塩に依存していることについて、現代の指導者たちが海外の石油資源への依存について語るのと同じような緊迫感をもって語った」と述べている。[40] 塩が豊富にあり安価な現在では、かつての指導者が塩のことを心配していたなど冗談ではないかと思えてしまう。ひょっとすると現在わたしたちが石油について気を揉んでいることも、同じように冗談のように感じられる未来が来るのだろうか。

かつてイギリスの指導者たちが塩のことをことさら心配したのは、食糧安全保障が国家安全保障の問題でもあったからだ。そのことは現在でも変わらない。食糧はアメリカ軍にとっても重要な問題だ。わたしはウェストポイントにある米国陸軍士官学校の食堂で、空腹の軍人の食事を賄うための膨大な労力と調整をじかに体験したことがある。ゴシック様式の大聖堂を彷彿とさせる食堂は巨大な灰色の花崗岩のブロックで作られている。中央の塔から放射状に伸びる6本のスポークが洞窟のような広がりのある空間を構成し、まるでハリー・ポッターの映画に出てくるホグワーツ魔法魔術学校の大広間のようで、浮遊する蠟燭はないにしても、もっと巨大で感動的だ。そのスケールといったら息を吞むほどで、世界最大のダイニングルームのひとつであることは間違いない。

この大食堂は一般には開放されておらず、ウェストポイントの教職員も利用できない。士官学校の学生専用なのだ。ただ学生と食事をともにするために招待された賓客に限って、ウェストポイントでの昼食を体験できる。２０１４年4月、わたしもそんな招待客のひとりとなった。ウェストポイントの最下級生全員の１１００人近い学生に、エネルギーと国家安全保障に関する基調講演をするため、当時11歳の息子のデイヴィッドとともにキャンパスを訪れていた。

全学生が同時に昼食をとる。まず初めに学生全員が起立し、アナウンスが流れる間座席後方に注意をむける。昼食開始の命令が出ると、学生はすぐに自分の席に着席し、大食堂の奥の部屋から給仕が魔法のように出て来てテーブルを動き回り４０００人を上回る学生に料理のトレーを配膳する。上から見れば、その動きは綿密に作曲された交響曲のように感じられるはずだ。料理がテーブルに運ばれ、上級生から下級生の順にファミリースタイルのコンテナに配られる。そしてアナウンスも含め昼食の準備が整うまで25分とかからない。料理が一瞬のうちにテーブルに現れ、わたしたちにも配られた。腹ペコの学生たちが貪《むさぼ》るように食べるのを見て、わたしと息子は啞然とするしかなかった。それから学生たちはたちまち次の訓練に備え姿を消す。大食堂の食事には大変な努力と思いが込められている。この昼食はアメリカ軍全体のほんの一部であるウェストポイントでの一回の食事に過ぎない。この時の昼食の体験で、軍隊をうまく機能させる上で食事がいかに重要かということがわたしの記憶にしっかりと刻まれた。

食糧安全保障はエネルギー安全保障とも結びついているため、エネルギー・システムが崩壊するかエネルギー政策に失敗すれば食糧供給も崩壊し、社会不安につながる。たとえば２００７年にメキシコで起きた「トルティーヤ暴動」のきっかけとなったのが食糧危機だった[41]。アメリカのバイオ燃料政策によってトウモロコシの価格が高騰し、トルティーヤも値上がりした。価格が上がれば農家にとっては都合がいいが、トルティーヤを主食としている人たちにとっては大問題だ。それで暴動が起きた。似たような現象はほかでも起きている。エネルギー価格が高騰して（洪水、干魃などの災害により食糧生産が打撃を受けたこともあって）食糧価格が急騰し、中東に燻る緊張が高まり、最終的に２０１０年の「アラブの春」が起きている[42]。この時の社会不安の波はまずチュニジア政府を倒し、その後リビア、エジプト、イエメン、シリア、バーレーンへ拡大した[43]。アメリカでも食糧と関係する安全保障上の問題が起きた。２００５年にハリケーン・カトリーナがニューオーリンズを襲うと、電力システムが崩壊した。停電で冷蔵庫や冷凍庫が動かなくなった。食品が腐るようになると、ニューオーリンズの不安が膨らみ始めたのである。

食糧安全保障に関するわたしたちの祖父母や曾祖父母の態度も第一次、第二次両世界大戦によって培《つちか》われた。両大戦の期間、食糧は戦略的資産であり国家安全保障上の問題とも考えられていた。だから食物を無駄にすることは敵を支援するのと同じだった。食物を節約し、缶詰にし、一口でも無駄にしないことが軍隊の支えとなり、勝利に貢献することにもなった。だからこそ政府は国民に食物の選り好みに気をつけさせ、無駄をなくすよう戒めるため、ポスターなどプロパガンダ・アートを使って教育し戦時体制を整えたのだった。[44] こうしたポスターの効果もあって食事は小麦粉からジャガイモに変わった。小麦は船に積むのも容易で腐らないので、前線への供給に都合がよかったからだ。イギリスの童謡にもこんなものがある。

ジャック・スプラット　あぶらがきらい
そのおくさんは　あかみがきらい
だからごらんよ　なかよくなめて
ふたりのおさらは　ぴかぴかきれい（『マザー・グースのうた』谷川俊太郎訳）

この童謡もポスターに印刷され、全国民が「おさらは　ぴかぴかきれい」にして料理を残さないように促した。ポスターによっては地域性を出し、たとえばカンザスの食糧が戦争に重要だと謳ったりもしたが、いずれにせよこのポスターで食糧が果たす役割が重要であることが受け入れられ、広まった。食物を無駄にすることはエネルギーを無駄にすることと同じで、しかもどちらも前線で必要だった。「ロージー・ザ・リベッター」のポスター（「リベット打ちのロージー」は工場で働く女性労働者の姿を肯定的に表現した）が戦時下における女性労働者の重要性を強調し賞賛した時代だ。しかし興味深いのは、そのポスターは同時に家庭での食に関する意思決定について女性を中心に置いたことだ。料理のメニュー、味付け、食事の節約（たとえば缶詰ですませる）の判断を女性に任せたのだ。

食糧が支えるエネルギー

エネルギーが支える食糧という依存関係は逆方向にも向かう。わたしたちは食糧を得るために大量のエネルギーを利用しているが、その逆に食糧がエネルギーを支えている側面もあるということだ。食糧が必要なのは人間の身体だけでなく、現代の機械類にも欠かせないのである。

トウモロコシから生産されるエタノールは優れた輸送用燃料だが、様々なトレードオフがある。オクタン価が高いためエンジンの圧縮比が高くなり、格好よく言えばパワーが出る。カーレースドライバーならアルコール・ベースの燃料をこよなく愛するが、それはレースに有利なパワーに魅力があるからだ。フォード・モデルTはエタノールが燃料で、二種類の燃料を利用できる最初の自動車のひとつでもあった。しかしエタノールはガソリンよりエネルギー密度が小さいため、同じ容積の燃料タンクを積んだ場合ガソリンほど長距離を走行できない。

アメリカ国内ではエタノールをトウモロコシから生産していて、トウモロコシは成長するときに大気中から二酸化炭素を吸収する。しかし、バイオ燃料の栽培は非常に大変で、地下貯留層から化石燃料を抽出するより多くのエネルギーが必要なうえ、広大な農地も必要で土地にも大きな負荷をかけ肥料流出を起こす。それでもバイオ燃料は農家にとっては収入の拠り所となっている。そこにはトウモロコシ農家を支援するという重要な政治的動機もあった。アメリカの政治家は、トウモロコシ栽培農家が多い土地柄である中西部の農村コミュニティーを好んで支援するからだ（政治と密接な関係を持つ穀物メジャーの影響がある）。

トウモロコシ製のエタノールには道徳的葛藤《かっとう》もある。ガソリンには10パーセントのエタノールを含めるとする議会命令により、アメリカで毎年栽培される全トウモロコシの約半分が自動車の燃料用に使われ、ガソリンの年間需要の約10パーセントを代替している。[45] 同量のトウモロコシで1000万人分の食糧を賄えるのに、それをあえて自動車を走らせるために使う。わたしたちの自動車にもっと厳しい燃費規制を適用し、既存の技術を利用して効率を10パーセント改善すれば、もっと低コストでエタノール分のガソリンを節約でき、同時にトウモロコシ栽培へのエネルギー投入と環境負荷を下げることができるし、飼料や食用に適したトウモロコシ種への転換も可能になる。しかもガソリンをガブ飲みするSUVとトラックが自動車の大きな部分を占めるのだから、飢えに苦しむ人をよそに、食糧を必要な用途ではなく贅沢な目的に利用しているようなものだ。この非情で無能とさえ言える政策事例がはっきりと教えてくれるのは、食糧問題を悪化させている原因がわたしたち自身にもあるということだ。

ブラジルでもエタノールがよく普及しているが、その栽培と利用についてはアメリカ産エタノールに典型的な道徳的葛藤や環境面での難問は回避されている。サトウキビは極めて生産的で年間単位面積あたりのエタノール生産量はトウモロコシを上回る。しかもブラジルのサトウキビ・プランテーションは改植するまで7回も収穫できる。それに対してトウモロコシは毎年新たに作付けしなければならない。[46] サトウキビはいったん収穫すればそのまま発酵させてアルコールができる。一方トウモロコシの場合はデンプンをまず糖に変化させないと発酵しない。このサトウキビには必要のない一段階余分な過程がエネルギー集約的で費用がかかる。ブラジルのサトウキビは（灌漑ではなく）降雨で育ち化学肥料などのエネルギー投入をしなくても成長する。サトウキビを収穫すると、バガスという繊維部分が火力発電所の燃料となり、化石燃料を燃やさずに熱と電力を供給でき、環境への負荷も抑制できる。最後にブラジルのサトウキビは機械装置ではなく手作業で収穫されているが、その理由は生産面での都合ではなくブラジルの経済状況によるものだ。それにしてもサトウキビの収穫作業は重労働だ。手作業での収穫によりトラクターなど機械にかかる軽油の消費は抑えられるが、社会正義の観点からは石油ベースの機械を導入した方がいいだろう。

サトウキビはブラジルで５００年以上も栽培されてきた。[47] いくつかの地域では何世紀もの間毎年繰り返しサトウキビを栽培していても大した土壌流亡が起きていない。このことはブラジルでこの作物を持続的に生産できる証でもある。

サトウキビを生産、収穫し、さらにバガスを燃焼させて発酵に必要な熱を供給してアルコールに転換させると、消費者が利用できる燃料になる。ブラジルではガソリンスタンドに行ったらまずエタノールかガソリンかを選ぶ。アメリカでは、アルコールやガソリンを混合した燃料を使えるフレックス燃料車は数少ないが、ブラジルの新車はほとんどがフレックス燃料車だ。消費者にとってはどちらでも好みの燃料を選べばいいだけで、普通は安い燃料を選ぶだろう。こうしたシステムによってガソリン価格とエタノール価格が互いに牽制し合うことになる。再生可能エタノールはブラジルにおける液体燃料消費の半分を担っている。ブラジルのバイオ燃料政策の目覚ましい成果だ。

サトウキビを原料としたエタノールはトウモロコシを原料としたものよりもクリーンで環境への負荷が小さいだけでなく、食糧を燃料として使う道徳的葛藤も回避できる。砂糖も重要なカロリー源ではあるが、ブラジルその他の地域でも主食としてではなく風味付けに使うものだからだ。こうしたブラジルの経験は、バイオ燃料の大規模生産は難しいとはいえ実現可能であることを示してくれた。同時にブラジルは40年以上かけて堅実な研究と開発、投資そして政策決定を重ね、バイオ燃料の成功を誘導してきた。

軽油を石油由来ではなく食糧由来のバイオディーゼルに置き換えることもできる。実際1893年にルドルフ・ディーゼルが初めてディーゼル・エンジンを実演した時に利用した燃料はピーナッツ油だった。つまりディーゼル・エンジンは食糧をエネルギー源として誕生した。それから1世紀以上たった2017年の後半、ロンドンを象徴するあの赤いバス、ダブルデッカーがコーヒーの滓《かす》からオイルを抽出して運行に利用し始めた。石油由来のディーゼル燃料が80パーセント、コーヒー由来のバイオディーゼル燃料が20パーセントの混合燃料だ。[48] 廃棄物の流れをうまく利用してバスの炭素フットプリントを削減している。カフェイン入りの通勤なら、いつもより午前中の仕事がきびきびとこなせるのではと皮肉とも取れる論評まで飛び出した。

今日、バイオディーゼルはピーナッツ油とは異なる原料から生産されている。アメリカのバイオディーゼルは、(小麦やトウモロコシと並ぶ)主要作物であり全米で一般的なタンパク源でもある大豆から製造されている。ヨーロッパその他の地域ではパーム油を原料としたバイオディーゼルを利用している。

パーム油は豊富にあるとはいえ重大なトレードオフを伴う。生産されているのはたいていマレーシアかインドネシアのプランテーションだ。利益のあがるプランテーションを建設するには、まず未開のジャングルを焼き払う。この過程で大量の大気汚染物質と二酸化炭素を放出するため、バイオ燃料によって期待される環境面での多くの改善も帳消しになる。さらにパーム油は多くの人々のカロリー源としても重要なので、このことが食糧か燃料かの論争を激化させている。東南アジアの森林伐採はアメリカにおける1800年代の森林伐採を彷彿とさせる。当時のアメリカでは建築資材や暖房、調理、そして産業用の燃料として木材がひっぱりだこだった。猛烈な森林伐採が終わったのは化石燃料、つまり石炭が登場してからだ。しかし化石燃料（この場合は石油）の代替燃料としてのバイオ燃料は、再び森林伐採のリスクを招いている。これではかつての石炭が森林を救ったのとは正反対の方向に進んでいるようだ。

バイオ燃料政策の間接的影響として森林伐採も生じうる。ヨーロッパではフレックス燃料車より一般的なディーゼル・エンジン用の燃料としてパーム油由来のバイオディーゼルを優先させてきた。一方アメリカではガソリン・エンジン用にトウモロコシ由来のエタノールを優先してきた。トウモロコシ製エタノールの新たな需要が生まれたため、アメリカの農家はトウモロコシの生産を増やし、大豆の栽培を減らした。アメリカの大豆生産量が減少すると、世界の大豆価格は上昇した。ブラジルの農家はこの大豆の値上がりに目を付け、牧場経営者から放牧用の土地を買い、そこに大豆を作付けした。放牧地を売った牧場経営者はその後ブラジルのジャングルを焼き払い、放牧用の土地を新たに確保しているのだ。

しかしバイオディーゼルは必ずしも食糧から直接生産する必要はない。食糧廃棄物からも製造できる。レストランで使った油を回収し、固形小片を濾《こ》す程度のごく簡単な処理をすれば、従来のディーゼル・エンジンで利用できる。わたしが長年生活した南カリフォルニアの地域では、ある住民がフォルクスワーゲン・ジェッタを改造して地元のメキシコ・レストランの廃棄調理油を燃料に使えるようにした。産業廃棄物をガソリンの代替に利用するという環境に配慮したうまい解決策だった。しかも副次的なメリットもあった。何しろこの住民が車に乗るたびに、その排ガスからはトルティーヤチップスのような匂いが漂ってきたからだ。

メキシコ・レストラン製ディーゼル以外にも様々な食糧廃棄物をエネルギーに転換できればもっといい。それにはいくつか方法がある。まず食糧廃棄物は堆肥《たいひ》にして畑の土壌改良に利用できる。丁寧に堆肥化すれば野菜くずなどを再利用するのは自然で賢い方法だが、環境に対しては堆肥特有のリスクもある。堆肥づくりに失敗すると大気中に大量のメタンを放出する可能性があるからだ。このメタンという物質は困った存在であると同時にありがたいものでもある。有機物（大部分の食糧廃棄物など）が嫌気的に（たとえばほとんど酸素が存在しないような密閉容器などで）分解するとメタンに転換するが、メタンは非常に強力な温室効果ガスだ。しかし同時にメタンはとても有益な燃料で、天然ガスの主要成分でもある。つまり食糧廃棄物をバイオガスに転換すれば、火力発電所や産業、また家庭の暖房や調理器の燃料である天然ガスに代替させることができる。すでに食糧を大量に廃棄しているアメリカのような国では、この方法は十分に普及する可能性がある。実はたまたまだが、すでにこうした過程がゆっくりと進んでいる。というのも、ゴミ箱に捨てた生ゴミはその後埋立場へ持ち込まれ、そこで化学変化を起こしているからだ。生ゴミの層が土で覆われ、食糧廃棄物への酸素供給が絶たれる。その結果、埋立場の食糧廃棄物は分解されメタンに転換される。埋立場に管を通して一般にランドフィルガスと呼ばれるガスを集めれば、このメタンを計画的に回収することができる。あるいは嫌気性分解装置を利用すれば、この過程の反応速度を上げきっちりと管理することも可能だ。この装置は光沢のある大型金属製のタンクで、微生物を適量加えて利用する。そうすれば生ゴミを埋立場へ送らず再生可能な天然ガスを常時利用できるようになる。

わたしはこんなことを想像している。町には各戸に面した道路沿いに紙くず用、リサイクル用、生ゴミ用のゴミ箱がある。そこへトラックがきて生ゴミ(食品廃棄物)を回収し有機物が豊富な濃縮液を作り、それを専用処理施設でバイオガスに転換する。そうすれば効率がよくなり費用も削減できるのではないか。あるいは食品宅配システムに切り替えるという手もある。食品宅配店は食品を各家庭に配送し、同時に残飯を回収する。つまり食品宅配店が宅配用の食品を調理配送し、戻ってきた食品残渣をバイオガス用に分別するのである。バイオガスは新たな収益源にもなるし、店舗で利用すればエネルギー費用を削減できる。店舗で発生する食品廃棄物はすべて店舗で利用するエネルギーに転換し、売れ残り商品も有効に使えるようになる。テキサス大学オースティン校のわたしたちの研究では、配達にかかる余分なエネルギー消費は食品廃棄物の削減による省エネによって相殺して余りあることを明らかにした。しかし宅配と回収の際のトレーなど食品の包装や容器によってエネルギー消費が増加するため、食品廃棄物の削減で得られた余剰エネルギーも相殺されてしまう。包装容器が問題なのだ。かつて子どもの頃家に配達されていたガラス製牛乳瓶のようにリターナブル容器にすれば、エネルギーの節約になる。

オースティンでは、台所で出る生ゴミを流しの排水口からそのまま流していいことになっている。オースティンの上下水道施設では産業レベルの嫌気性分解装置を導入している。生ゴミは流しのディスポーザーを通って、トイレやシャワーなどの排水とともに下水道を流れて集められ処理される。この巨大な分解装置では、有機廃棄物の一切合切から「ディロウダート」(Dillo Dirt 地元の生物アルマジロ=almadilloに敬意を払った名称)という土壌改良剤と大量のバイオガスを製造している。毎年何千トンもの下水汚泥をディロウダートに転換し、地元の販売業者を通して景観設計などの用途向けに販売している。[49] これと同じ手法は農場にも応用できる。市場に出せず農場で腐るままにしてある作物を集め、分解装置に投入してバイオガスを発生させればいい。アメリカでは牛や豚、鶏から毎年1億トンもの糞便が発生する。これをメタンに転換すれば低質燃料の代用になり、その過程でメタンガスの放出も削減できる。これは絶好のチャンスだ。

家畜糞便の管理は農家にとって大きな障害となっている。前世紀まで、農家は耕作と同時に家畜も飼っていたため、家畜の糞便は肥料として耕作地に撒けばよかった。しかし化石燃料によって食糧生産が高密度化すると、農業は農作物と畜産物のふたつの分野に分離され、同時にふたつの問題が生まれた。作物への施肥問題と家畜の糞便廃棄物の処理問題だ。[50] 家畜の場合、集中家畜飼養施設(CAFO)という施設で問題が起きる。現在の大型農場では、かつてのように多様な作物を栽培しながら合わせて豚や鶏、牛をいっしょに飼うのではなく、単一の作物を作付けするか一種類の家畜だけを飼育することが多い。さらに化石燃料の利用に伴って進行した生産性の向上と効率性追求のため、集中家畜使用施設はどんどん大きくなった。飼育場では10万頭の牛を飼育でき、大きな養鶏場では数百万羽の鶏を飼育しそれらが毎日卵を産む。これほどの規模の経営は化石燃料以前の時代には不可能だったろう。

こうした工業化した集約的食糧生産は現代の驚くべき成果だ。しかし同時に集中的な廃棄物流による環境ホットスポットを生み出している。CAFOで生産される糞便の量は、地域の農耕地が受け入れられる量をはるかに超え、これを農家がどう管理するのかが大きな問題となっている。糞便を遠方までトラック輸送するのは費用がかかりすぎるため、現場で処理しなければならない。

ふつう糞便はプラスティック製の厚いシートか壁などで囲った人工的な貯水池に貯え、廃水が地中に漏れ出して土壌や地下水を汚染しないようにしている。こうした貯水池は何千頭もの家畜排泄物を蓄えているため重大な悪臭源となり、畜産経営側としては費用をかけてその責任を引き受けなければならない。

糞便と尿が混じると、大量のアンモニアが発生する。このアンモニアが火力発電所や工場の煙突、自動車の排気筒から出る典型的な汚染物質である窒素酸化物や硫黄酸化物と空気中で混じると、硝酸アンモニウムと硫酸アンモニウムなどの微小粒子状物質が形成され、労働者や家畜の肺へ入る。これらのことから家畜の糞便の山と排泄物貯水池はいろいろな意味で環境リスクとなっている。わたしは大学院終了後環境センサーを製作する仕事の一環として、農業活動の糞便から発生するアンモニアなど微量汚染物質を測定するセンサーを開発した。[51] 要するに牛糞検出器を発明したということだ。[52]

家畜の糞便には有機物が豊富に含まれる。だから食品廃棄物と同じように、糞便もエネルギー資源として利用できる。前に見たように、糞便を嫌気性分解装置でバイオガスに転換すればいい。この金属製の大型装置は糞便内の微生物と熱を利用して、糞便をバイオガスと固形残物に転換する。この固形残物は発酵残渣といい、肥料として利用できる。家畜の排泄物を蓄える貯水池では、水面下は嫌気的な環境になるので、貯水池内で糞便が分解されることも珍しくなく、大量のメタンの泡が発生する。メタンの泡が弾けて糞便を飛ばす様子は、きっと壮観だろう。飼育場によっては糞便を積み上げ糞便山脈の観を呈しているところもあり、そういうところでは火災が発生しないように管理に注意しなければならない。

農家が計画的にバイオガスを製造、回収すれば、そのガスを再生可能エネルギー資源として販売できるし、ガスタービンか小型発電機、あるいは燃料電池を使ってオンサイトでの発電も可能だ。そうすれば費用のかかる環境保全責任（糞便の処理）も新たな収入源となる（ガスか電力）。わたしたちの概算では、アメリカには電力需要の2パーセントを賄えるだけの家畜糞便が存在する。[53] メタンがそのまま大気中に排出されれば非常に強力な温室効果ガスになるので、燃焼させて二酸化炭素にしてしまった方がまだましで、大気中での輻射の吸収は大きく減少する。こうして食糧システムの重要な副産物である家畜糞便をエネルギー資源として利用すれば、複数の課題を同時に解決できる。

牛は排泄物として生産される固形廃棄物の他に、通常の摂食と消化の過程でも多くのメタンを生産する。飼育場でやむなく発生するメタンは再生可能エネルギー資源として回収すべきだとしばしば提案されてきた。この提案は「代替燃料研究テクノロジー」(Fuel Alternative Research Technology) 略してＦＡＲＴ《ファート》(おなら) と言われることがある (ただし大量のガス発生源となっているのは、実際には牛が餌の消化中に出すゲップ。だから見識ある読者には下手なジョークと取られるだろう)。

農産廃棄物のもうひとつの問題が作物残渣で、廃棄によって重大な環境影響をもたらす。インドでは毎年1億〜1億４０００万トンの作物残渣が焼却され、ニューデリーなどの大都市で息もできないほどのスモッグを発生させている。テキサス大学オースティン校の同僚であるヴァイバフ・バハドゥール博士は、これらの残渣は焼却せずガス化してメタンを生産し、それを使ってオフグリッドの冷却システムを強化し、大気中の水蒸気を凝縮させて水を得るほうがいいと提案してきた。[54] そうすれば農家は灌漑用の水が得られ、灌漑用の費用が削減できると同時に都市部の汚染も抑制できる。1トンのバイオマスで８００〜１２００リットルの安全な水を生産できる。バイオマスをエネルギーに変換して大気中の水を回収すれば、インドの多くの州で必要とされる安全な水の7〜10パーセントを賄うことができる。特にバイオマスは豊富だが安全な水が不足している農業地帯には有効な手法だ。

エネルギー部門における廃棄物の流れを、食糧システムに取り込めるかもしれない。火力発電所は大量の二酸化炭素を排出する。同時に社会は大量の栄養豊富な排水を出している。栄養豊富な水と二酸化炭素は光合成の重要な原料だ。だからこのふたつの廃棄物の流れを合流させ、下水システムの汚水と煙突からの二酸化炭素を使えば藻類を成長させることができる。藻類は成長過程で二酸化炭素を吸収し水質を浄化する。また栄養素であるタンパク質源にもなり、バイオディーゼル向けの脂質の原料にもなる。廃棄物の流れを合流させて藻類を育てれば、飼料や食糧、燃料そして淡水資源まで得られるのだ。[55]

火力発電所の排出ガスから二酸化炭素を回収する提案もされてきた。二酸化炭素をクッキー作りに使える重曹にする方法を利用する。エネルギー問題をやけ食いしてしまおうというわけだ。しかし二酸化炭素1トンで2トンの重曹ができる。全世界では毎年約300億トンの二酸化炭素が発生している。この二酸化炭素をすべて重曹にしたら、世界の市場が重曹で溢れかえり、価格は暴落、しかも焼きあがったクッキーをすべて平らげれば、肥満大流行の引き金を引くことになるだろう。

結局、食糧をエネルギーの一形態として利用する物語が教えてくれたのは、どんなエネルギー解決策も万能ではないということだった。どの手法にもトレードオフがつきまとうため、特効薬は存在しないのである。

エネルギーと食糧の未来

食糧システムにおけるエネルギー投入の総量とその環境影響を考えれば、エネルギー投入を削減しつつ高い生産性を維持し、世界の食糧需要を賄う方法を考えなければならない。いまだに食糧不足状態にある人々が10億人以上いるのだから、食糧システムの生産性改善に向けた投資はいまでも欠かせない。だからエネルギーとそれを利用したテクノロジーへ投資することも解決策の一環だ。

農場での生産を改善するには、レーザーを使って耕作地を水平にするなどの新技術によって水、土壌、栄養素の流出を抑制し、高度な灌漑システムによって収量を増大させつつ、それに伴う灌漑水の量を削減することで達成できる。また単純に農地に水を流すだけでは、土壌の所々がずぶ濡れ状態になり、化学肥料やその他の農薬が地下水面へ漏出する。スプリンクラーで水を撒けば地面に降り注ぐまでに多くが蒸発してしまう。そこでもっと効率のいい点滴灌漑や地下灌漑システムに切り替える。世界にはまだ手作業で収穫をしている地域もある。そうした農地では最新の機械装置と肥料へ投資すれば生産量の増大につながるはずだ。

トラクターなど農業機械の導入は、農業分野からの温室効果ガス放出の抑制と省エネの機会にもなる。さらにトラクターの走行距離は限られていて（1日数十キロ程度）、大型バッテリーを搭載できるスペースがあり、夜は毎晩納屋に戻すことが多いので、農業部門で電化を進める第一歩として適した候補だ。電気モーターはディーゼル・エンジンより効率が良く、火力発電所での損失を考慮しても、全体としてエネルギー消費量を抑制できる。さらに電気モーターは静かで汚染物質の排出も少ない。また無人運転トラクターなら、所定の農地形状に合わせたプログラムによってＧＰＳ座標データを利用しながら、無人で農作業を進めることができる。この方法で労働力と作業時間の削減が可能になる。
低炭素ビーフの生産に取り組んでいる牧場主もいる。投入量を削減し、排出を抑制するため、牛の育種からはじめ、多様な飼料の利用、摂餌周期の見直し、家畜糞便の管理を実施している。たとえばカリフォルニア大学デイヴィス校の研究者らの基礎研究から、飼料に海藻を加えると腸内メタンの発生（つまり牛のゲップによるメタン放出）を50パーセント以上削減できることが示されている。[56]
農家は二酸化炭素を土壌へ戻す努力をすることで、報酬が得られるようになるかもしれない。土壌を耕すと二酸化炭素が大気中に放出されてしまう。しかし土壌管理にはいくつか方法があって、大気中から二酸化炭素を吸収し土壌中に貯留させる方法もある。[57] こうした土壌管理を推進するインセンティヴを構築し、気候危機の抑制に携わる農家の貢献に対して対価を支払えるようにすべきだろう。
食糧システムで見られるようになったもうひとつの進歩が、食品宅配サービスの普及だ。ブルーエプロンなどの企業は下ごしらえ済みの料理キットを家庭に配達している。食品スーパーでも宅配サービスを拡大してきた。一見するとこのサービスでは消費エネルギーが大きくなる気がする。というのも食品を燃費の悪いおそらくはディーゼル・エンジンのトラックで宅配するからだ。しかし同時に食品スーパーまで自家用車で買いに行く消費者は減るだろう。スーパーでの買い物を小麦粉や砂糖、シリアル、紙タオルや掃除用品といった非食品など長期保存が可能なものだけに限定すれば、買い物も月に1回程度に抑えられる可能性も見えてくる。トラックによる宅配なら近所の宅配も同時にできるので、これによってもスーパーまで買い物に行く総回数を減らせることになる。トラックは電気自動車や天然ガス車にしてもいいだろう。騒音も少なく大気汚染も抑制できるので、住宅地の走行には適している。ドローンを飛ばして食品をドア口まで届ける方法もある。いずれにせよ重要なのは、宅配料理キットなら各々が食べ切れる量に調整できるので、食品廃棄物が大幅に減少する。また包装形態のリサイクルやリユースを進めれば、さらなる省エネの余地がある。買い物に出る回数を減らそうとしていっぺんに大量に買い込めば、貴重な食料を食べ切れないまま腐らせてしまうことになる。その点食品宅配サービスなら、買い物の予定を気にすることなく、好みの料理スケジュールに合わせてきめ細かい注文ができる。食糧には大量のエネルギーが埋め込まれているので、宅配サービスを利用すれば食品廃棄物が減少し、このサービスの運営にかかるエネルギーよりも多くのエネルギーを節約できるだろう。

食物の劣化を防ぐために温度を維持するコールドチェーンにも様々なテクノロジーを利用できる。つまり倉庫やトラック、車両の冷房により多くのエネルギーを投入することで、食品廃棄物によるエネルギー損失を防ぐのである。食品の温度条件を良好に管理するのはとても有効だ。食品が傷んで農作物や畜産物が大腸菌などの病原菌で汚染されれば公衆衛生上の問題となる。そこで食品の取扱業者や製造者は「販売期限」の日付を表示し、消費者が美味しく食べられる期間が過ぎた食品がなるべく消費者の手に届かないようにしている。しかしこの販売期限ラベルはちょっと厄介な指標で、表示されているのは包装されている実際の食品の状態ではなく予測に基づいた期限だ。だから消費者はこの期限が過ぎれば食べられないものと誤解しやすい[58]。

天然資源保護協議会とハーヴァード食品法・食品政策クリニックの共同研究によれば、実に消費者の91パーセントがまだ食べられる食品を廃棄していて、イギリス家庭における食品廃棄の約20パーセントは販売期限表示ラベルを誤解したことによる。[59]この分の食品廃棄は表示ラベルを改善すれば回避できる。食品廃棄を削減する50の解決策を調査した結果、食品に統一した日付ラベルを印刷する方法が消費者の誤解を減らし、最も費用効果の高い方法であることがわかった。アメリカで食品廃棄物削減の活動を展開する非営利団体「リフェッド」（ＲｅＦＥＤ）によると、食品ラベルの改善だけで毎年40万トンの食品廃棄物を削減でき、20億ドル近い経済的節約にもなる。[60]

多くの食品は販売期限ラベルの日付をかなり超えても安全に食べることができる。特に真空パックした冷凍食品であれば安心だ。しかし、たまたまコールドチェーンの機械に不具合が生じ食品が長時間高温状態に置かれるなどすれば、ラベルの期日以前でも傷んでしまう可能性がある。そこで包装内部に小型センサーを組み込んでおき、その食品の温度環境を追跡できるようになれば、販売期限の日付を印刷するより有効だろう。こうしたセンサーには温度感応インクが利用できる。食品が高温状態に長期間曝露したことがあれば、インクの色が変わるのでその食品が安全でないことがわかる。適切に温度管理されていればインクの色は変化しない。食品が冷凍されていればラベルの安全期間はずっと長くなるが、冷凍されていない食品が必要な場合は、ラベルの色でその食品が冷凍されていたかどうかがわかるだろう。

食品損失を防ぐテクノロジーは冷蔵だけではない。多くの人におなじみの「腐ったリンゴがひとつでもあればすべてのリンゴが腐る」という警句がある。この言い回しは罪人や悪行を戒めるために用いられてきたが、実は科学的根拠がある。リンゴが腐る（過熱する）とエチレンガスが生成される。このガスにはリンゴなどの果実を熟させる作用がある。最初に腐ったリンゴからエチレンガスが放出され、周囲のリンゴも熟すようになり、それらもまたエチレンガスを生成する。果実は熟すほどに多くのエチレンガスを出すようになり、リンゴ全体の状況が悪化する。こうしてリンゴがひとつ腐ることで確かに他のリンゴも腐るのである。こうしたリスクを回避するには、腐ったリンゴが混入しないように品質管理を徹底するのがひとつの方法だ。またフィルター・システムを設置してエチレンガスの発生を監視し、発生していればエチレンガスを除去することでリンゴの過熟を抑制する方法もある。またリンゴのまわりの空気を清浄に保つために炭素フィルター（石炭製）とサーキュレーター（電動）を利用すれば、エネルギーを利用して食品廃棄物を削減することになり、全体としてエネルギーを節約できる。

受動的テクノロジーにも役に立つものがある。浄水装置ライフストローで知られるスイスのベスターガード社は、ゼロフライという食品貯蔵バッグも製造している。収穫した穀物を貯蔵する農家向けの袋だ。アメリカでは食品廃棄物の大部分がサプライチェーンの最終消費の段階で発生している。なぜならアメリカ人は過剰に料理を盛り、食品を買い込みすぎるからだ。しかし発展途上国では食品廃棄物の大部分は生産された農場周辺で生じる。ゾウムシやかび、菌類といった一般的な害虫が農家の経済生活を破綻させている。ミネソタ州で見られるような最高級の共有貯蔵サイロを購入できない農家は、自分の穀物を簡単な袋に詰めて家庭で貯蔵していて、運が悪ければ穀物を売る前に腐ってしまう。しかしゼロフライ袋は密封でき殺虫剤でコーティングされている。この殺虫剤コーティングで害虫が袋を破って侵入するのを防いでくれる。密封すれば袋の内部は酸欠状態になる。生存に酸素が必要な生物は死ぬ。この単純なテクノロジーは、農家が何十年も使ってきた袋と大して変わらないようだが、そんな袋で食品廃棄物は劇的に減り、農家は収入増の機会を得た。

とどのつまりエネルギーと食糧は複雑に絡み合っている。食糧システムはエネルギーを必要とし、食糧はまたわたしたちの身体にとってひとつのエネルギー形態であって、現代のエネルギー・システムもエネルギー源のひとつとして食糧に依存し始めている。だからエネルギーと食糧は同義語と言ってもいいほどに絡み合っているのである。エネルギー・システムの変化が食糧革命を生み、依存関係の逆転が生まれた。わたしたちと食糧との関係が変化したことで、エネルギー・システムに大きな影響を与えることになったのだ。水も食糧・エネルギー・システムにとって不可欠なので、この三要素が組み合わさり特筆すべき社会基盤を形成している。食糧・エネルギー・水・統合システムに何らかの影響があれば、他のあらゆる部分に影響が広がり、現代社会の第二の重要なシステムである輸送にも影響が出る。しかし政策と市場、テクノロジーをバランスよく組み合わせれば、食糧供給を増やしつつエネルギー集約性を緩和し、便益を世界にくまなく行きわたらせる大きな変化を起こせるはずだ。

第三章　輸送

探検への欲望は人間の人間たるゆえんである。輸送を人間のなせる大事業としたのもその欲望だった。輸送の実現には様々な形態のエネルギーが必要で、エンジンやモーターなどのエネルギー変換装置に依存している。

かつて輸送といえば人力（手漕ぎの船や徒歩での移動など）か家畜（馬車や犬ぞりなど）、風力（大洋を横断する帆船）が頼りだった。13世紀のカトリック司祭ロジャー・ベーコンは、近代科学という方法論を創始したひとりだが、そのベーコンが驚くべき予想をしている。「最大級の船舶をたったひとりで操舵し、乗員が全員搭乗するなり高速航行できる装置が開発されるだろう。動物を使わなくても猛スピードで疾走する戦車が製造されるだろう。空飛ぶ装置も開発されるだろう」[1]。移動の頼みの綱は自分の肉体だった数百年前に、人間は機械を夢見ていた。もっと速くもっと遠くへ、筋肉を使わずに運んでくれる機械だ。この13世紀のファンタジーが現実のものとなったのは、エネルギーという魔法と19世紀後半に発明されたガソリン・エンジンとディーゼル・エンジンのおかげだ。ディーゼル・エンジンの基本構造は現在も輸送の重要な動力源となっている。

ベーコンの時代の数千年前から、その後数百年の間、人々の旅行は歩ける範囲に限られ、それより遠い場所は、十分な人材を投入し、船隊を組み馬を連ねて遠征できる裕福な者の領域だった。その後人類史上最大級の技術的な発明がいくつかあって、旅行は大富豪や権力者、冒険家だけが独占するものではなくなった。エネルギーによって中産階級やもっと貧しい人々でも生まれ育った街の外へ旅することができるようになった。石炭を燃やしながら走る列車が、ガソリンで動く自動車が、ジェット燃料で飛ぶ飛行機が、世界約80億の人々をつなぐことになった。エネルギーの奇跡によって、世界の何処へでもなんらかの方法で行けるようになった。ごく少数の選ばれた者は、ロケット燃料を利用して月まで飛んで行った。しかし輸送は単に人々を移動させるだけではない。食糧や医薬品、商品を利用できるのも輸送の力があってこそだ。

輸送はこの社会を形作ってきた。日常的に移動できる範囲が、生活のありようの大部分を決める。乗り物が変化すれば、場所の概念も変わる。輸送は国のかたちも作る。1800年代前半には運河が、1800年代後半から20世紀前半までは鉄道が、そして1900年代後半になると高速道路が国を形作ってきた。そして自動運転車が再びわたしたちの生活のあり方と生活のリズムを変えることになるだろう。

この変化の物語と密接に絡み合っているのが、駆動力となるエンジンやモーターを動かす燃料とエネルギーの形態だ。

水力と風力そして筋力

輸送が現代的なかたちになる以前、移動に利用できるのは水力と風力そして筋力だった。水路が利用できない場所で蒸気機関車がまだ走っていない頃なら、輸送の主力は筋力だった。徒歩かせいぜい馬などの牽引用動物の筋力を利用する簡単なものだ。水上輸送でも筋力が利用された。イタリア、ヴェネツィアのゴンドラはオール一本が動力源。イギリス、ケンブリッジのケム川では、船底が浅い平底船をクァントという長い棒で川底をついて前進させた。何千年も利用されている丸木舟（ダグアウトカヌー）や葦舟の推進力はパドルだ。パドルやオールが改善され、大重量の積み荷を積んだ大型船でも人間がチームを組んで漕げるようになった。漕ぎ手には奴隷や囚人が使われることが多かった。ついに風力を利用する帆船が開発されると、船員は船を漕ぐ重労働から解放され、船乗りになる者の階層も広がった。

水運は商品、特に重量の大きい商品の輸送にはとても効率がいい。だから人間は何世紀もの間内陸の奥深くへも水路で進めるところまで商品を輸送してきた。内陸輸送を簡便化し強化するための方法として建築されたのが運河だ。水路の高低差を克服し、船が破壊しかねない急流を回避するため、運河には何箇所も閘門《こうもん》が設置された。また運河沿いには引き船道が整備されていて、馬などの牽引用動物を使いその筋力で船を引くこともできた。

運河によって輸送コストが削減されると商業が活性化したため、１８００年代のアメリカの経済的成長はたいてい運河の発達とともにあった。なかでも重要なのがエリー運河で、１８２４年に竣工すると五大湖と大西洋の経済がニューヨークを介して接続した。エリー運河は大幅に旅程を短縮し、商品輸送の費用も運河を利用することで1トンあたり125ドルから6ドルまで下がった。[2]

こうした運河は非常に重要だったため、エイブラハム・リンカーンは大統領立候補に際して選挙公約の一環として運河への投資を強調した。[3] 輸送プロジェクトは現在も人を惹きつけるものがあるが、1800年代には運河が輸送プロジェクトとして魅力的に映った。建設中は雇用を生み、その後数十年間にわたり経済活動を活性化するからだ。1800年代後半には貨物輸送は水運から鉄道へと移行し、1900年代にはトラックへと転換した。

アメリカでは運河と水運に続いて鉄道が登場した頃は、国家が急速に成長し産業国としてのアイデンティティーを確立しつつある時代だった。ウィリアム・クロノンが述べているように、これらふたつの輸送様式はアメリカの景観を変貌させ、特に西部の様相を一変させた。「19世紀アメリカ西部の物語の神髄は、拡大する大都市の経済が都市と農村との複雑で密接な連関を形成する物語にある[4]」

商品の移動を助ける輸送機関なしに近代的な都市は出現しなかっただろう。エネルギーを基盤とする形態の近代都市として初めて出現したのがシカゴだった。シカゴの繁栄はその地理的位置が大きな推進力となった。ミシシッピ川と五大湖（そしてセントローレンス川）という航行可能な二本の主要水路に挟まれた部分に位置した。シカゴは土壌、大草原そして森林という豊富な天然資源に近接していた。その資源とそこから生まれる商品を輸送するシステムによって1800年代後半にシカゴは「グレートウェスト（西部アメリカ）をその後背地の一部、帝国の一部として抱える、内陸最大の大都市」となった。こうした輸送手段の連結により、絶頂期のシカゴ帝国は数百年前にローマ帝国が誇ったのと同じ発展性と可能性に満ち溢れていた。

蒸気機関

近代になるとエネルギーは蒸気機関の燃料として輸送能力を増進させた。輸送はこれまでのような風力や海流、筋力への依存から解放されたのである。熱を運動に転換するという画期的能力を実現した蒸気機関は、産業革命と手を携えて登場した。石炭や木炭、薪、藁、牛糞など、どんな燃料でも燃焼させれば熱は容易に得られる。この熱を使ってボイラーで高温高圧の蒸気を作ると、その蒸気が産業用機械の動力源となった。最初は水を汲みあげるポンプなど簡単な装置に利用されていたが、そのうちに産業用機械、蒸気機関車や蒸気船などの輸送機関に応用された。

エネルギーは蒸気機関の開発を促し、それを実現させ、その受益者でもあった。１７１２年世界初の実用的蒸気機関を開発したのはイギリス人のトマス・ニューコメンで、炭鉱の排水が目的だった。炭鉱は地下深くまで掘り進めるため穴の底には地下水が溜まった。これは厄介な問題で、採炭が難しくなり費用もかさんだ。しかしニューコメンの機械がこの問題を解決した。蒸気の力でピストンを動かし、シーソーのようなビーム（梁）を上下させることでポンプを作動させた。冶金の技術が発達して鋳鉄や鋼鉄製の部材が開発されると、蒸気機関は大型化し大きな出力が得られるようになった。

この蒸気機関を改良し多様な応用を可能にしたのがスコットランド人のジェームズ・ワット

だ。このスコットランド人の工学と熱力学への貢献がいかに大きかったかは、今も仕事率の単位に彼の名ワット（W）が使われていることからもわかる。ワットは蒸気機関の出力と効率を劇的に改善する設計を提案した。初期の蒸気機関が生み出したのは往復運動で、ポンプには都合がよかったが、ワットは回転運動を生み出せる仕組みも開発した。回転運動は何より紡績機のスピンドルに好都合で、蒸気機関は織物産業に採用されるようになり、産業革命の登場を後押しした。さらに回転運動が得られることで列車の車輪や蒸気船の外輪を駆動できるようになり、蒸気機関車や蒸気船が出現した。

蒸気機関は外燃機関とみることができる。水が循環するチャンバー（ボイラー）の外部で燃料を燃焼させる方式だ。水はボイラーの中を循環する間に加熱されて蒸気になる。この蒸気がピストンを押し、ファン・ブレードを回転させる。そして蒸気が高温高圧になるほど、大きな力が得られることもわかった。すると高温高圧でも溶けたり爆発しないもっと強力なボイラーと材料の開発競争が始まった。ボイラーが爆発すれば周囲にいる人々は大怪我をし、死亡することもあるからだ。蒸気機関と現在のディーゼル・エンジンとは外見で区別がつく。蒸気機関の場合煙の柱が2本立つ。石炭の燃焼で出る黒い煙と、内部圧力を調整するために排気される蒸気の白い煙だ。マーク・トウェインの『ハックルベリー・フィンの冒険』にも出てくるように蒸気機関を搭載した蒸気船がミシシッピ川を航行するようになり、蒸気機関車が走るようになると、牽引動物や帆船より大量の商品をより早く容易に輸送できるようになった。蒸気機関車が走る鉄道が敷設されたことで内陸の景観は一変した。航行可能な水路から遠く離れた内陸奥地でも貨物輸送が可能になったからだ。

シカゴは鉄道によって周辺地域との関係を根本的に変化させた都市として再び脚光を浴びる。クロノンは皮肉を込めてこう述べている「蒸気機関車によって、シカゴは国内で最も樹木の少ない景観に位置する都市となり、世界最大の木材供給基地となった」。貨物列車を利用して製材をただちに出荷できたので、シカゴは材木置き場や製材所には最適の立地条件となった。高速で簡便な貨物列車による輸送は農家の出荷方法にも革新をもたらした。クロノンは次のように解説している。

> 鉄道を利用できるようになると、大部分の農家は馬を連ねて1週間以上もかけ悪路に悩まされながら穀物をシカゴの市場まで運ぶことに意味はないと考えるようになった。１８５２年にはシカゴに輸送されてくる小麦は、ガリーナ・アンド・シカゴ・ユニオン（鉄道）経由の出荷量が農家の荷車による出荷量の2倍以上になり、後者は前年の半分にまで減少していた。１８６０年になると、シカゴに入ってくる小麦は鉄道経由が荷馬車の１００倍近くにまでなり、さらに10年後には後者の統計を誰も残さなくなった。[5]

鉄道はアメリカ帝国の勢力範囲を拡大し国土の景観を変化させた。鉄道が通って他の地域と接続されると、どこからともなく都市が出現した。テキサス州ダラスはアメリカ最大の都市のひとつだが、その隆盛は思いもよらないものだった。１８７０年代、ヒューストン・アンド・テキサス・セントラル鉄道（H&TC）が建設していたヒューストンからテキサス北部へ延びる鉄道は、コーシカナを通ってダラスへと続くルートだった。一方東西方向にはテキサス・アンド・パシフィック鉄道（T&P）の建設が予定されていた。そこでダラスの政治家はT&P鉄道の通行許可に関して州議会で付帯条項をつけ、そのルートをコーシカナではなくダラスへもってこさせた。[6] こうしてダラスはテキサス州で初めて鉄道が交差する町となり、出荷基地として重要な位置を占めることになった。結果的にダラスはアメリカ有数の大都市となり、コーシカナはテキサス以外ではほとんど知られることのない小さな町にとどまっている。

蒸気機関は個人の移動にも用いられた。初期の自動車は蒸気力でピストンを駆動し、その動力を歯車機構で車輪に伝えて前進した。最も有名な蒸気自動車がスタンレー・スチーマーで、フランシス・スタンレーとフリーラン・スタンレーの兄弟が発明した。蒸気自動車には水タンクが積まれていて、走行中に蒸気はゆっくりと排気されるので、タンクに水を補給する必要があった。7人乗りのモデル735の販促チラシによると、約90リットルの水タンク（水を補給するまで240から400キロ走行できた）と76リットルの石油タンクを搭載し、石油を燃焼させせボイラーで水を加熱して蒸気にした。[7] この自動車はあらゆるスピード記録を打ち立て、ある実演では時速200キロ以上を達成し、人気も高かった。スタンレー兄弟は自動車製造業で財をなし、フリーランはコロラド州エステスパークに象徴的なスタンレー・ホテルを建設し、現在も営業している。ホラー映画「シャイニング」はスティーヴン・キングの同名小説が原作だが、キングはこのホテルから「シャイニング」のインスピレーションを得たと言われている。そのロビーには今も動かすことのできるスタンレー・スチーマーが置かれ、蒸気バスで宿泊客を送迎している。

内燃機関

社会が豊かになれば自動車を利用するようになる。馬から鉄道へ、そして初期の蒸気自動車へと歴史を乗り継ぎながら人々は遠方まで旅行できるようになったが、内燃機関を搭載した自動車が利用できるようになると、個人向け移動手段としての自動車開発に拍車がかかった。

内燃機関も熱エネルギーを運動エネルギーに転換する装置だが、アルコールやガソリン、ディーゼルなどの液体燃料を燃焼させる点で大きな進歩だった。石炭を燃料とする巨大な蒸気機関は、船舶や列車といった重量の大きな乗り物には適していた。しかしスタンレー・スチーマーはもの珍しさを除けば、個人や家族といった規模の移動手段としては扱いにくかった。ガソリン駆動のエンジンは蒸気機関よりずっと軽量で出力も大きく、個人輸送には最適だった。そして革命が始まった。機械による個人用交通手段つまり自動車の衝撃は計り知れない。総合的に見ると自動車は、自動車製造業（石炭で製造する鋼鉄と電力で操業する工場を使う）、石油製造業（ガソリンやディーゼル燃料の生産）、そして道路建設業（石油からできるアスファルトと石炭を使って製造されるセメントを利用する）など世界最大の産業をいくつか作り出している。

１９６０年代に「じゃじゃ馬億万長者」というコメディがあった。自分の土地から石油が出て一夜にして大金持ちになった家族の話だ。エネルギーは家族の社会的移動を可能にした（豊かさの階段を上ることができた）だけでなく、物理的移動も可能にした。家族は石油エネルギーのおかげで豊かになり、石油を使ってアメリカを横断してビバリーヒルズへ引っ越した。移動手段を手に入れることは自由を手に入れることでもあった。

蒸気自動車にはふたつのタンクが必要だった。ひとつは石油などの燃料を入れ、もうひとつは蒸気にする水を入れる。蒸気機関のシステムは熱を得るために燃料を利用し、ピストンを動かす仕事には水を水蒸気にして使う。燃料が熱を供給し蒸気が運動を生み出した。内燃機関の優れたところは、燃料が熱源であると同時に運動源でもあることだ。蒸気機関は前進力を生み出すピストン・シリンダーの外部で燃料を燃焼させたが（蒸気はシリンダー内、燃料はシリンダー外部）、内燃機関の場合は燃料をピストン・シリンダー内部で燃焼させる。燃料を燃焼させると高温のガスが発生しそれがピストンを運動させる力になった。このエンジンの構造は単純だが強力かつ軽量だった。

１７００年代の蒸気機関で世界をリードしたのはイングランドとスコットランドの発明家だが、１８００年代後半に内燃機関で世界をリードしたのはドイツの発明家だった。ニコラウス・オットーが液体ガソリンで作動する4サイクルエンジンを発明したのは１８７６年。ダイムラー・ベンツで有名なゴットリープ・ダイムラーが改良版のオットーサイクルを早い時期に取り入れ、今日ではこの形式が世界で最も普及している自動車エンジンだ。現代のエンジンはいろいろな部分の性能が強化されているものの、基本的構造はまったく同じだ。強化されたのはシリンダー内圧縮過程と小さい空間で大きな出力が得られる火花点火だ。

ルドルフ・ディーゼルはエンジン改良の技巧を身につけたもうひとりのドイツ人発明家だ。

1890年代に、燃料と空気の混合気に火花で点火するのではなく、ピストン・シリンダー機構で生じる圧縮を利用して火花がなくとも自動点火させる仕組みを考えついた。圧縮比を高くすれば、シリンダー内の混合気は高温・高圧状態になり自動的に発火し、圧縮比が高い分エンジンの熱効率もよくなった。しかしディーゼル・エンジンは高圧、高圧縮条件で作動するため、うまく稼働させるにはエンジンブロックを大きく強靭にしなければならなかった。必然的にディーゼル・エンジンは重くなり、列車や船舶、建設用重機、大型トラックなど大きなパワーが必要で大きさは問題にならない機械に適していた。一方自家用車のような小型の乗り物や重量が問題になる航空機には、火花点火を利用する軽量で小型のガソリン・エンジンの方が適していた。

石油からは照明用の灯油やタール、ワックス、アスファルトが得られるため、当時すでに重要な資源となっていた。またガソリンとディーゼルも同じ石油の樽に詰まっていたので、石油はますます重要な資源となった。典型的なアメリカ産原油の約半分は製油所でガソリンとして、また約4分の1がディーゼルに精製された。内燃機関の出現によって石油の商品としての重要性は根本的に変化した。ジョン・D・ロックフェラーは石油の販売によってすでに世界一の大富豪となっていたが、内燃機関の登場によってさらに莫大な富を得ることとなった。

石油は単なる燃料ではない、それ以上のものだった。油分は高精度のエンジンが動作するために必要な潤滑油となり、エンジンブロック用の金属技術の発展によって（エンジンブロックは工作機械を使って作られるが、その機械の製造にもエネルギーが必要で工作機械を動かすにも潤滑油が必要だった）、さらに出力の大きいエンジンが製造できるようになった。こうしたエネルギーによる技術革新は現在も進行中だが、その一般的傾向として時間とともに性能は向上し、安全かつクリーンになり、効率も向上する。

内燃機関はトウモロコシから生産されるエタノールや大豆由来のバイオディーゼルといったバイオ燃料でも作動する。バイオ燃料にはいくつか利点もあるが、石油から精製される燃料はエネルギー密度が高く、安価で大規模生産も容易だった。結局、今日の輸送用燃料の95パーセント以上は原油から生産されている。石油をバイオ燃料で代替する多くの努力がなされているが、まだ厄介な問題が残っている。

暖房用に使われていた石炭は、最初の頃は馬が引く荷車で家庭まで運ばれていた。同じように自動車の燃料も最初の頃は自動車ではなく馬で輸送された。国内のトラック輸送やパイプラインのインフラもまだなく、自動車より馬の方がずっと信頼されていたからだ。[8] 燃料流通システムと燃料そのものの改善には時間がかかった。燃料のオクタン価を高くするとエンジンの圧縮比を大きくすることができ、性能が改善される。燃料の改良とエンジンの改善が進むと自動車の走行距離と性能は時間とともに向上した。

最初に素晴らしいエンジンを開発したのはドイツの自動車技術者だったが、自動車を生活スタイルにしたのはアメリカだった。アメリカには自動車を乗り回すオープンスペースがあり、安価な国産の石油も利用できたので、自動車を手頃な価格で生産し運転することが実現できた。1900年代初めにはフォード・モデルTが大量生産されるようになり、大衆も自動車を手に入れられるようになったが、第一次世界大戦とその後の大恐慌によってその伸びは減速した。自動車の所有が増加し現代社会のかたちを変えるのは、景気が回復し消費者も購買力を持つようになった第二次世界大戦以降のことだ。第二次世界大戦後の経済的活況、アメリカの戦勝、そして運転に伴う個人の自由、これらすべてが手を携えて1950年代のアメリカン・ドリームというノスタルジックな気分を形成したのだろう。1955年アメリカ企業のトップテンに名を連ねたのは、ゼネラルモーターズ、クライスラー、USスチール、スタンダードオイル・オブ・ニュージャージー（エクソンの前身）、アモコ、グッドイヤー、ファイアストン[9]。そのほかにトップテン入りした企業はゼネラル・エレクトリック（何より電力分野のテクノロジーを開発した）、CBSそしてAT&Tだった。つまり当時のアメリカの大企業の大部分は自動車製造業か自動車製造に必要な鋼鉄を製造する製鉄業、自動車の燃料を製造する製油業そして走るために必要なタイヤの製造業だったことになる。いろいろな意味で1950年代は自動車製造におけるアメリカの覇権の絶頂期だった。歴史家デイヴィッド・ハルバースタムは、その統合力からゼネラルモーターズがアメリカで最も重要な企業だったと述べている。

自動車は1950年代のもうひとつの象徴を実現させた。郊外である[10]。もっと貧しかった時代には、都会の人々は路面電車やトロリーバスなどの交通機関を利用した。自動車が手に入る価格になると、人々は職場から徒歩や大量輸送システムを利用して通勤できる範囲に居住する必要がなくなった。親類の住まいに近い場所とか、公園が近くにあるとか、価格が手頃であるなど、家族の希望にかなう居住地を職場からの距離を気にせず選べるようになったのである。

自動車によって人々は住みたい場所を選べるようになり、国内を自由に旅行できるようにもなった。それまでは観光と長距離移動にはものすごくお金がかかるものだったが、自動車の登場により旅行の費用は安価になり移動時間も短縮された。こうしてアメリカン・ロード・トリップが誕生した。しかし道路の改善は自動車ほど早くは進まず、州によって道路の質はまったく異なっていた。そこでこうした問題を解決するために州道と国道が建設された。

最も有名な国道ルート66は、イリノイ州シカゴからカリフォルニア州ロサンゼルスへ至る舗装道路で、途中セントルイス、タルサ、オクラホマシティー、アマリロ、アルバカーキなどの都市を結び全長3600キロにおよんだ。わたしの父親が育ったミズーリ州南西隅にある小さな町モネットはルート66までわずか数キロの位置にあった。母親はセントルイス出身でルート66からわずか数街区のところだった。1955年、まだ小さかった母は家族6人（母は子ども4人の中で最年長）でセントルイスからロサンゼルスまでルート66をドライブした。この時ディズニーランドの開園式でウォルト・ディズニーに会えたことが、母の小さい頃のお気に入りの思い出になっている。象徴的なステーションワゴンで象徴的な国道を走り、州をまたぐ旅行で象徴的な人物に出会う。これこそはアメリカ的なるものの極致だ。

国道のおかげでわたしの母のように質素な家庭でも州境を越えてエキゾチックな休暇を楽しめるようになったわけだが、長距離におよぶ自動車旅行はまだ難しかった。国道の質も道路の交通容量もまだ不十分で、特に貧しい地域や農村地域など多くの地域では制約があった。ドワイト・D・アイゼンハワー大将は若い将校だった頃、南部の未舗装ルートの泥道を軍を移動させるのに悪戦苦闘した苦い経験があり、その教訓を忘れることはなかった。[11] 第二次世界大戦のヒーローとして登場したのちに大統領となったアイゼンハワーは、安全保障上の脅威に対応できるように国力を高めることを最優先課題とした。そしてあの泥道で立ち往生させられた若い頃の記憶が、アイゼンハワーを高規格の全米幹線道路網の建設に向かわせた。アイゼンハワーが意図していたのは第一に攻撃に備えて兵士や戦車、軍装備を国内で容易に移動できるようにすることだったが、その副次効果として自家用車の利用と自動車旅行を爆発的に増大させた。

アイゼンハワー大統領が1956年に連邦補助高速道路法に署名したのは、わたしの母の大いなる家族旅行の翌年のことだった。同法はその時点で米国史上最大のインフラ計画において、連邦基金を財源とし全長約6万5000キロにおよぶ「州間国防高速道路」網を建設するというものだった。その壮大な構想の背景については今ではほとんど忘れられている。実はこの高速道路網建設の動機のひとつは、主要大都市圏への核攻撃に備え、都市から住民を迅速に避難させることにあった[12]。

連邦補助高速道路が完成すると、手頃な価格の自動車とガソリン、そして進行中の戦後復興にアメリカ経済の好況が相まって、自動車を運転する魅力に誰もが取り憑かれた。こうしてアメリカ人は車を運転するようになった。すると人々は自家用車を自分で運転する自由と自律性を選択するようになり、鉄道を利用しなくなった。

自動車製造業はアメリカを代表する産業のひとつとなり、石油は世界で最も重要なエネルギー形態となった。ハルバースタムはさらに「アメリカの世紀は石油の世紀である。経済は石炭に代わって石油で動くようになり、初めて労働者が消費者となった時代である」と述べている。石油の時代に労働者は自動車を手に入れ郊外に家を持てるようになり、石炭時代の労働者のように工場で囚われの身のように生活することもなくなった。[13] 自動車工場の労働者は自由に出回ることができ、炭鉱労働者にはありえなかった手段を使って移動できるようになった。結局、数十年の間に自家用車の所有と走行距離は着実に伸び、その伸びが落ちる気配はなかった。アメリカ人全体の自動車による走行距離は、21世紀までに年間約5兆キロを超えた。

ジェットエンジンと飛行機旅行

石油から生産される高品質の燃料で作動する内燃機関は、陸上での高速移動を可能にし、実質的にアメリカ大陸を縮小することになった。数週間あるいは数か月かかっていた移動がわずか数日で可能になった。日常生活のパターンや都市の配置も変化した。さらにジェット燃料とロケット燃料が登場すると状況はさらに変化した。人間は空へ宇宙へと飛び出し、遠く離れたところへもわずかな時間で飛んでいけるようになった。

空の旅や宇宙の旅は何千年も人を惹きつけてきた。イカルスが太陽へ向かって飛び地上に墜落した物語は、思い上がりを戒める寓話としてよく知られている。ギリシャ神話では若き神ヘルメスが登場する。足には翼があり空を飛ぶ超人間的能力を備えていることがうかがえる。こうした物語は有史以来どの時代にも現れたが、人間の飛行への憧れは純粋に仮想的なものに過ぎなかった。ところがレオナルド・ダ・ヴィンチが16世紀の初めころ飛行機械の実験をしたことで変化が起きた。続いてジュール・ヴェルヌが1865年に小説『地球から月へ 月を回って 上も下もなく』を発表し、ロケットを宇宙へ打ち上げる銃のようなものを考え出した。

しかし飛行は解くのが難しい技術的パズルのようなものだった。何世紀もの間、わたしたちは単純に空気より軽い乗り物を作ろうとしてきた。水素やヘリウムなど軽いガスを充塡《じゅうてん》する小型軟式飛行船、飛行船、空気を加熱して充塡する（この過程ではプロパンなどの燃料を使う）熱気球などだ。最初の熱気球の飛行が1783年にパリで実演されると、その後は最初の有人飛行、初のイギリス海峡横断などさらに大胆な熱気球の挑戦が続いた。これらの飛行機械は空中を飛ぶことはできたが、巨大で速度が遅く制御が難しかった。

飛行の鍵は飛行機の重量を軽くすることではないことに発明家たちが気づくのは、20世紀に入ってからのこと。鍵は速度を上げることにあった。曲線を描く形状をした翼の上を空気が高速で移動すると、機体を空中に上昇させる揚力が生まれる。鳥類は空気より重いが、軽量で曲線を描く翼と高速移動によって揚力を得ている。発明家が目をつけたのは鳥類と同じ方法だった。そして空気より重い機体を飛ばすことを可能にしたのが、現代の化石燃料だ。化石燃料の高エネルギー密度のおかげで余計な重量とスペースを省いて、プロペラに大出力を供給できた。あのライト兄弟は1903年12月の終わりに、特注のガソリン・エンジンを用いてプロペラを回し、初めてテスト飛行に成功した。石油の時代は航空機時代への扉も開いた。

鉄道はレールが敷設されているところまでしか進めないが、飛行機は移動距離を延ばすために鉄道のようなインフラをどんどん拡大する必要はない。離陸してしまえば鉄道などなくてもどこへでも飛んでいける。こうして飛行は様々な目的地への新たな経路を開いた。石油が人間を地上から解放し空へ向かわせるという発想は、モービル（前身はニューヨーク・スタンダード・オイルカンパニー）のペガサスのロゴに埋め込まれている。その翼をつけた馬は、飛べない動物つまり人間でも飛ぶことができるという魔法を実現させたのである。

飛行機の実現は革命的に思えるかもしれないが、利用しているテクノロジーは自動車とまったく同じ。ガソリンを燃料とするピストン駆動の内燃機関だ。車輪を回す代わりにプロペラを回転させている。飛行機は非常に高速なので、眼下で地上を這うように走る自動車はまるでカタツムリのように遅く見える。しかしエンジンで燃料を燃焼させるには十分な酸素が必要だ。その結果、プロペラ機では高高度になると空気が薄くなるため出力が低下する。そして高度３０００メートル以上になるとプロペラ機での飛行は適さなかった。十分な酸素が得られずエンジンもパイロットも窒息してしまうからだ。

ガスタービンを用いるジェットエンジンの登場によって飛行機はさらに速く、高く、遠くまで飛べるようになった。タービンの構造は依然として高品質の燃料に依存し、ディーゼル燃料と似たジェット燃料を使う。エンジンの前部で空気を圧縮することで、空気が薄い高度1万２０００メートルでも飛行できた。速度が大きくなったことで高高度を飛行できるようになり、高空では空気抵抗も小さくなるため航続距離も大きく延びた。圧縮装置によりキャビンの加圧も容易になり、パイロットや乗客は高高度で必要になる酸素マスクをつけなくても楽に呼吸ができた。

イギリスのエンジニア、フランク・ホイットルは、タービンを用いるジェットエンジンを世界で初めて開発した。ホイットルがこのエンジンの構想を得たのは弱冠22歳、イギリス空軍の士官候補生だった1929年のことだ。1930年には特許を出願したが、ホイットルがテスト飛行でジェットエンジンの実証に成功するのは1941年5月15日。ジェットエンジンのアイデアを実現するまでに特許出願から10年以上を要したことになる。[14] ターービンエンジンは小さなフットプリントながら驚異的な出力を生み出せた。

皮肉なことに、ホイットルがまだジェットエンジンの開発途上だった頃、ホイットルの方法はうまくいかないとする論文を発表したのは、アメリカで最も高く評価される科学者の組織である米国科学アカデミーだった。同アカデミーのガス・タービンに対する主張は1940年6月10日付の報告で、ガスタービンエンジンは「既存の材料で実現可能な領域を超えている」ため不可能だというものだった。[15] それから1年足らずでホイットルは米国科学アカデミーの主張が間違っていることを証明し、そのアカデミーの論文には手書きで皮肉な書き込みをした。「わたしが愚かでこの点に気づかなかったことがラッキーでした」。有名なSF作家アーサー・C・クラークはかつてこう述べていた。「年配でも著名な科学者が可能だと言えばその主張はほぼ確実に正しいが、不可能だと言った場合はたいてい間違いだ[16]」。まるで米国科学アカデミーのメンバーが彼らの威信をかけ、クラークの主張の正しさを実証しようとしたかのようだ。

大きな推進力を得るためのアフターバーナーも含めたホイットルのジェットエンジンは今も主要な民生用航空機とジェット戦闘機の推進力の基盤となっている。ガスタービンは現代の航空輸送システムの礎となり、電力部門でも大きな貢献をしていることから、20世紀の最も重要な発明のひとつに数えられる。[17]

航空輸送の重要性が高まってくると、より速くより高く飛べる飛行機への欲求も膨らんだ。大洋横断や音速の壁を越える競争もあった。コンコルドは超音速旅客機で、時速2000キロを超える速度で飛行し、1976年から2003年まで就航し、ニューヨークからロンドンやパリまで通常のフライト時間の半分で飛行した。

わたしの学部時代の専攻は航空宇宙工学で、航空機に関する授業が標準授業体系に組み込まれていた。わたしの研究の一環として、サンフランシスコ・ベイエリアにあるNASAのエイムズ研究センターで1992年と1993年の夏にインターンシップを開催した。わたしの学生だった同僚とわたしは誇らしげに「実はわたし、ロケット科学者なんです」と書かれたTシャツを着ていた。わたしはエアロスペースプレーン（NASP）の研究をしていて、一般にはオリエント・エクスプレスとして知られるが、その理由はロナルド・レーガン大統領が1986年の一般教書演説でこの計画を発表した際にそう表現したからだ。[18] この航空機の目標は東海岸の空港から水平離陸し、宇宙の下端に到達したのち飛行時間2時間以下で東京上空に到着し水平着陸すること。この飛行機には稼働部品のない新型エンジンが搭載されている。高速飛行によって生じる衝撃波を利用して空気を圧縮し高温高圧にしたところに高速で燃料を噴射する。すると燃料が発火しさらにガスを加熱する。こうしたエンジン・システムを超音速燃焼ラムジェットあるいは「スクラムジェット」と呼んだ。わたしは野心満々のエンジニアのひとりとして、ワクワクする気持ちでそのプロジェクトの一員となった。ところがこのプロジェクトは翌年に中止され、わたしの野望も打ち砕かれた。しかしより速くより遠くへ行くための輸送手段への欲求は、宇宙旅行計画、そして航空機旅行で進行中の技術革新の中に生き続けている。

輸送の電化

輸送の原動力としては外燃（蒸気）機関や内燃機関の他に電気モーターを用いることもできる。* 電気を駆動力とする乗り物のアイデアは現代のものと思われがちだが、実は１００年以上の歴史がありそのアイデアのルーツはさらに昔に遡る。ジェームズ・プレスコット・ジュールは熱力学と基礎物理学の分野で極めて重要な貢献をした。そのことに敬意を表す意味でエネルギーの単位にはジュール（Ｊ）が使われている。そのジュールは電気を利用した輸送の未来を思い描いていた。１８３９年にジュールは「機械の動力は最終的に蒸気から電磁力に転換することは間違いない」[19]と断言している。そして今、電気自動車への転換がようやく到来したところだ。

電気モーターは機械的エンジンとは根本的に異なる原理で作動する。モーターは本質的にコン

＊　工学の慣例でエンジン（内燃機関や外燃機関）という場合は空気吸入型の原動機を指しモーターは空気を必要としない原動機を指す。したがって石油やディーゼル、ガソリンを燃焼させるシステムは、燃料を燃焼させる空気が必要なので「エンジン」（外燃機関や内燃機関）という。しかし空気を必要としない電動機は「モーター」と呼んでいる。真空の宇宙に空気は存在しないので、宇宙船も空気は用いない（その代わりに宇宙船はロケット燃料を燃焼させる四酸化二窒素などの酸化剤を搭載している）。だから宇宙船の推進システムは燃料を燃焼させているわけだが「ロケットモーター」という。しかし最近では両者の言葉の意味は互いに接近し、モーターとエンジンは多くの場面で逆の意味に用いられることも多くなっている。だから主にエンジンで動く自動車を販売していた会社なのにゼネラルモーターズという社名をつけたり、電気自動車ではなくても自動車をモーターカーと言い、自動車レース場をモータースピードウェイと言ったりする。現在のＩＴ分野では、検索エンジンや画像処理エンジンというものがあるが、もはやこれらのエンジンは機械的運動とは無関係だ。

パクトで静かで可動部分も少ない。また機械的エンジンは1分間に数千回転(rpm)に達した時に最大出力になるが、モーターは低回転段階で最大トルクが得られる。こうした特性から機械的エンジンには複雑な変速装置やクラッチがあり、自動車本体は動いていない時でも、また低速でも大きな出力が得られるように工夫されている。しかし残念なことにベルトやクランクシャフトなどの可動部分があり、こうした部品はどれも傷みやすいため、機械的乗り物のメンテナンスには費用がかかる。

電気モーターは大きな出力が得られるので、列車やバス、路面電車など大型の乗り物は自ずと電化を進める候補に挙げられることになった。テキサス州オースティンでは、街灯や路面電車用の電力を供給するために1890年代に世界最大のダムが建設された。有名なドイツの学者でミュンヘンに住んでいたオスカー・フォン・ミラーは、バイエルン鉄道の電化を支持し、その電力を供給するためミュンヘン南部のヴァルヒェン水力発電所の建設を支援した。電動輸送機器は故障しやすい可動部分が少ないだけでなく、(排気管が必要ないので)排煙も出さず、走行音もずっと静かだった。金属製のエンジンブロック内部で1分間に何千回も爆発を繰り返す内燃機関は、自治体の騒音条例を遵守するために消音装置をつけなければならなかったが、電気モーターが回転する時のヒューンという優しい音はエンジンよりよっぽど穏やかだ。

電気レールや架線に連続的に接続されていない輸送システムの場合、エネルギー源も一緒に運ばなければならない。エネルギー貯蔵装置や原動機、つまり燃料タンクや内燃機関を搭載する必要がある。電気自動車はバッテリーとモーターを利用する。ハイブリッド車なら燃料タンクとモーターに接続されたバッテリーそしてエンジンを搭載するため、従来の自動車と比べるとコストがかさむ。こうした技術の問題のひとつがバッテリーで、比較的高価で重く、ガソリンと比べて大きなスペースを占める。一方ガソリンタンクは構造も簡単で大量のエネルギーを搭載できる。最近のガソリン自動車でタンクを満タンにすれば航続距離８００キロというのは極めて標準的だが、電気自動車では航続距離を３００キロ以上に延ばすとなるとかなりの技術的進歩が必要になる。

現代のアメリカを走行する貨物列車はディーゼル・エレクトリック方式の機関車で牽引している。この機関車に搭載されているのはディーゼル・エンジンだ。列車を同じ距離牽引するのに必要なバッテリーの大きさと比較するとはるかにコンパクトだ。エンジンの唯一の目的は発電機を回転させること。発電された電力を電気モーターに供給し列車の車輪を回転させる。こうしてディーゼル・エレクトリック式機関車は、ディーゼルのエネルギー貯蔵上の利点と、電気モーターの高トルク、制御のしやすさを組み合わせている。一方ヨーロッパとアジアでは列車システムの電化を進め、その進捗も迅速だった。

バスやゴミ収集車は本体だけでもすでに大重量で（したがってバッテリーくらいは積んだとしても苦にならない）、規定の経路を走行して夜は車庫へ戻るので、みんなが寝ている間にバッテリーを充電すればいい。だから電力が代替資源となりうる。実際ロンドン・エレクトロバス・カンパニーは１９０７年に20台の電気バスを投入し、数年間は運行は順調だったが、不正経理問題が発覚し操業停止に追い込まれた。それから１００年余り経った現在では再び電気バスに復活の兆しが見えている。特に中国の都市部では大気汚染改善政策の一環として全車両を電気バスに置き換えつつある。

同じような変化は自家用車にも起きている。いくつかの都市（たとえばパリ）ではディーゼル・エンジンを排除している。排気管から放出される大気汚染が懸念されるからだ。ノルウェーは信じがたいインセンティヴを用意して消費者の電気自動車への乗り換えを支援している。また電気自動車の高い加速性能と静寂性は消費者にとっても魅力がある。これらがかみ合ってノルウェーでの電気自動車の導入は指数関数的に増加している。電気自動車は燃焼ベースのシステムよりもエネルギー効率がいいため、こうした傾向は経済全体に影響を与えている。

輸送は主要なエネルギー消費部門のひとつで、アメリカの全エネルギー消費の約29パーセントを占め、その大部分は熱効率約25パーセントの内燃機関で燃焼される石油製品だ。[20] つまり自動車の約45リットルの燃料タンクを満タンにしても約34リットルは無駄になっていて（熱として大気中に排出されている）、走行に利用されているのはわずかに11リットルだ。積載量1800キロ以下のライトトラックや自動車が効率25パーセントのエンジンで毎年約5兆キロを走行しているが、これを効率70パーセントの電気自動車で代替すれば、経済の全エネルギー効率は大幅に改善され、大気汚染物質の放出も劇的に低減する。これらの電気自動車を充電するのに風力や太陽光、核エネルギーによる電力だけを用いれば、年間約13億トンの二酸化炭素放出を回避できる（自動車部門の年間総排出量は約60億トン）。輸送機関を電化することは、静音性と操作性の改善につながるだけでなく、汚染を減らし効率の改善にもなる。さらに言うなら、電力部門が徐々に石炭から天然ガスや風力、太陽光に転換していけば電気自動車は将来さらにクリーンになる。一方内燃機関はシステムが摩耗によって劣化するので時間とともに汚染物質の排出が増える。

電気を用いた交通機関は大量輸送機関における重要な技術革新を可能にした。広域におよぶ地下鉄網だ。ロンドン地下鉄網の最初の直線路は蒸気機関車で運行され、燃料を燃やすと有毒ガスを排出していたが、満足に排気ができないトンネル内では煙を出さない電車の方がはるかに適していた。1800年代後半から1900年代前半にかけて電化によって地下鉄網が広がった。地下鉄は地上にある農地や高額な不動産をつぶさずに何百万もの乗客を大量移動させることができるため、都市の姿を一変させることになった。ある評論家によるとニューヨーク・シティをニューヨークらしくしたのは、人種も生い立ちも様々な豊かな人や貧しい人を集める地下鉄があったからだ。[21]人口密度が高まるにつれ大量輸送機関が必要となり、それがさらに都市を過密化することになった。

地下鉄には他の交通機関と全く異なる特徴がある。一般的に空港の近くに住みたいとは思わないが、それは騒音がひどいうえ、大気が汚染され交通渋滞も起きるからだ。しかし地下鉄駅に近いところなら住んでも悪くないと思う。それは騒音も排煙も目に見えなければ気にならないし、都市内の移動がとても便利になるからだ。大量輸送機関が電化された結果、地下では人間と列車による緻密《ちみつ》に構成された壮大なバレエが演じられている。

地下鉄の歴史は優に100年を超えるが、人間や商品を地下輸送で高速移動させる新たな手法の先駆的存在だ。わたしは2004年から2006年にかけてアメリカで最も伝統がある有名なシンクタンク、ランド研究所で働く機会を得た。ランドはかつても今も多くの優れたアイデアが溢れる特別な場所だ。ランドの研究者は通信衛星や健康保険の共同支払い、「スター・トレック」に出てくる宇宙船エンタープライズ号のコントロール・デッキについて想像をめぐらせていた。わたしはときおりランド研究所の古い論文をめくった。何度となく素晴らしい論文との出会いに驚かされたからだ。

1972年に発表された、ロバート・M・スレーターの「超高速輸送システム」も先見の明がある画期的論文だった。[22]そこで構想されたのは航空輸送に代替する輸送機関で、地下のチューブ内を真空にして電磁力を使って車両を高速移動させるため、大気汚染も少ない。エネルギー効率を上げると同時に地上での気候に関連する問題も回避したいという思いから生まれたアイデアだ。ペット用のハビットレールの中を高速で動くモルモットや、ドライブスルー銀行のチューブが空気を使って現金を入れた容器を車の中から銀行窓口に吸い込んだり、逆に車の方へ押し出したりするのを想像してみてほしい。これがランド報告書で示されていたアイデアだ。イーロン・マスクが提案している「ハイパーループ」というアイデアの先駆けとも言える。まさに「太陽の下に新しきものなし」だ。

輸送機関の問題

輸送が都市と個人の生活を変革する力となったのは良いことではあったが、重大な否定的側面もあった。エネルギーの輸入、騒音、公共空間の消失そして大気汚染だ。たとえばドイツの公共交通労働者がストライキを続けると、自動車の交通量が増加し、小さい子どもや高齢者の呼吸器疾患による入院数が増える。このことは大量輸送機関が自家用車に比べて相対的にクリーンであることを実証していると研究者らは指摘した。[23]アメリカの道路と橋梁はメンテナンスが悪く、交通容量が小さいため交通渋滞を起こしている。輸送部門はアメリカにおける二酸化炭素の最大の排出源で、しかも自動車事故による死者は毎年3万人を超える。

2018年の『ニューヨーク・タイムズ』の有名な署名記事欄に「自動車が都市を滅ぼす」とする見出しで、社会を解放すると思われた自動車が、社会を束縛することになったと怒りを表明する記事が掲載された。[24]わたしたちは公共空間と日常のリズムを自動車に明け渡してしまったというのだ。自動車は都市の景観を変え、都市を分断し、市街地から離れた「郊外」の誕生を促した。さらに大都市のダウンタウンでは夜間になると人々が帰宅し人気がなくなるという現象が起きているが、これも自動車が関係している。大きく繁栄したダウンタウンがある都市の多くは、第二次世界大戦以前、つまり自動車が爆発的に増加する前に形成されている。混雑する都市や幹線道路の渋滞は輸送システムが過剰利用であることを示す最も分かりやすい兆候だが、目に見えない大気汚染の長引く影響の方がもっと重大だ。輸送システムの改善が求められているのである。

前述の署名記事はさらに次のように述べている。「市民と少数の大胆な政治家たちは、都市にこれ以上自動車を詰め込む余地はないという現実に目覚めつつある」。不幸にして、あるいは幸いにしてなのか、ただ道路を増やすだけでは交通問題の解決にはならない。これまで何十年もかけて高速道路を建設し、交通容量を拡大してきたが、結局は確保した容量も自動車量の増加で埋め尽くされてしまった。幹線道路の計画者もこの教訓を理解するようになっている。『シティーラボ』の2015年11月号の記事は「カリフォルニア州運輸局、道路の拡張で交通量増大を認める」と、こうした現状を声高に論評した。[25] そして皮肉たっぷりに車線を増やして交通渋滞を解消するなどというのは、ベルトを緩めて肥満防止になると言っているようなものと述べている。

ありがたいことに、交通渋滞を解決するには他に多くの方法がある。貨物輸送を鉄道に代えること、モビリティ・サービス、大量輸送機関、マイクロ・トランジットなどオンデマンド型大量輸送機関、歩きやすい都市、自転車レーン、自動運転車、在宅ワーク、混雑料金など。

特に関心があるのが最後の選択肢だ。交通量の増加時に、都心部に入る車に料金を課すシステムだ。交通渋滞方面へ自動車を進めると料金がかかるので、ドライバーにとっては別ルートを選択するインセンティヴになる。混雑料金はロンドンやストックホルムの都心部で10年以上前から実施されている。ストックホルムではナンバープレートを自動的に読み取るテクノロジーを利用して、都心部に入ってくる車両1台につき最大3ドル近くを徴収しているが、これは2006年から試行的に開始され2007年に公式に実施されている。[26] 夜間や週末、休日そして7月には混雑料金は課されない。この料金による自治体の収入は、大量輸送機関や自転車レーンなど他の移動手段の整備資金に充てられる。こうした整備によって自家用車を利用しなくても通勤などの移動に必要な新たな選択肢が得られる。

混雑料金によって交通渋滞が軽減すれば、通勤時間が長引くことや燃料代の増加、仕事のやり残しの発生などの問題解消にもつながる。スウェーデンでは混雑料金の導入により都心部の交通量が20〜25パーセント減少し、そのうえ大気汚染も5〜15パーセント改善され、小さい子どもたちの喘息発作の割合もかなり減少した[27]（子どもの肺は形成過程にあり、大人より屋外にいることも多く身体活動も盛んなため、大気汚染の影響を受けやすい）。こうした事例から、社会的問題に取り組むうえで市場の力を利用することも有効な手段であることがわかる。

鉄道の新時代

輸送のエネルギー問題に取り組む最も単純かつ最も強力な方法のひとつが、鉄道貨物輸送への再投資だ[28]。貨物輸送は国内インフラとして一般の人が思っているよりずっと大きな部分を占めている。2013年にはアメリカだけで、毎日約500億ドル分の商品が貨物輸送されている[29]。トラック輸送の場合トン・キロ単位で評価すると貨物の29パーセントの輸送を担っているが、輸送部門が排出する大気汚染物質の77パーセントを占める。驚くのは、このトン・キロで評価したトラック輸送の5分の1は貨物を積まない回送で生じていることだ。トラック中心の物流システムと足並みを揃えて登場したウォルマートやアマゾンなどインターネット小売業の拡大などにより、2000年から2014年にかけてトラック貨物積載トン数は45パーセント増加した。アメリカ運輸省によると、幹線道路の渋滞に巻き込まれるトラック車両数の規模は現状でも州をまたぐ流通の大きな障害となっているが、今後数十年の間に幹線道路の渋滞はさらに深刻になることが予測されている。

通勤用の大量輸送機関や高速旅客鉄道が大きな関心を集め注目されているが、システム全体を改善する大きなチャンスとなるのは、もっと日常的な商品の移動だ。
トラックは点と点を結ぶ輸送に関して自由度が高く便利だが、エネルギー効率が悪く、大気汚染物質を排出し、事故の危険があり、道路も傷める。まだ実現していない技術的なブレイクスルーを待つより、国内の鉄道貨物輸送を拡大することならすぐにできるだろう。常識的には鉄道貨物の時代は過ぎ去ったと思われがちだ。確かに貨物鉄道として最も大きい鉄道網である一級鉄道は約100年前のピーク時には40万キロあったが、現在では15万キロほどになっている。これは旅客や貨物輸送の市場シェアを航空機や州間高速道路網に奪われたためだ。[30] 1990年から2013年だけでアメリカの人口は28・2パーセント増加し、その間に出荷量と貨物輸送量も増加したにもかかわらず、軌道の総延長は28・6パーセント減少している。[31]
こうした鉄道の衰退はたまたま生じたわけではない。数十年以上かけて実行されてきた政策選択の結果だ。州間高速道路網に何兆ドルも投資する決定は、鉄道輸送ではなくトラック輸送へ賛成票を投じることを意味していた。現在アメリカ国内の貨物輸送インフラは約6兆ドル相当の資産になるが、その半分以上が公道である幹線道路網が占める。公道上で運営される民間トラック輸送と比較すると（州間高速道路網は実質的には納税者が輸送企業へ補助金を提供していることになる）、鉄道貨物のインフラはほぼすべてが民間のものだ。[32]
鉄道は1970年代に収益が底をついて以降、経営再建により効果的な投資が可能になった。その結果鉄道路線の利用は減少したにもかかわらず、収益と利益は数十年にわたり上昇を続けた。[33] アメリカの鉄道は非常に効率的かつ生産的になり、貨物輸送量は増大し鉄道インフラの縮小を克服している。[34]

鉄道はトン・キロ単位で評価して貨物の40パーセントを輸送しているが、貨物輸送に伴う二酸化炭素排出量はわずか8パーセントだ。[35] トラックと機関車が同じ燃料つまりディーゼルを使ったとしても、トン・キロあたりの貨物輸送で排出する二酸化炭素量は鉄道の方が少ない。トラックに比べて鉄道は圧倒的にエネルギー効率がいいからだ。ある推定によると、貨物をトラックの代わりに鉄道で輸送すれば、貨車１両あたりで（同量の貨物をトラックで運んだ場合と比べ）最大約３８００リットルの燃料を節約できる。[36]

さらに鉄道貨物輸送はトラックや船舶、航空機より迅速に大気汚染を削減できる可能性がある。アメリカ交通統計局によると、アメリカにある2万５０００両の機関車はその使用年数の中央値が13年以下で、保有車両を通常の交換時期にクリーンな新型機関車へ転換することが可能だ。[37] 大気汚染物質の排出を削減するためには、トラック輸送の場合現在運用されている大型トラック１０００万台以上に投資しなければならないが、鉄道の場合はわずか数万両の機関車への投資によってそれが可能になる。たとえば機関車の燃料を圧縮天然ガスに転換すれば大気汚染物質の排出を削減し、原油の輸入も抑えられる。

商品を輸送する場合、目的地まで最後の数キロになるとトラック輸送が重要な役割を果たす。多くの人は鉄道から離れて住んでいるので、トラックの役割は非常に大きい。しかしトン・キロ単位で評価した場合、貨物の３分の2以上は８００キロ以上移動している。鉄道輸送は非常に効率がいいので、鉄道輸送では出発地と目的地を直接結ぶトラック輸送より移動距離が長くなるとしても、エネルギー消費ははるかに少なくなる。[38]

鉄道輸送はトラック輸送より安全でもある。貨物輸送によって毎年およそ10万人が負傷し4500人が死亡しているが、負傷者の95パーセント、死亡者の88パーセントはトラック輸送による。[39]トラック事故による死亡者のほとんどは乗用車に乗っていて事故にあっている。乗用車は18輪のセミトレーラーと同じ道路を走る。2013年の研究によると、大型トラックが原因の付加的死亡リスクは1ガロン（約3・8リットル）あたり約1ドルの燃料税と同等だ。[40]

それと比較して鉄道輸送の人身事故は負傷者が年間4000人、死亡者は500人でその多くは線路内への侵入によるものだ。[41]

鉄道は安全なだけでなく、維持管理も優れている。道路の維持、修復の財源となる道路信託基金は歳入（ガソリンやディーゼルなどの燃料税の徴収による）より支出額が多いため毎年赤字が続いている。信託基金に十分な歳入を提供する方法のひとつは、1993年に1ガロンあたり18・4セントとしたガソリン税を増税すること。もうひとつは、最も重量の大きい車両を通行させないことで道路の摩耗を減らす方法だ。道路へのダメージは軸荷重の3乗に比例する。したがって40トントラック1台で典型的な1800キロの自動車の1000倍以上のダメージを道路に与える。ある影響力のある研究によると「実質的に道路への構造上のダメージは乗用車ではなくトラックとバスによる[42]」

最近まで鉄道貨物輸送網はアメリカ西部の炭鉱から国内の発電所へ石炭を牽引するため、その多くの路線にストレスがかかっていた。石炭貨物車両は巨大だ。1両あたり100トンの石炭を積載するホッパー車100両を、1両3000馬力の機関車6両で一気に牽引する。トン・キロ単位で評価すると、石炭は今でも鉄道貨物システムが輸送する唯一最大の商品だ。しかし電力部門でより安価でクリーンな天然ガスや風力、太陽光発電が利用されるようになり、石炭の利用が減少すると、鉄道貨物システムの輸送容量に余裕ができ、他の商品輸送にも利用できるようになってきた。[43]

アメリカ西部の炭田から東部まで延びる鉄道用地は、代替エネルギーの輸送ルートとしても使える。鉄道の軌道敷設とともに電話用の電柱を建てた昔の発想を現代風に再現すれば、鉄道線路と高電圧直流送電網を並列させ、風況のいいグレートプレーンと太陽光の降り注ぐ南西部の中心部に接続する。そうすれば再生可能エネルギーをうまく統合して電力部門をさらにクリーンにできる。[44] こうした送電線を地下に埋設すれば暴風に対する脆弱性も改善できる。また太陽光や風力の資源が豊富な地域は、大都市などの需要中心地から遠く離れている場合が多いので、電力を容易に輸送できる送電線網の拡充は有効だろう。

鉄道と電線網を全国規模で組み合わせれば大気汚染物質の排出を削減し、農村地域の経済発展を生むだけでなく、系統電力の信頼性も改善することになる。軌道に沿って送電線を敷設すれば貨物列車の電化にもつながる。こうした列車はヨーロッパでは一般的で、電気自動車用の充電インフラを整備するより鉄道貨物輸送の電化の方が容易なのではないだろうか。

鉄道網はアメリカ大陸全体に広がっているので、鉄道貨物輸送への再転換によって多くの経済的便益が農村地域にもたらされるだろう。さらに機関士の時給はトラックドライバーより30パーセント高い。[45] ほかにも車両や保線整備士、信号操作士、車掌など鉄道関係の他の職種もトラックドライバーより給料がいい。こうした高水準の賃金は波及効果のある経済的便益となる。高賃金の雇用が増大するアイデアは魅力的だ。

道路から鉄道への転換を促進する単純な方法のひとつは炭素価格を設定すること。炭素税によってエネルギー効率が良くクリーンな鉄道輸送を選択すれば利益が出るという価格シグナルを送りながら、市場の効率性を利用する。もうひとつの方法は、やはり自家用車を直接標的にするのではなく、車両の重量と走行距離をもとに料金を徴収し道路維持の費用を賄うというものだ。[46] これは最もダメージを与える車両を標的とするもので、小型乗用車のドライバーから徴収される燃料税が大型トラックへの補助金となることを食い止める。道路へのダメージに伴う費用をもっと細かく調整すれば、トラックは鉄道に対する競争優位性をかなり失うことになるだろう。

炭素価格と燃料税モデルを改定することで、貨物輸送の多くが鉄道へ移行することになるだろう。しかしなんの改善もないまま鉄道貨物輸送量（トン・キロ数）を増加させてしまえば、配送時間や信頼性といった輸送の質が低下してしまう。貨物の荷主の多くはこうした輸送の質に敏感なので相応の改善は必要だ。輸送の質を最適化し、可能なところは複線化し、新たな路線を追加して輸送の流れのボトルネックとなっている部分を解消しなければならない。

軌道のキロ数を延ばすことは目に見える前進だが、それだけが前進の手段ではない。待避線の建設や混雑区間での複線化により進行方向が異なる列車の運行が円滑になり、異なる速度の列車でも同じ軌道で容易に運行させられるようになる。

しかし軌道を増やすだけではうまくいかない。ランド研究所の２００８年と２００９年の主要研究で示されているように、鉄道貨物容量を増加させるには、直接インフラに投資する以外にも様々な戦略が必要になる。規制の見直しや柔軟な価格設定、新たなテクノロジーの導入、そして運行手順を改善しなければならない。たとえば既存の軌道の効率的利用を図るために運用を強化することは軌道を延伸させるのと同様重要だが、そうした変更には、ボトルネックとなっている区間を同定しそれを回避する手段を開発する必要があり、それには詳細かつ広範囲を読み込んだモデルによる理解が欠かせない。

輸送部門の大気汚染排出量を減らしつつ輸送容量を増加させるもうひとつの方法は、性能のいい保有機関車を増強することだ。鉄道会社にクリーンで効率のいい新型機関車を購入させるインセンティヴによって、大気汚染を削減すると同時に輸送容量の増大を実現できる。こうした可能性もあって国際エネルギー機関（ＩＥＡ）は、鉄道部門が世界の二酸化炭素排出削減において重要な役割を果たしうると指摘している。[47] また鉄道システムの定期点検と詳細検査を充実させることで安全性が改善され、積載荷重を増やし高速運転が可能になることで輸送量を増加させることもできる。

結局、商品を鉄道で輸送するという古いアイデアは、エネルギー消費と二酸化炭素排出を削減しつつ、道路の渋滞も緩和して安全になるのだから、ドライブがもっと楽しくなる最先端の技術革新と言えるのかもしれない。

スマート・モビリティ

第五章の都市についての議論で、都市をスマート化するには廃棄物の削減が重要な手段で、逆に都市のスマート化が廃棄物削減を実現するうえで重要なポイントとなることを指摘する。これと同じ発想が輸送にも適用できる。輸送における時間と空間の浪費を削減することで都市の質も高まるのである。

実際、都会の人々がスマートシティの便益を最初に体験できるのが、身体的疲労を減らし無駄な時間を楽しみに転換できる優れた交通機関ではないだろうか[48]。輸送のフットプリントを減らすには、燃料をクリーンにし、乗り物のエネルギー効率を改善し、移動距離と移動時間を短縮し、乗車率を高め、交通量を減らす[49]。住まいが職場に近ければ徒歩や自転車で通勤できるし、人口密度が高い地域なら建設、維持が可能な大量輸送機関を利用できる。また車道に自転車レーンを併設することで自転車利用者が劇的に増加すると科学者は指摘している[50]。自転車は自動車と比べほとんどスペースを取らないので、道路の渋滞も改善される。

電気自動車への転換、そして自家用車から自動運転車のカーシェアリングへの移行が進めば、他の車両がどこへ向かおうとしているかを察知して交通の流れを巧みに制御し、渋滞を削減できる。また自動車の小型化も有効だ。現状では必要でもないのに4～5人乗りの自動車をひとりで乗っているのがほとんどだ。通勤や通学を目的とした2点間を連結する輸送サービスなら、数名の乗客数に合わせた車両設計ができ小型化も可能だ。テキサス大学オースティン校でのわたしたちの最近の研究からの結論は、自家用車を所有するライフサイクル・コストを考えれば（家のガレージにかかる保険や税金の費用、仕事中の駐車料金、メンテナンス費、燃料、運転による生産性の消失による費用)、２０１７年以降の標準的条件のもとでは人口の４分の１以上はモビリティ・サービスの利用が最善の経済的選択になる。[51] ＭａａＳ《マース》(情報通信技術を介してあらゆる移動手段をシームレスにつなぐサービス)の価格が下がれば、社会のさらに多くの人々の経済的選択肢となるだろう。郊外に住むサラリーマンはモビリティ・サービスを利用することで便益が得られる。自動車の運転に時間を取られることなく、通勤中は休息に当ててもいいし、電子メールを読み、電話をかけ、別のビジネスを進めることもできる。車内での仕事も経済的価値を生むことになるから、会社での業務時間は短縮され早く帰って家で夕飯を食べられるようにもなる。

いくつかの報告によると、都心部の渋滞のピーク時にはおよそ30パーセントの自動車が駐車場を探している。[52] イギリスのドライバーは駐車場を探すのに年間平均約4日を費やしていて、ドライバーのストレスとなっている。[53] ドライバーにリアルタイムで駐車料金と利用可能な駐車場がわかる地図が利用できれば、駐車場探しに無駄な時間を費やさなくてもすみ、都合のいい駐車場に直行できる。出発点と到着点の間を移動してどちらでも駐車の必要がある自家用車ではなく、カーシェアか常時走行している自動運転車の利用を推進することになれば、駐車場の数を大幅に削減でき、バスや自転車用のスペースを確保でき、渋滞の緩和も進む。そしてそれほど多くの立体駐車場も必要なくなり、多くのスペースを事務所ビルや住宅に活用でき、人口密度もさらに上昇するだろう。テキサス大学オースティン校の輸送研究センターの研究者らは、エージェント・ベースド・モデルというコンピューター・シミュレーションを用い、シェア型自動運転車

（ＳＡＶ）によって自動車と駐車スペースの数を桁違いに削減でき、ＳＡＶは多くの乗客が利用できるので1台の新型ＳＡＶの導入で十数台分の自動車の代替になることを明らかにした。[54]これによって多くの都市空間が節約できるだろう。ＳＡＶの場合、乗客が降りると次の乗客が待つ場所へ迎えに行くので常に走行状態にあり、総走行距離は約11パーセント増加する。走行距離は増えても、コールドスタートがほとんどなく効率的に走行するため、ＳＡＶはエネルギー消費を12パーセント節約でき、温室効果ガスの排出も5パーセント以上削減できる。さらに硫黄酸化物や窒素酸化物、一酸化炭素、揮発性有機化合物などの大気汚染物質の排出も18〜49パーセント減少する。

計測処理技術がほんのわずかに進歩するだけでも、都市の輸送機能は改善される。２０１４年、ロンドンでバスや地下鉄料金の支払いに新システムが導入された。プリペイドカードではなく、モバイル・デバイスをタッチするだけで手早く安全に支払えるようにしたのである。それ以来バス・鉄道会社は料金システムの運用にかかる管理費が削減でき、利用客も支払いにかかる時間を節約できるようになった。[55]またコロラド州デンヴァーのスマート信号システムは列車と自動車の交通信号を同期させ、長い編成の列車が踏切を不必要に塞いでしまう厄介な状況を回避し、列車の方も信号待ちによる大きな遅延なくほぼ規定の速度で連続的に走行できるようにしている。[56]

こうしたスマート・モビリティはすぐには到来しない、とわたしは思っている。それにしても自家用車を所有するという現在のモデルは正気の沙汰ではない。時間と空間そしてお金の無駄遣いに過ぎない。平均すると、アメリカ人は約3万ドルの自動車を購入し、所有している期間の4

パーセントの時間しか利用していない[57]。さらに自宅に駐車するにしても、かなりの空間を占めるガレージの費用がかかる。モビリティ・サービスの利用者は増えつつあり、運転免許を取得する十代の若者の割合も減少し続けている。わたしと共同で研究しているポスドクや思慮深い学生からも、アメリカ人は自動車の所有をやめるべきだと言う声を聞く[58]。

すぐに価値が下がり始める耐久消費財に大金を投じ、おかげで自由時間のかなりの部分を奪い取られ、しかも滅多に使用しないなんていうのは馬鹿げている。実に頭の切れる学部生と主任研究員（ゴードン・ツァイとトッド・デイヴィッドソン博士）と共同で、自家用車の所有にかかる全費用の分析を実施した。一般的な自動車の所有にかかる費用は車両価格のほかに自動車ローンの利息や保険、税金、燃料代、メンテナンス費用などがあり、これらの費用は自動車の車両価格をはるかに超える。駐車料金、固定資産税、ガレージの建設費、自由時間の価値などはっきり確認できない支出もある。平均的アメリカ人は自家用車を年間335時間運転し2万キロ以上走行する[59]。自動車所有の全費用は車両代（年間5700ドル以上）、メンテナンス費用（年間1100ドル以上）、燃料代（年間1500ドル以上）、駐車料金（年間1400ドル以上）、そして生産性の消失分（年間6700ドル以上）を含めて、平均的アメリカ人で年間約1万7000ドルになる。配車サービスや相乗りアプリといったモビリティ・サービスは、現状ではまだ交通の主要形態とは考えられていないが、将来はかなりの割合のアメリカ人にとって圧倒的に有利な経済的選択肢となる可能性がある。実際自家用車を所有する全費用を考えるなら、アメリカの全ドライバー人口の4分の1は自家用車を持つより配車サービスを利用したほうが生活に余裕ができるだろう。

自動車のメンテナンスや清掃、管理に費やす時間を加味すると、アメリカ人の自家用車所有への偏向はかなりの時間の無駄になっていることも明らかになった。

街中をドライブするストレスから解放され、その時間を電子メールのチェックや読書、昼寝などもっと生産的に、あるいは楽しく過ごすために利用できたらどんなに素敵だろう。もちろん職種によっては、ドライブに時間を当てるほうが生産的である場合もある。たとえば弁護士なら、仕事のために車で移動した時間を支払請求可能な業務時間に含めることは、水道工事業者と比べれば容易だろう。それはともかく前述のような費用を含めれば、アメリカのドライバーの約4分の1は自動車を所有するよりモビリティ・サービスを利用したほうが経済的に望ましいのである。

相乗りや配車サービスに加え自動運転車が利用できるようになれば、特にサービス提供者の視点から経済を考えれば、モビリティ・サービスの魅力は圧倒的なものになるだろう。自動運転車の価格が下がれば配車サービスの費用も下がる。消費者がモビリティ・サービスをさらに利用するようになれば、市場もさらに大きくなる。もちろんウーバーやリフト、アルファベットそして多くの自動車会社もそのことは十分承知している。だからどの企業も市場シェアを奪い、どこよりも先に全車両自動運転車による配車サービスの実現に向けた激しい競争を繰り広げている。

自家用車を所有する文化はいまだに根強いにしても、モビリティ・サービスの利用増加を支持する傾向も現れてきている。アメリカそしてさらに世界でも、かつてない規模でデジタル・コミュニケーションの導入が進行しているので、移動中でも仕事ができる人も増えてくるだろう。

都市へ移動する人口が増えれば、都心部の密度はさらに高くなり、交通渋滞は増大する。そうなれば従来の自家用車所有に代わる交通手段を支持する人も増加する。

世代によって商品やサービスに対する消費嗜好が変化することも大きな役割を果たすだろう。初めてデジタル環境を手にしたミレニアル世代は、自動車所有のこととなると親世代のスタイルを追いかけようとはしない。Z世代は現在10代後半から20歳前後のデジタルネイティヴといわれる世代だが、彼らが親になり手頃な住宅を探し始めた時、自動車や郊外を魅力的に思うのか、興味深いところだ。

今日一般的になっているウーバーやリフトといったモビリティ・サービスに加え、まもなくフォードのシャトルサービス、チャリオット（2019年に事業終了）などのマイクロ・トランジットも運用が始まるだろう。モビリティ・サービスが成熟すればさらに便利になり、若者や高齢者、身体障害者の移動を支え、災害救出の支援など特殊な需要にも応えられるようになるだろう。サービスの水準が上がればモビリティ・サービスの価値を高める好循環が生まれる。サービスの導入が増加し、それによって運用コストが下がりさらなる導入が進むようになる。結局のところ簡便性と経済的な便益がはっきりすれば、想像しているよりずっと急速にモビリティ・サービスへ移行するかもしれない。

自動運転車が実用化すればこの移行が加速する。自動運転車には賃金の高いドライバーは必要ないので、モビリティ・サービスのコストはさらに下がる。自動運転タクシーは1マイル（約1・6キロ）あたり0・35ドルと見積もられていて、通常1マイル数ドルかかる現在のタクシー料金と比べずっと安い[60]。

タクシーだけでなくトラック輸送も自動運転車が利用される分野になるだろう。様々な理由で長距離貨物輸送には自動運転が適しているからだ。具体的には、ドライバーの休憩も必要ないので、その分配送時間が短縮される。主要幹線道での経路をあらかじめ容易に設定できる。『フィナンシャル・タイムズ』は皮肉交じりに次のように指摘する。自動運転車の導入によりトラックドライバーが失業に直面することは政策として悩ましいところだが、実際には因果関係は逆で、トラックドライバーの不足が自動運転トラックの導入を加速することになるだろう[61]。トラックドライバーは5000〜1万ドルの自腹を切って教習を受け資格を取得しなければならず、それが将来のトラックドライバーには大きな障害になっている。またトラックドライバーになろうと考えている人には、就業前の費用もかからず同程度の給与と諸手当が得られる建設業などの職業でもっと魅力的な仕事が見つかる。こうしてトラックドライバーが不足しているために、それを補塡する最新テクノロジーの利用が急がれているのである。

モビリティ・サービスと自動運転車によってかつて自動車がもたらしたような変革が起きるだろう。たとえばこんなシナリオが想像できる。モビリティ・サービスはお抱えのドライバーがいるようなもので、外出の用意が整えば玄関前にはすでに車が来ている。それに乗れば仕事場やスーパーで降ろしてくれる。渋滞のない道路を自動走行しているので苛立つこともないし駐車場所を探す必要もない。移動中は読書をしたり、メッセージを送ったり、考えたり、睡眠をとったり、事故の心配をせず電話をかけることもできる。

こうした未来像は「アメリカの自動車文化」とは両立不可能のように思えるが、その根強いアメリカ文化にも変化の兆しが見えているとわたしは思う。わたしの時代には運転免許を取ることが大人の仲間入りをすることだと思っていたが、今日の十代の若者の多くにはそういった意識はない。十代の若者はスマートフォンでのチャットのやりとりで運転がおろそかになっていると、心配する人も多い。しかし若者の立場からすれば問題は逆だ。運転がチャットの邪魔になっているのだ。そう思っているのは実は若者だけではない。今度交差点で停車した時に周りの車を観察してみよう。運転している大人のドライバーはたいていスマートフォンを見ているはずだ。運転に集中するより、スマートフォンをいじっている方が楽しそうだ。

お金があるなら自家用車やお抱え運転手でもいいのかもしれないが、安く済ませようと思うなら、同じ自動運転車に複数の人で乗る相乗りをすればいい。少なくともドアからドアへ送ってくれるサービスであることに変わりはない。ロボットや自動車のマイクロ・プロセッサがうちのお抱え運転手だと考えればいい。

こうした自動運転車を利用したモビリティ・サービスは、いろいろなかたちでエネルギーを節約する。ロボットのドライバーは最も効率の良い走行をするようにプログラムされ、無理やり飛ばすこともなく運転マナーもいい。自動車と周囲のインフラに多くの情報が提供されれば、交通の流れはさらにスムーズになり、渋滞やスモッグ、エネルギーの消費量が減少する。走行しているすべての自動車が互いに情報をやり取りして他の車の運行予定がわかれば、交通信号はもはや必要なくなり、交差点でも自動車は互いに停止することなく他の車をすり抜けるように流れていく。どの自動車も空を飛ぶ航空機と同じように他の車がどこへ向かっているかを自動的に感知して衝突のリスクを下げているため、安全性も改善される。

自動運転車は乗客の希望をかなえるようにどんどん進歩するので、週末をたまに楽しむためだけの燃費の悪いＳＵＶで通勤するような時代遅れはいなくなるだろう。ボートを牽引したい時にはロボット運転のトラックを手配することもできる。そうでなければ通勤用のスモールカーが主な選択肢となるだろう。

自動車の費用はモビリティ・サービス会社を通して割り振られるようになり、自動車を所有することでかかる走行距離１マイルあたりの費用も安くなる。所有期間のうち４パーセントの時間しか使用しない３万ドルの車を個人で全額支払うのではなく、もっと高性能の自動車を共同の利用者全員が利用する時に利用分だけ支払う。つまり１台の車を多くの人の必要に合わせて利用する。自動運転という運転手付きの自動車なら、自家用車を自分で運転するより安全性が高くなり、自動車保険会社は保険料を下げるので、車に乗せてもらう移動スタイルに新たな市場インセンティヴが生まれることになるだろう。どうしても自分でドライブをしたいという人は、道路上での事故リスクを増加させることになるので、それに見合うだけの保険料を余分に支払うことになる。また親が自分の10代の子どもに車を運転させたいとすれば、さらに高額の保険料を支払わなければならない。こうしたテクノロジーと市場の評価がひとたび同期すれば、そのテクノロジーを受容する社会の流れは不可逆的なものになるだろう。

もしあなたがドライブ好きで、移動や輸送を機械に任せてしまえば、社会が運転という重要な技能を失ってしまうのではないかと心配するなら、こんなふうに考えてみよう。きっと賢い起業家が現れてオンボロ自動車を有料で運転する機会を提供し、ほこりまみれの牧場で自動車を輪を描くように運転して過去を追体験できる時代が来る。つまり子どもに乗馬を教えたいと思った時に乗馬教室に連れて行くのと同じで、時代が変わって馬が自動車になるだけのことなのだ。

第四章　富

かつて農業へエネルギーを投入して食糧増産を実現したことで、社会は専門的職業を育めるようになった。食糧を自分で採集したり狩猟する代わりに、人口の数パーセントが農民として働けば、残りの人口の食を賄えるようになったのだ。農業の発展により食糧を求めて移動する必要はなくなり、集団で定住するようになると、さらに多様で専門的な活動への取り組みが可能になり富が蓄積するようになった。それから数千年が経ちエネルギー投入はさらに大きくなり、農業の生産性は大幅に増大、農家ひとりあたりでも単位面積あたりでも、さらに多くの人々の食を賄えるようになった。こうして専門職に就く人口はさらに増え、富の蓄積もますます大きくなった。富を蓄えると人々は都市部へ移動し、都市住民の食糧は農産物を農場から食卓へ運ぶ輸送システムによって支えられた。エネルギーを利用して食糧生産を向上させたことが、社会が進化する過程で重要なステップとなったのである。

今日のアメリカには大富豪が数千人、超大富豪が５００人以上いる。富がごく少数の人に集中した貴族社会や君主制とは対照的に、こうして富の蓄積があちこちに生まれる傾向は1800年代後半から1900年代前半にかけてはじまり、有名どころとしてロックフェラー、カーネギー、ヴァンダービルト、スタンフォード、フォードらの名があがる。彼らはエネルギー資源とエネルギーを利用する鉄鋼や鉄道、自動車、海運業といった産業で富を築いた。第二次世界大戦後、先進国では多くの人がエネルギーを利用できるようになり、富の民主化が広がった。その結果何億もの人が貧困から脱出し、世界的に中産階級が大きく拡大した。現代の富はエネルギー形態の利用によってもたらされ、エネルギーを利用できなければ貧困から抜け出すこともできない。

エネルギー、照明、教育そして富

水は命を支え、エネルギーは生活の質を高める。現代のエネルギーである電力や天然ガス、プロパンにより、かつての牛糞や藁、ピート、薪といった燃料とは違い、家中に煙や煤、灰を撒き散らすことなく暖房や調理ができるようになった。重要なのは、エネルギーが利用できれば教育も受けられるようになることだ。そして教育は、豊かな生活を実現する最も重要な手段のひとつとなる。

1800年代に天然ガス配送システムに接続できたロンドンやパリなどの都市では、住宅に天然ガスの照明装置があり、壁にあるスイッチでガスの流れを開閉して室内の照明をつけたり消したりできた。こうしたガス照明も変革の力となったが、まだ煙は出るし部屋は熱くなり、一酸化炭素中毒になる危険があり、火事を起こすこともあった。こうした問題を解消し、住宅の照明を本質的に改善したのが電気照明だった。

また現代のエネルギー・システムにより下水道システムが実現し、下水道へ接続された屋内トイレの実現につながった。まだ屋内トイレのない国も多く、そうした国では排泄という当たり前の生理現象を処理することが厄介で面倒くさく感じられている。インドなどの国では、屋外での排泄が一般的だ。現代的な衛生設備やトイレがないため、多くのインド女学生は思春期になると学校へ通うのをやめてしまう。排泄や生理の処理をする個室トイレがないので、彼女たちは家にこもってしまうのである。[1] 現代的なエネルギー・システムがあれば、学校にも現代的な衛生設備を設置でき、特に女学生にとって教育を受けやすくなる。その結果として女性の経済的機会も改善される。

「その子を学校へ通わせよう」というケース・トラクター社の1921年の有名な広告は、教育を受ける手段としてエネルギーの重要性を訴えている。[2] 農家は石油で動くトラクターを購入して子どもを労働から解放し、教育を受けさせようと主張している。「ケース・ケロシン・トラクターがあれば、勤勉な農家がよく働いてくれる少年と馬を使って作業するより、同じ時間でより多くの作業が可能になる」として次のように締めくくる。「畑の仕事はケース・ケロシン・トラクターに手伝ってもらい、その子を学校へ通わせよう」

エネルギーで富を得た実業界の大物が教育に投資してきたのも当然と言えるだろう。最も有名なのがスタンダード・オイルの創業者でかつては世界一の大富豪でもあったジョン・D・ロックフェラーで、スペルマン・カレッジ（妻の旧姓がスペルマンだった）やシカゴ大学などの創立に莫大な資金を提供した。その他にもスタンフォードやカーネギーメロン大学も間接、直接にエネルギー産業で財を成した人物の名が冠されている。

実はエネルギーと富とのつながりには、意外に微妙なところもある。貧困状態にある人々がエネルギーを利用できるようになれば、経済的状況は改善する。エネルギーを使って教育の機会が得られるだけでなく、事業を起こし工場を建て、商品を製造することも可能になる。エネルギーによって経済的機会が得られるのである。またアメリカでは自分の所有地でエネルギー生産が始まれば、土地所有者にはそのロイヤルティが支払われるので、エネルギーを利用しなくても利益が得られることになる。

また豊かな人ほど多くのエネルギーを消費する。豊かになれば（エネルギー集約的な）肉を多く食べるようになり、エアコンや電気機器など自宅での電力消費も増え、移動のためのガソリン消費量も増加する。エネルギーを消費することで豊かになり、豊かになればさらにエネルギーを消費する。一般的に富とエネルギー消費の間には比例関係があり、豊かな国ほど、ひとりあたりのエネルギー消費は大きくなる。そしてひとりあたりの消費が増えれば国も豊かになる。つまり富を介して人と国家はエネルギーのトレッドミルに乗ることになる。

もちろん話はここで終わるわけではない。エネルギー消費には文化的選択や政策なども影響する。ヨーロッパ諸国の住民はアメリカやカナダと同じくらい豊かだが、住民ひとりあたりが消費するエネルギーを見るとヨーロッパではアメリカやカナダの約半分だ。アメリカやカナダは大きな国で人口密度が低く、どちらも主要エネルギー生産国であり、国がまだ成長過程にあることもある。面積が小さく、エネルギー生産量はそれほど大きくなく、成熟したヨーロッパ諸国は、てすむ。国が小さければ輸送にかかるエネルギー消費は少なくてすむ。またヨーロッパは人口密度が高いので、コンパクトな都市部でエネルギー効率のいい小規模な住宅に住む傾向がある。またエネルギーを自国だけでは賄い切れないため、エネルギー輸入の安全保障上の懸念を緩和するためにも省エネが文化的にも政策的にも優先されている。さらにヨーロッパ諸国はその歴史を数百年あるいは数千年も遡ることができる。こうした長い歴史があることから、ヨーロッパではより長期的な視点から未来を捉える傾向があり、気候変動の影響についてもアメリカより強い懸念を持ち、エネルギー効率に関してアメリカより厳しい規制を設ける場合が多く、高効率の自動車や電気製品を義務付け、市場シグナルを利用してエネルギー消費を抑制するため課税により価格を上げている。結局、これらの要因が重なり合って、ヨーロッパでは経済成長を大きく阻害せずにひとりあたりのエネルギー消費量を抑えることができている。

中国やインドも全体としてはエネルギー消費量は小さいが、それは政策ではなく貧困のせいだ。エネルギー利用の環境が普及しておらず、利用環境が整っていたとしてもその料金を支払えない人もいる。あれやこれやで世界全体で平均すればひとりあたり毎年約7500万BTUのエネルギーを消費している。一般的なイギリス市民は世界平均の2倍、アメリカ人はさらにその2倍近くを消費している。国によってはもっとエネルギーを消費しているところもある。たとえばアイスランドはひとりあたりのエネルギー消費量が大きい。同国は気候が寒冷で暖房が必要なこと、そして地中から得られる熱つまり「地熱エネルギー」が豊富で安価に得られることがエネルギー消費量を底上げしている。地熱エネルギーあってこそのアイスランドなのだ。アイスラン

球のなりたち、生命、気候、地理、各国データまで

ィジュアル・サイクロペディア] 地球の自然と環境大百科

DK 社編著／野口正雄訳

地球の惑星としての性質や構造、岩石と鉱物、水、気象、生命、人間と地球など 8 つのテーマから構成された、視覚的によく理解でき、親子で学べる図鑑。地理と科学への興味を広げる約 120 項目、美しい写真・図版・地図 640 点以上。

A4変型判・4500 円（税別） ISBN978-4-562-05756-6

ラがとらえた地球の記録

中写真歴史図鑑

大自然と人類文明の映像遺産

イーモン・マッケイブ、ジェンマ・パドリー／月谷真紀訳

凱旋門、ギザのピラミッド、ロンドン空爆、真珠湾、水爆実験、アポロ 8 号、ウッドストック、9.11、東日本大震災……。19 世紀から衛星・ドローンまで、大自然、人類文明、災害、戦禍など空撮による歴史的、決定的写真 200 点を収録。

A4変型判・5800 円（税別） ISBN978-4-562-05777-1

の転換点となった重要な戦いをすべて解説！

ィジュアル・サイクロペディア] 世界史を変えた戦い

DK 社編著／トニー・ロビンソン序文／甲斐理恵子訳

3000 年にわたる世界史を変えた主要な戦いを網羅し、古代の「マラトンの戦い」から「壇ノ浦の戦い」、冷戦時代、湾岸戦争の「砂漠の嵐作戦」までを解説。充実した地図や図版を通じて、140 以上の重要な戦いを学ぶことができる。

A4変型判・3800 円（税別） ISBN978-4-562-05757-3

果てた産業遺物と滅びの光景

トミュージアム] 世界の工場廃墟図鑑

環境問題と産業遺産

デイヴィッド・ロス／岡本千晶訳

世界各地の自動車工場や発電所などの工業施設、鉱山跡、産業遺産を紹介。廃墟となった背景について簡潔に説明し、荒れ果てた建築物の不気味な表情を 200 点あまりの写真でとらえている。残留物による汚染など環境に影響を与えているものも多い。

A4変型判・5000 円（税別） ISBN978-4-562-05771-9

郵便はがき

料金受取人払郵便

新宿局承認

1993

差出有効期限
2021年9月
30日まで

切手をはら
ずにお出し
下さい

160-8791

343

(受取人)
東京都新宿区
新宿一－二五－一三

原書房

読者係 行

1608791343　　7

図書注文書 (当社刊行物のご注文にご利用下さい)

書　　名	本体価格	申込

お名前　　注文日　　年　　月

ご連絡先電話番号　□自　宅　(　　　)
(必ずご記入ください)　□勤務先　(　　　)

ご指定書店(地区　　　)　(お買つけの書店名をご記入下さい)　帳合

書店名　　書店(　　　店)

5780
エネルギーの物語
マイケル・E・ウェバー 著

読者カード

より良い出版の参考のために、以下のアンケートにご協力をお願いします。＊但し、後あなたの個人情報(住所・氏名・電話・メールなど)を使って、原書房のご案内などを送って欲しくないという方は、右の□に×印を付けてください。 □

名前《ガナ》　男・女（　　歳）

住所　〒　　－

市　　町
郡　　村
TEL　（　　）
e-mail　@

職業　1 会社員　2 自営業　3 公務員　4 教育関係
5 学生　6 主婦　7 その他（　　）

買い求めのポイント
1 テーマに興味があった　2 内容がおもしろそうだった
3 タイトル　4 表紙デザイン　5 著者　6 帯の文句
7 広告を見て(新聞名・雑誌名　　)
8 書評を読んで(新聞名・雑誌名　　)
9 その他（　　）

好きな本のジャンル
1 ミステリー・エンターテインメント
2 その他の小説・エッセイ　3 ノンフィクション
4 人文・歴史　その他（5 天声人語　6 軍事　7　　）

購読新聞雑誌

書への感想、また読んでみたい作家、テーマなどございましたらお聞かせください。

ドではこのエネルギーを利用して発電し、アルミニウムをはじめ高付加価値の製品を製造している。つまりアイスランドでは豊富なエネルギー資源を経済的利益に転換できていることになる。バーレーンもエネルギーが豊富で安価なことから消費量も多いが、こちらでは気温が高く冷房用のエネルギーが大量に必要なためでもある。ロシアとサウジアラビアはひとりあたりのエネルギー消費量は大きいが、それほど豊かであるわけではない。それは両国がエネルギーの大部分を化学製品などの付加価値の高い製品ではなく、金属加工や精製など重工業向けの熱源として利用しているためだ。

エネルギーと富の物語にはもうひとつ、エネルギー形態が関係してくる側面がある。エネルギー消費と富との間には確かに相関はあるがそれほど強い相関ではない。ところが電力消費と富の間にはずっとよい相関関係がみられる。エネルギーを暖房や調理などの単純な熱源として利用している国は、発電など高度な目的に利用している国ほど豊かではない。電力を利用することでソフトウェアや3Dプリンター、ロボットなどのハイテク産業が生まれ、これらの産業は熱利用を基本とした従来の製造業よりずっと利益が大きい。そして社会が豊かになるとさらに電力が好まれるようになる。電気は制御が簡単で、静かで、利用現場でクリーンであること、そしてエアコンやコンピューターには電気が不可欠だからだ。さらに電力は経済成長を培うにも重要だ。電力により電気照明や情報テクノロジーが進展し、従来の単純労働と比べ上向きの社会的流動性が高まる。つまり電力の消費によって豊かさが実現し、豊かになるほど多くの電力を消費するようになるのである。

エネルギー、工場そして産業革命

富は常にエネルギーと関係しているので、エネルギーの形態と利用の程度が変化すれば、富の性質も変化する。１８００年代中頃までは、富といえば土地に結びついたものだった。その土地条件を利用して木材やウール、皮革そして食糧や農産物などの商品が生産された。そして少数の家系が所有する領地に巨大な帝国が築かれた。しかし産業革命によって、人々は産業などの活動から富を得られるようになり、経済成長と合わせて技術革新と起業家時代の幕開けとなった。農業経済から近代的な工業経済への移行は、薪や水、風のエネルギーから化石燃料と電力への移行と並行していた。エネルギーの形態が進歩を続け、多くの人々が石油や石炭製品を利用できるようになると、社会全体で貧困からの脱出が進み、不平等が減少し、経済的機会が増加し、中産階級が拡大した。

様々な推定によると、ジョージ・ワシントンはアメリカ史上最も裕福な大統領だった。しかしお金をたくさんもっていたからではなく、多くの土地を所有していたからだった。土地が富の尺度であった時代が何千年も続いた。その富には大きな空間が必要で、移動させることはできず、消費や投資に利用することも難しかった。広大な空間を利用して作物を栽培するか、木材を切り出すか、牛を放牧すること、それが土地から得られる富だった。

化石燃料による富は土地によるそれとは異なっていた。化石燃料のエネルギー密度は、富を集中させる能力の尺度を意味していたのだ。かつて石炭を利用していた頃、工場は農業ほど多くの土地を利用しなくても莫大な富を生み出した。土地を所有しない者が突然裕福になり、その富を携えて移動もできるようになった。つまり資本があちこちへ流動する機会が開かれたのである。こうした工場の実現には蒸気機関の発明と、それを動かす蒸気を生産するために燃やす安価な石炭が必要だった。蒸気機関が水車や風車そして筋力に取って代わったことで生産性が伸び、富が増大した。

インディアナ州インディアナポリス、ホワイトリヴァー州立公園を流れるホワイト川土手沿いの小道には大きな石灰岩があり、そこに刻まれた碑文が蒸気機械の革新的影響力をたたえている。1864年インディアナポリスにその機械が到着すると、同地の有名な特産物だった石灰岩「インディアナ・ライムストーン」の生産量が3倍に増大した。それまでは重い石灰岩を切って持ち上げて移動するのはすべて手作業で行っていた。化石燃料で動く蒸気機械の導入により、かつてより少ない労力でより大量の石灰岩を切り出せるようになり、さらに蒸気機関車などによる輸送網の発達も手伝って、何百キロも離れた顧客にも重い石灰岩を出荷できるようになった。シカゴのトリビューン・ビルディングも首都ワシントンのワシントン大聖堂も同じ灰色のインディアナ・ライムストーンが使われている。ニューヨーク市にもこの美しい石灰岩が数多く運ばれ、エンパイアステート・ビルディングやグランドセントラル・ステーション、フラティロン・ビルディングもインディアナ・ライムストーンを用いて建設された。とてつもなく重い石灰岩をインディアナポリスから馬に引かせてアパラチア山脈を越え東海岸まで運んだり、船でミシシッピ川を下りフロリダを回って東海岸へ輸送する費用は今では想像もできない。化石燃料で駆動する蒸気機械は地元で利用されていた石材を遠方まで出荷できる高付加価値の製品に変身させたわけだが、こうした変化は各地で起きていた。石炭のおかげで、遠方で消費される商品を製造する工業都市は世界中で誕生した。１８００年代のイギリス、マンチェスターでは繊維産業が、１９００年代のペンシルヴェニア州ピッツバーグやでは鉄鋼業が発展した。そして現在、中国の工業都市では多種多様な製造業が発展している。

工業主義と富の生産の推進に不可欠な、近代的エネルギー形態を使ったテクノロジーがいくつかあった。水力や風力から蒸気機関へ転換したわけだが、富の生産が屋外の農地から工場の屋内へと移動するには、19世紀の後半と20世紀初めに誕生したふたつの発明が必要だった。空調設備と屋内照明だ。広い空間を明るく照らし耐久性もある電気照明により、工場を夜間も稼働させる交代制勤務が可能になった。[3] 今では工場が24時間稼働しているのは普通のことだ。そして空調設備により屋外は酷暑でも、工場内の労働ならなんとか耐えられるようになった。

電力によって工場と経済全体の生産性が上昇した。さらに工場の稼働も安全かつ容易になった。だから電気は瞬く間に普及した。20世紀初めの30年で、シカゴにある工場の電化率は4パーセントから78パーセントまで伸びている。[4] 多くの労働者が必要だった作業も電気モーターで実現できるようになったため、電化により多くの労働者が解雇されたが、雇用が減ったわけではなかった。電力は新たな事業を生み、異なるタイプの労働需要を生み出していたからだ。

エネルギーは屋内の照明や冷房に使われただけではない。原材料を付加価値のある製品へと転換させた。グリム童話の「がたがたの竹馬小僧《ルンペルシュティルツヒェン》」など中世の物語では、不思議な錬金術師が出てきて鉛や髪の毛のようなごく普通の物質を金に変える。世界の石油化学産業にとってはこうした錬金術は日常茶飯事だ。一般的な原油の価格は1バレル（約159リットル）あたり35ドルから85ドルだが、塗料や化学物質、プラスティック、人命を救う薬剤など他の商品に変換すればずっと大きな価値が生まれる。伝説的な香水シャネルNo.5は1ガロンあたり数万ドル以上の価値があるが、原料の石油は1ガロンわずか数ドルだ。ある推定によると、香料の成分の95パーセント以上は石油由来だ。単位重量あたりの価格が鉛と変わらないごく普通の物質（石油）が、エネルギーによって金よりもっと価値のあるものに変換できるのである。ひょっとすると藁を金に変えた小人「がたがたの竹馬小僧」は考えていたほど空想的な存在ではないのかもしれない。

鉱業権と富

土地所有と富の間にはかつてほど実質的な相関はなくなっているが、それでも土地所有にはそれなりの利点がある。世界の大部分の地域では、鉄鉱石、貴金属、そして化石燃料など地下の鉱物資源を所有する権利は土地所有者ではなく政府にある。しかしカナダ東部やアメリカでは、そうした鉱物権（地下の鉱物を所有する権利のこと）は所有できる私財だ。つまり鉱物や石油、天然ガスが掘削された場合、土地所有者にロイヤルティが支払われる。だからアメリカで石油ブームが起きた時、金持ちになったのは石油会社やガス会社だけではなかった。石油貯留層にアクセスできる領域にたまたま土地を所有していた地主はロイヤルティによって大きな収入を得られたのである。

石油生産会社と土地所有者の経済的利益が結びつくことで石油探査が活発になった。石油試掘者つまり山師はリスクを取ってでも利益を得ようとするからだ。この方法は政府が鉱物資源を所有し市民は土地を所有する世界の他の地域での状況とは相容れない。政府が資源を所有する場合、リスクを負うのは個人でも利益を得るのは政府だ。つまり自分の土地でリスクを引き受けても、直接経済的利益にはつながらない。土地所有者は騒音やトラック、埃や夜間照明に我慢し、政府が金をさらっていく。ほとんどの国ではリスクの受容と利益の獲得が乖離《かいり》しているため、私有地でのエネルギー生産が阻害されている。

石油で富をなすという現象を体現しているのがテキサス州だ。アメリカ第二の規模を誇るテキサス州は（大きさでアラスカに次ぎ、人口ではカリフォルニアに次いで多い）、数百年間農業経済が基盤だった。かつてはコットンと牛がテキサス州の富を生産していたのである。ところが1901年、伝説的に有名なスピンドルトップで何十万バレルもの石油が空中に噴き上がり始めると、石油生産国間のそれまでの勢力均衡が完全に覆った。テキサス州は「オイル・ステート」つまり石油の州となった。この石油生産により数多くの大富豪が出現し、石油を噴き上げる噴出油井は成金の象徴となった。「ストライク・イット・リッチ」（一山当てる）、「ブラック・ゴールド」、「テキサス・ティー」といった言葉には、石油を試掘し石油貯留層に当たれば一夜にして富豪になるというイメージが染みこんでいる。そして石油が出る土地を多く所有していた者は「ビッグ・リッチ」つまり大富豪となった。[5]

リッチ・テキサン（金持ちテキサス人）というイメージは多くのポップ・カルチャーでとりあげ

られ、アニメ「バッグス・バニー」でも、ウサギ穴に悩まされるテキサス州の金持ち石油業者をヨセミテ・サムが演じドタバタ劇を展開する。エリザベス・テイラー、ロック・ハドソン、ジェームズ・ディーンが出演した1955年の映画「ジャイアンツ」が焦点を当てたのもこのリッチ・テキサン。ジェームズ・ディーンが演じたのは大酒飲みでろくでなしの牧場使用人ジェット・リンク、その男が石油を当てる。噴き上がる原油の下でジェットが踊り、バシャバシャとはねる原油にまみれて笑いが止まらない場面は、映画史に残る有名なシーンだ。また1980年代の人気テレビドラマ「ダラス」では、農業経済から現代的エネルギー形態を基盤とする経済への移行を農村部から都市部へ映像を移動させることで表現した。

テキサス州では「ルール・オブ・キャプチャー」（捕獲の法則）という法理で石油と天然ガス政策を統治したが、これはイングランドで猟師に適用されたコモンローを起源とする伝統だ。王は国の野生生物を所有していたので、王の所有物である動物の狩りは違法だった。しかし王のシカであっても自分の土地で捕獲した場合は、自分のものにできる。この「捕獲の法則」のもとでは、自分の土地で石油や天然ガスを生産できれば、その所有が認められる。しかし出力の大きいポンプを使うと自分の土地の地下にある石油や天然ガスが枯渇する場合がある。そうなると石油は地下をあちらからこちらへと移動するため、隣接する土地の地下からも石油やガスを抜き取りはじめる。こうして最も大きいポンプをもつ地主が石油争奪戦に勝利する。2007年の映画「ゼア・ウィル・ビー・ブラッド」はこの現象をしっかりとおさえている。主人公のダニエル・プレインヴュー（伝説的俳優ダニエル・デイ＝ルイスが演じた）が、長いストローで隣人のミルクセーキを飲み干してやると言ってほくそ笑むシーンがある。どういうことかというと、隣人の土地から出る石油や天然ガスを、隣人が気づく前に抜き取ってしまうというのである。

エネルギー、道具そして技術革新

優れた材料や機械、道具を生み出す技術革新の歴史は、新たなエネルギー形態の開発と手を携えてきた。過去150年間は特に石炭が重要なエネルギー形態だった。石炭は工場や機関車で用いる蒸気機関を駆動する熱を生産するだけでなく、セメントや鉄鋼の製造過程でも不可欠な材料だ。キルンでは石炭の燃焼熱で石灰岩や粘土、その他の原料を加熱してセメントにする。コンクリートは単純で古くさいようにも思えるが、実は現代を象徴するもので、道路や空港、発電所、下水処理場などどれもコンクリートを用いて建設されている。コンクリートの大規模な生産と利用は石炭利用のブームと足並みを揃えて登場した。

鉄鋼と石炭もつながりが深く、やはり足並みを揃えて登場した。製鋼にはふたつの過程で石炭を利用する。第一に、鉄鉱石を融解し鍛造、鋳造、成型するための熱源として利用する。第二に石炭は鉄鋼を硬化させるための炭素源でもある。昔の冶金業は、薪や炭を燃やして金属を融解あるいは柔らかくしていた。薪では十分な熱が得られなかったため、鍛冶屋はさらに金槌でたたくとで機械的エネルギーを加え金属を柔らかくして成形した。筋骨隆々の鍛冶屋が汗を流すイメージは、化石燃料以前の時代の象徴だ。場所によっては水車を使ってふいごを動かし、炉に空気がよく流れるようにして燃焼温度を上げたが、どこでも水車が利用できるわけではなかった。結局水力と筋力は石炭の燃焼という便利な方法に取って代わられることになった。

鉄鋼には頑丈でしかも成形しやすいという並外れた性質がある。橋や機械、高層ビルなど進歩した社会に特徴的な構造物を作るのに欠かせない原材料だ。しかし鉄鋼も最初はハンマーや切れ味のいい斧といった頑丈な道具の製造に用いられた。いい道具があれば、多くのエネルギーを利用できるようになる。大きくて切れ味がよく、丈夫なよい斧によって木材業の生産性は上昇した。アメリカは1700年代後半から1800年代を通して大陸で急速に領土を拡大し、木材の需要も増加していた。アメリカが西へと拡大している間、材木は建材としてまた柵の支柱に用いられた。またアメリカでは薪が調理や暖房、そして工業生産の主要な燃料でもあった。

その結果1600年代に8億エーカー(約300万平方キロ)あったアメリカの原生林は瞬く間に伐採された。伐採速度が大きく、萌芽更新による森林再生が追いつかないため、木材業者は材木を得るためさらに西へ北へと移動した。石炭を利用して鉄道のレールにする鉄鋼を製造し、石炭で動く機関車によってさらに遠くの森林を伐採できるようになった。ミネソタ州やウィスコンシン州など北中西部の森林は木材を多くの市場へ供給した。伐採した樹木は湖と河川を利用して船や筏《いかだ》でシカゴへ送られた。シカゴで製材されると木材は列車でグレートプレーンズや東海岸の顧客のもとへ出荷された。

木材業者は原木を得るためにますます遠方の森林で伐採して出荷しなければならなくなると、材木の価格は徐々に上昇した。しかしこの森林伐採を助長した石炭が、逆にその問題を解決もした。石炭を用いて鉄鋼が生産できるようになり、その鉄鋼からは新たな頑丈な道具が生まれ、トンネルや炭鉱の掘削に用いられた。ペンシルヴェニア州には地下に豊かな石炭層があり、近くには鉄鉱石を産出する地層もあった。新しい道具で石炭を採掘するようになると、続いて石炭をさらに安価に採掘できる優れた鉄鋼製の道具が誕生した。石炭は木材の2倍のエネルギー密度があり、排出する煙や灰、悪臭も少なく、（北中西部とは異なりアパラチアでは）市場も近かったので、すぐに薪に代わる燃料源として浸透したのである。

石油を掘削する鉄鋼製ドリルビットが石炭を利用して製造されるようになり、1859年には同じペンシルヴェニアで本格的に石油の掘削が始まった。石油は何千年もの間ランプにタール、そして軟膏に利用されてきたが、当時の石油は中東やロサンゼルスのラ・ブレア・タールピッツで地表に浸出した石油を収集したものだった。しかしエドウィン・ドレーク大佐はペンシルヴェニア州タイタスヴィル郊外にある油井で、新しい道具と直感を頼りに、初めて石油を掘り当てることを目的に掘削を行った。大佐のパートナーは塩井の掘削家だった。当初は掘削された石油は馬で牽引させるか鉄道で市場へ輸送しなければならず、石油がこぼれ落ちるリスクがあった。しかし最終的にこの問題も鉄鋼が解決した。パイプラインによって産出地から消費地まで石油を安全に輸送できるようになったのである。*

ピッツバーグは石炭に鉄鋼そして石油がすべて揃う世界的に重要な都市として立ち現れた。最

＊　パイプラインが破損することはめったにないが、破損した場合、漏出する石油の量は膨大になる。鉄道の貨車からは漏出することは多いが、その量は小規模におさまる場合が多い。したがって、どちらの輸送方法も完全とはいえないが、パイプラインの方が比較的に安全で全体的なリスクも小さい。

も有名な鋼鉄王のひとりがアンドリュー・カーネギー。慈善活動として図書館や美術館、大学に莫大な寄付をしたことから、今日でもその名は広く知られている。カーネギーの会社は最終的にはJ・PモルガンがUSスチールとなった。USスチールの本社はいまもピッツバーグにあり、かつては世界初の売上高10億ドル企業だった。ピッツバーグのNFLフットボールチーム名がスティーラーズというのもご当地の特産品である鉄鋼に由来する。鉄鋼によってボイラー、圧力容器、内燃機関といった熱を運動などの出力に転換する新しい装置が製造された。木材などの資材では燃焼しやすく燃焼時の高温高圧下で破壊してしまうので、高性能機械には向かなかった。頑丈な金属製の内燃機関の登場によって自家用車による大量輸送が実現した。その結果石油の需要はさらに大きく増大した。石炭と鉄鋼が超大富豪起業家たちを生み出したわけだが、石油は、石炭より小規模な設備で生産でき、多種多様な採取法があり、石炭や鉄鋼より大きな富を生み、さらに大きな中流階級の登場を準備した。

トランジスタ、マイクロ・プロセッサそして情報の時代

石炭によって鋭利ですぐれた道具が製造され社会は一変した。さらに石油と天然ガスによってプラスティックなどの化合物が生産され、再度社会は変貌をとげた。そして電力の登場により製造と情報処理および保存のための洗練された道具が生みだされると、変化の速度が加速されたようだ。ハイテク産業は電気なくしてあり得ない。ハイテク産業は現代的な産業部門だからこそ、エネルギーの最新形態が必要になる。世界の中でも現代的形態のエネルギーを利用できない地域

では、こうした現代的産業部門は生まれない。ＩＴ部門やＩＴ機器はたとえば薪を燃焼させるだけでは稼働できないからだ。

情報時代の中心にあるのがトランジスタだ。この小さな部品が発明されたのは１９４７年、ベル研究所でのことだった。わかりやすくいえばトランジスタは電気的なスイッチで、オンとオフを切り替えられる。この電気的なオンとオフの状態を利用すれば、１をオンに０をオフに対応させて２進数を表現できる。トランジスタを並べて使えば２進数の桁つまりビットを増やせ、トランジスタをうまく組み合わせれば集積回路（抵抗やコンデンサなど複数の部品をひとつのチップに埋め込んだ電気回路）とマイクロ・プロセッサの土台となる。マイクロ・プロセッサを用いるとあらゆる機能を自動化できる。最初は、手計算では面倒で時間がかかりすぎる複雑な数学の問題に利用された。今日ではマイクロ・プロセッサは数学以外にも無数の計算機能を引き受け、コンピューターのモニターに特定の色を表示することや装置の制御に用いられている。最初のころはエキゾチックなテクノロジーにすぎず実験室で関心が持たれるだけだったが、今日では電子機器や電気製品にも埋め込まれている。スマートフォン、自動車、ビデオゲーム用コンソールの操作にはどれもマイクロ・プロセッサが必要になる。また今では電球などの受動的器具にも小さなマイクロ・プロセッサが組み込まれていて、遠隔操作や人感センサー機能をもち、照度調節が可能になっている。

これらの道具は今では広く普及していて、電気で可能になった指先だけで利用できる情報のない生活など考えられない。情報テクノロジーのブームは、かつての石炭や鉄鋼、石油のブームの時と同じように富を生み出した。現代版の億万長者、IT億万長者に名を連ねるのは、ビル・ゲイツ、ビル・ヒューレットとデイヴィッド・パッカード、スティーヴ・ジョブズなどなど、みな電気で動作するマイクロ・プロセッサを使ったコンピューターで財をなした面々だ。この現代的な富の創造の波を支えているのが電気で動作するトランジスタだが、これはちょうど石油を動力源とした内燃機関や石炭で稼働した工場が創造したかつてのブームとそっくりだ。USスチールは世界最初の売り上げ10億ドル企業だった、そしてアップルは世界初の1兆ドル企業となった。

　世界のIT産業が必要とするエネルギーは莫大だ。データセンターのサーバーラックにならぶコンピューター群とその冷却に必要な空調を稼働するには、国内の消費電力の約2パーセントが必要になる。[6] データセンターのサーバーラックは、一見すると書類用のオープンキャビネットのようにみえるが、上から下まで高速コンピューターが詰め込まれていて、ラック1台で消費する電力は近隣住宅全体の消費電力に等しい。データセンターやサーバーファームにはこうしたラックが何百台も整然と並んでいる。これらのマイクロ・プロセッサは動作時に大量の熱を放出するため、空調で温度を下げなければならず、さらに大量の電力が使われる。

　情報とエネルギーのつながりは興味深く、矛盾をはらんでいる。情報が（データセンターの存在により）エネルギー集約的になるにつれ、エネルギーも情報集約的になる（スマートメーターやセンサーなどエネルギー部門を監視する装置から付加的なデータが得られるため）。また皮肉なことに電力システムは巨大で中央集中的な石炭火力発電所から、小規模な分散型屋根上ソーラーパネルや補助発電機に移行しつつあるというのに、情報はその逆で（デスクトップに保存する）

分散型から（クラウドを介した）中央集中型に移行している。

電力によって情報経済が実現すると、起業家が富を得ただけでなく、市場が効率的に運用されるようになり、経済全体にわたる費用が削減された。その連鎖的な効果は非常に大きい。

さらに電力は新素材と新たな道具の可能性を開いた。たとえば現代の電気によって、わずか1原子分の厚みのグラファイト、グラフェンが生産できる。このグラフェンがそれまでにない頑丈かつ軽量の新材料への道を開いた。それらの新素材はスーパーキャパシタなどの蓄電装置や少ないエネルギーで移動できる軽量な装置、そして効率的な電機部品の製造にも利用される。また電気は精密な溶接や切断、アブレーション用（たとえば金属の加工や手術で組織を除去するために使う）のレーザー光を生成する。昔の製鋼工場では石炭を燃焼した熱を利用していたが、現在では電気を用いたアーク炉で鋼鉄を溶解する小規模な製鉄所に置き換わりつつあり、省エネとともに高性能化を達成している。

決定的なのは電気で実現した3Dプリンターで、製造の世界を変革しつつある。工作機械はあらゆる機械の製造に利用されるため、機械の源と考えられている。旋盤やボール盤、フライス盤によって才能のある機械工作工なら金属の塊を回転させて高度な部品を製造できる。航空宇宙産業も自動車産業もこうした機械加工なくしてはあり得ない。機械加工というのは本質的に引き算だ。彫刻家なら巨大な大理石の塊を自分の望みの形に彫りとる。それと同じように機械工作工は金属の塊から穴あけや切削、シェービング、フライス削りで不必要な部分を除去する。3Dプリンターの革命的なところはその加工が足し算だからだ。大きな材料を用意しそこから余分な部分を削って小さくしていくのではなく、加法的工作の場合は粉末を用意してそこからお望みの３Ｄ物体を作り上げる。加法的工作を利用すると機械加工では不可能な部品でも作り出せる。３Ｄプリンターなら内部にらせん状の階段のある城も工作できるが、これは伝統的な機械工作の手法では不可能だ。３Ｄプリンターには大量の電気が必要だが、装置が小型なので顧客の近くに配置して製品の輸送コストを下げることができる。それどころか３Ｄプリンターはもっと安価になり、家庭で印刷するだけで製品が手に入るようになるだろう。化石燃料は匠の技による特注品の時代から、製品ごとのばらつきが少ない高品質な大量生産へとわたしたちを導いた。そして３Ｄプリンターは特注と大量生産を合体させ、大量生産《マスプロダクション》に変わるマス・カスタマイゼーションを提供する。エネルギーと技術革新、製造がすべて密接に結びついていて、この結びつきから富と雇用が生まれることがわかる事例のひとつだ。

エネルギー産業の雇用

　エネルギー部門が発達し世界経済の大きな部分を占めるようになると、工場や農場などの単純労働より賃金が高いひっぱりだこの雇用を生み出した。エネルギー部門は当初から大きな雇用先だったため、政策プランナーや政治家にとって経済政策面で魅力的な部門となっている。また労働者の権利闘争の多くが展開する資本集約型部門でもあって、エネルギー部門は労使間の緊張が火花を散らす戦場のようにもなっている。そのため炭鉱や電気工事、石油・天然ガス生産に関わる業種では労働組合が強い。興味深いことに、ソ連時代の独裁者ヨシフ・スターリンもバクー油田の労組書記長としてキャリアをスタートさせている。

現代のエネルギー部門は世界中で2000万人以上を雇用している。再生可能エネルギー産業だけでも1000万人近くが雇用されていて、アメリカの石油・天然ガス産業だけで200万人の雇用がある。[7] エネルギー部門の労働者の数にはウィンドファームや炭鉱、石油と天然ガスの掘削現場で直接働いている者、ガソリンスタンドで雇用されている者、エネルギー部門に関わる特殊機械装置の製造業、建設業者、そして弁護士や銀行家、研究者などの関連業種も含まれる。資源を利用可能にしつつ人々に雇用も提供するエネルギー部門の能力には魅力がある。政治家が大規模エネルギー開発プロジェクトを推進するのが珍しくないのも、経済を刺激できるからだ。

大恐慌の間に大統領を務めたフーヴァーとルーズヴェルトは雇用を増やしたかった。ルーズヴェルトは公共事業促進局（WPA）を、ビル建設や州立公園の歩道建設など、今も残る多くのインフラを整備する公共事業により雇用を創出する投資手段と見ていた。こうしたインフラのなかに、多目的巨大ダムの建設もあった。ダムによって灌漑をはじめリクリエーション、内陸航行そして発電が可能になる。またアメリカ東部では洪水災害に悩まされ、流域計画担当者はなんとか暴れ川を治めて犠牲者と災害リスクを減らしたかった。同時にアメリカ陸軍工兵隊などはさらなる経済成長を求め、内陸水路でバージを使った貨物輸送を展開し商業活動を促進したかった。半乾燥地帯の西部では土壌は肥沃だが乾ききった作物に灌水する灌漑用水が何としてもほしかった。当時ダムの発電は、電力販売でダム自体のコストを補う理由で設置する補足的なものととらえられていた。それが現在では水力発電は世界最大の再生可能電力源となっている。

ダムの建設中は多くの労働者を雇用するため、その間経済は活性化した。フーヴァー・ダムは、フーヴァー政権下の1931年に建設が始まり1935年に竣工、建設だけで2万人以上を雇用した。そして灌漑用水が農産物生産を介してもうひとつの経済活性を生んだ。その他のダムでは、閘門を連ねた運河を建設することで交易が促進され、輸送費用が下がったことでやはり経済が活性化した。その後安価な電力が利用できるようになると、ダムによる最後の経済活性化が生じた。こうしたことから水力発電ダム開発は政治家にとって極めて魅力的な開発事業に映った。建設時にはすぐに経済が活性化し、その後はダムの機能から得られる便益により経済的刺激が継続した。

1920年代のアイルランドでは、シャノン川に同国の電化を進めるための巨大水力発電所計画がもちあがり、アメリカと似たような現象が起きようとしていた。85メガワットの発電所では現代の基準からみると大したことはないが、当時このプロジェクトはアイルランドの国庫歳入の20パーセントに及ぶ大事業だった。[8] このプロジェクトは何千人もの労働者を雇用し、世界初の全国電力網を構築するきっかけとなった。シャノン・スキーム（シャノン計画）が正当化された理由は、その経済的影響力もあった。1927年にはこのプロジェクトに対する国民意識を高め、大きな支持を得ることを目的とした広告が制作され、そこにはこのプロジェクトが9万馬力を生み出すと記されていた。さらに広告は次のように謳った。

アメリカの労働者は世界で最も豊かだ。なぜなら彼は人間の奴隷30人分に相当する平均3

馬力を手にしていて、それが生産を助けているからだ。

なるほど彼は少ない労働で他の土地の労働者より多くの賃金を得ている。彼は労働者ではなく、機械の管理者なのだ……

シャノン電力は人間の両肩に載っている重労働を、鉄製の機械の肩に載せ替えてくれるだろう。[9]

アイルランドの人々にとって、この水力発電ダムは、電気モーターにより高い生産性を誇るアメリカの労働者に追いつく手段だった。経済を現代化し雇用と富の創造に期待して、同じような物語が他の国でも繰り広げられた。東南アジアでは、大きなダムがその傷跡を残してきた。そのひとつは1年のある時期だけ流れが逆流することで有名なトンレサップ川の流れに影響を与えた。エジプトではナイル川のアスワンハイ・ダム建設の際に古代遺跡の移転が必要になり、ナイル川における砂（シルト）の堆積分布パターンにも影響を与えた。もうひとつのダムプロジェクトは流量が世界第2位の大河、コンゴ川に現在建設中のダムだ。予定では全体が完成すると40ギガワットという発電量になり、世界が傾くといわれる中国の三峡ダムの2倍の発電量になる。しかしこのグランドインガ・ダムも、アメリカや中国のダムと同じように、数万人を移住させ、生態系にも影響を与えその傷跡は永久に消えなくなるため、論争になっている。開発側は、このダムによって多くの人が雇用され、アフリカ大陸の電化を促進し、継続的に多くの経済便益を生み出すことを期待している。こうした便益が費用を上回るかどうかははっきりしないが、コンゴでは汚職の長い歴史があることから、その便益が人々に回らないのではないかという懸念もあって、このプロジェクトは中断されている。

フーヴァー・ダムが竣工して75年近くたったアメリカでは、2008年に始まった経済衰退期グレート・リセッションに揺れていた。そして再び経済復興と雇用の道具と目されたのがエネルギーだった。バラク・オバマ大統領は将来数十年継続して便益が得られるように、雇用を促進できるエネルギー・プロジェクトへの数百億ドルの投資を含む経済刺激策を推し進めた。こうした投資のターゲットは風力や太陽光といった再生可能エネルギー、家庭の電力消費を管理するスマートメーターの設置、電気自動車用のバッテリー製造、家屋の断熱性の改善、原子力そして大気汚染物質の排出を抑制した石炭利用技術のクリーンコールだった。

エネルギー部門は他の産業部門とならび、確かに一大雇用創出産業である。しかしエネルギー部門は他部門から雇用を奪う一方で、自らも雇用消失の憂き目に遭うこともある。現代エネルギーとそのエネルギーで動作する機械類は、社会の食を賄うために必要な農家の数を減らし、材木生産に必要な木こりを減らし、馬の飼育、調教に必要な調教師の数を減少させた。エネルギー利用が普及するとエネルギー部門の雇用も減る。炭鉱業界はピーク時の1923年には86万3000人を雇用したが、その後100年にわたり雇用者数は減り続けた。ところが1970年代に石油危機で火力発電所が石油の利用に慎重になり、連邦政府の政策により新設火力発電所での天然ガス利用が禁止されると、炭鉱での雇用が急増した。その結果、80ギガワット以上の石炭火力発電所が建設され、石油危機がなければそんなことにはならなかっただろうが、とにかくその石炭の需要は急増し、それに合わせて炭鉱業界の雇用も急増した。しかし炭鉱が大きくなり装置も大きくなると、炭鉱業界の雇用者ひとりあたりの生産量は拡大を続け、結局その後間もなくすると再び雇用は減少した。山頂除去採掘法のような露天掘りは、生態系に傷跡を残す。特にペンシルヴェニア州、ケンタッキー州そしてウェストヴァージニア州にまたがるアパラチア山脈のような山地帯の場合その影響は途方もないのだが、まさにそうした地域でこの露天掘りが蔓延している。大量の機械を動員して地下の石炭層に達するまで山の表面を削り取ってしまうのである。１台の機械だけで数多くの炭鉱夫の作業を肩代わりできる。[10] 現在ではコンピューターによるアルゴリズムとデータ分析により、その機械類はさらに生産性を上げている。つまり石炭によって発電された電力が新型機械とマイクロ・プロセッサを出現させ、それによって石炭業界は自らの雇用を縮小させることになった。

健康

見方によっては富の究極的なかたちは心身の健康にあるといえるだろう。豊かな社会の本質は、社会が自由であり、人々が健康で長生きできることにあるからだ。

エネルギーを利用することで健康管理は様々なかたちで向上する。ひとつはエネルギーを利用して水を加熱すれば簡単な浄化と殺菌ができる。病院によっては洗濯物や医療機器の殺菌や洗浄にエネルギー集約的な蒸気システムを設備していることも珍しくない。衛生状態を維持することで感染のリスクは減少する。１７６１年、パリの銭湯代は約３ポンド。ところが職人の日給は半ポンドだった。つまり銭湯に入るだけで6日間働かなければならなかったのである。[11] 現代のエネルギーと水道網を利用すれば、人々の衛生にかかる費用を抑えることができ、今ではかつてより頻繁に入浴しても月額費用はずっと安くなっている。

衛生と殺菌状態が悪ければ命を失いかねない。ヴィクトリア朝時代のイングランドの手術について、その科学的真実を伝えるリンジー・フィッツハリスの著書『ザ・ブッチャリング・アート(*The Butchering Art*)』でおぞましいほど詳細に描かれているように、当時の病院はデストラップつまり非常に危険な場所だった。患者は手術に耐えられたとしても、術後の回復中に感染症で死ぬことが多かった。手術の成功率が向上したのは、ジョゼフ・リスターという温和なクエーカー教徒の医師が淡々と筋道を立てて細菌と殺菌の重要性を世界に示してからのことだった。リスターのブレイクスルーにより消毒薬製造業界は活況にわき、ある進取的な企業はこの医師の名にちなんで商品名をリステリンとした。

リスターが消毒薬として好んで用いたのがフェノール、つまり石炭酸だ。フェノールは最初はコールタールから製造されていたが、現在は石油から大規模に(年間1000万トン近く)生産されている。フェノールは今では喉の痛み用スプレーのクロラセプティックやリップバームのカーメックスなど多くの薬剤の前駆物質となっている。こうして化石燃料によって健康管理と医療の質が改善された。

石油から医薬製品を製造する現代の方法は、古代からの伝統でもある。動物や人間の薬としてオイルは何千年も利用されてきた。皮膚の痛みを緩和する軟膏も長年利用されている。最初に石油が生産されたのは1850年代のペンシルヴェニア州タイタスヴィルで、医療用のロックオイル（石油）を得るのが目的だった。スタンダード・オイルの1900年代初頭の広告は、石油製品の医療面での価値を大胆に主張している。また「石油ゼリー」など市販の健康製品の商品名からも、医薬品の起源が石油化学製品に由来することがわかる。いまも医療薬剤が天然ガスや石油由来の化合物で生産されることに変わりはない。

現代的エネルギー形態が利用できるようになったことで手術は他にも改善された点があった。ヴィクトリア朝時代の手術室は換気が不十分で照明も暗かった。蠟燭の明かりの下で手術を行うことはよくあることだったが、明かりは薄暗くちらつくうえ、動く影が正確な施術を妨げたことは間違いない。医師は患者をよく観察したいあまり危険なほど蠟燭を患者に近づけることもあった。患者はその蠟燭から滴り落ちる熱い蠟にまみれるという屈辱を味わわされるのも珍しいことではなかった。照明の別の選択肢としてはスカイライト（天窓）からの自然照明もあったが、それも一日中使えるわけではなく、しかも天候次第だ。また暖炉やオイルランプもあったが、こちらは蠟燭と同じように煙を出すので、手術室の無菌状態が汚染され、手術中の患者の健康を損なう可能性があった。[12] 煙を出さず明るく安定した電気照明と換気扇が発明されたおかげで、医療は大いに助けられたのである。

現代のエネルギーを利用して、鋼鉄製の鋭利な手術用メスや、掃除が容易で清潔に保てる不活性で簡単なプラスティック製デバイスなど、すぐれた道具も生産された。そしてついにはX線や磁気共鳴映像（MRI）装置、超音波、核医療といった高度な診断装置が電気によって可能になり、医師は皮膚の内側にある身体内部を観察できるようになった。さらに目の手術に使うレーザーや（切開の大きさを最小化できる）手術支援ロボットなどの新しい手術道具によって手術の精度も向上した。

現代医療が電力の利用に大きく依存していることは、2017年にハリケーンがプエルトリコを襲ったとき、停電により質の高い医療を提供できなくなったことで思い知らされた。こうしたリスクを最小化するために、多くの病院では非常用電源システムが設備されている。

女性解放

経済にとって特に重要だったのは、家電製品によって女性が家事の苦労から解放され、家事以外の仕事に就けるようになったことだ。20世紀中頃に二度目の女性解放の波が起きた時、同時にミキサーや電気掃除機、食洗機、洗濯機などの電化製品が登場し、家事で奪われる時間は大幅に減少していた。その結果女性は多くの機会を得、おそらくもっとやりたいことが見つかり、家事以外の仕事もするようになった。現代的なエネルギー形態、この場合は電力を利用できるようになったことが、新しい家電製品とともに、一般に理解されている以上に女性の権利という大義を支援したということではないだろうか。

では世界中の女性にとってエネルギーにはどんな意味があるのだろう？　サハラ砂漠以南のアフリカや東南アジアの何百万人もの女性は、作物の世話をし、水汲みや薪を採取するために1日何時間もかかる辛い労働を強いられていた。そのため農場を離れて教育を受ける機会も、職に就いたり新しい事業を始めたりする機会も得られなかった。数十年前のアメリカで、現代のエネルギー形態が女性の自由を向上させたのと同じように、エネルギーは世界中の女性に自由をもたらすだろう。エネルギーは環境や国家安全保障だけでなく、女性の権利獲得にも大きな役割を果たせる。

家電製品が女性を解放するというイメージはポップ・カルチャーにも見られた。有名なカントリー歌手でソングライターのロレッタ・リンは自らの作品で女性に立ちはだかっていた壁を打ち破り「炭鉱夫の娘」を発表、同名の自伝を執筆し映画「歌え！ロレッタ愛のために」にもなった。映画ではシシー・スペイセクがロレッタ役を演じている。１９８０年の映画館に映し出されたのは、わずか数十年前まで男には炭鉱以外に働く選択肢はなく、女性には選択肢など考えられない時代だったこと、そんな中で消滅しつつある炭鉱コミュニティーが奮闘する様子だった。現代の炭鉱の町ならどこでも抱えている問題で、アメリカで炭鉱の雇用がピークを迎えた１９２０年代以来続いてきた光景だ。

ある重要なシーンで、ロレッタ・リンは洗濯機を手に入れる。その洗濯機で服を洗っている間、リンはポーチに腰を下ろして音楽の練習をする。リンは若い母親として忙しく働くかたわら、この新しい家電製品のおかげで歌を書き練習する時間ができた。２０１６年に公開された子ども向けアニメ映画「ＳＩＮＧ／シング」でも同様のシーンが出てくる。リース・ウィザースプーンが声優を務める母豚が、ひしめく子豚たちに料理を出し、皿を洗う自動機械を発明し、歌手になる自分の夢をかなえる時間をひねり出す。この２本の映画はなぜ家電製品が女性を解放するという同じプロットを映像化したのか？　それが現実に根ざしたものだからだ。

前に紹介したシャノン川水力発電プロジェクトでさえ、プロジェクトの恩恵を最も受ける利害関係者は女性であることを理解していた。１９３０年代、電力供給公社は女性にターゲットを絞った広告を立て続けに制作し、シャノン川プロジェクトへの支持を誘った。事実上女性が家庭の意思決定者として重要であることを認めていたのである。[13] そんな広告のひとつは太字で「勇敢な女性」と見出しを打った。現代女性にとって新しい支援役となる電力の重要性を説明する文章が続き、最後に女性たちに家庭に電気を引くよう求めている。電力によって家事を短時間で済ませ、余暇時間が増やせると訴える別の広告でもやはり電気を引くことが強調されていた。

第一章でも取り上げたコロンビア川沿いのダム開発では、事業を推進するため１９３９年にボンネヴィル電力局が「水力《ハイドロ》」と題するドキュメンタリーを制作した。家電製品によって女性が家庭で得られる様々な便益を示し、「電化住宅でもっと自由で豊かな生活を」[14] とその長所を積極的に訴えた。一連の広告の中には身なりのよい幸せそうな女性が、明るい電気照明の下でさりげなく読書をするイラストが描かれたものもある。この広告を通して、家電製品により「主婦が無駄に背負わされてきた家事労働から解放され、健康を害するほどの疲労も減り、自由に休みを取り読書をし、人生の真の満足感を得る」姿を見ることができる。この広告は家電製品によって女性の家事が減り、様々な活動に取り組めるようになることを率直に主張している。また１９３０年のクリスマスに合わせた広告ではプレゼントには電気製品をと訴えている。クリスマスの贈り物を包んでいる身なりのよい女性が描かれ、さらに広告には彼女やその友人に向けた贈り物の提案がリストアップされている。電気ヒーターや電気アイロン、電気トースターそして電気ケトルなど、女性が欲しいと思う家電製品ばかりだ。

エネルギー慈善活動、民主主義、グローバリゼーション

エネルギーは貴族などごく少数者が富を得るのではなく、もっと多くの人々に繁栄をもたらすので、民主化を進める力となる。富の民主化はどこでも起きたわけではなかった。イランやサウジアラビア、ロシアといった国々では富の集中が起きている。南北朝鮮の著しい違いを見れば、そのことがいっそうよくわかる。衛星写真を見ると東南アジアの都市は夜でも輝いているが、これは電気照明を利用しているからだ。それと対照的なのが北朝鮮で、首都の平壌以外は真っ暗だ。つまり人々がエネルギーを利用できる国は、利用できない国より自由な社会といえるだろう。

アメリカでは20世紀になってエネルギー消費と中流階級がともに増加したが、その理由のひとつはエネルギー生産によって得られる富が、より多くの地主やエネルギー会社の従業員に配分されたからだ。国が違うとこのエネルギー物語の筋書きも変わってくる。たとえばエネルギー企業を国営化しているロシアやサウジアラビアといった国々の歳入は、エネルギーの輸出に強く依存している。対照的にアメリカでは、歳入の大部分は税収だ。「代表なくして課税なし」というスローガンは１７００年代後半の革命時代にイギリスからの独立を促す呼びかけとなったわけだが、今日ではその逆の「納税なくして参政権なし」が妥当だろう。アメリカなら政府はその機能を市民の納税に依存しているのだから、政府は最終的に有権者に対する説明責任がある。ところ

が納税ではなく石油による歳入に依存する国々の政府は、アメリカと比べて市民に対する説明責任を果たさない。そこから自由を抑圧するリスクが生まれる。またこうした国々ではエネルギー価格が暴落すれば、経済的な破綻をきたすリスクを負っている。２０１５年に石油価格が大暴落した結果、ロシア、ベネズエラそして中東の石油生産諸国はみな支払いに四苦八苦した。アメリカのように歳入の中心が税収の国々では、財政が石油価格にそれほど左右されるわけではないが、それでもエネルギー価格は経済にとって重要だ。エネルギー価格が下がればエネルギー集約型産業でエネルギー消費と生産が進むため、国にとっては経済の活性剤となる。逆にエネルギー価格が上昇すると、エネルギー部門への資本投資が進む。したがってアメリカのような国にとっては、多少エネルギー価格が上がっても下がってもそれほど問題にはならない。

エネルギー産業から多くの慈善活動家が輩出したことは、劇的に急増した富が生み出した恩恵のひとつだ。20世紀の有名なアメリカ人慈善活動家の多くは、エネルギー産業かエネルギーに関連する産業で身を立てている。カーネギーは鉄鋼で財をなしたわけで、石炭というエネルギーが彼に運をもたらした。今日でも大学や図書館、研究所の名称にカーネギーの名が残されている。

ハワード・ヒューズは父親がドリル・ビット会社（現在のベーカー・ヒューズ社）を経営する裕福な家庭に生まれ、自らもトランス・ワールド航空や映画プロダクションを経営しさらなる富を築き上げた。世界長者番付で1位になった時期もあった。晩年には強迫性障害を患ったが慈善活動家としても活躍し、非営利のハワード・ヒューズ医学研究所を設立した。２０１７年時点で基本財産は１８０億ドルで、アメリカ第2位の規模の慈善団体だ。また医学研究や団体に毎年

10億ドル以上の助成もしている。

他にもよく知られた賞や慈善活動家がいる。たとえばゲティ家はゲティ・オイル社で財をなし、ロサンゼルス湾を見わたせる場所に歴史に残るゲティ美術館を建設した。また偉大な科学的功績をあげた者に授与されるノーベル賞は、ノーベル家が基金を提供している。そのノーベル家もダイナマイトなど石油産業向け製品で富を得た。

しかし最も重要な慈善活動家といえばジョン・D・ロックフェラーだ。彼と特に息子のジョン・D・ロックフェラー・Jrが、財団などを通じた慈善活動の新しい体系的システムを確立した。ロン・チャーナウは著書『タイタン――ロックフェラー帝国を創った男』で、ロックフェラーはいつも寛大に寄付をしていたことを明らかにしている。とても貧しかった時でさえ、バプティスト派信者としてしつけられたこともあって、収入の10パーセントを慈善活動に充てていたという。原油から精製した石油の販売で富を得るようになると、その慈善活動の規模も大きくなった。そして内燃機関用のガソリンを販売するようになり、さらに大きな利益を得ると、ロックフェラーの富と慈善活動の規模はさらに巨大化した。ロックフェラーが世界一の大富豪となった時の慈善活動は、伝説的なものとなった。しかし同時代の著名な慈善活動家と比べると、ロックフェラーはビルディングや施設に自分の名を冠することは好まなかった。ロックフェラー家の家長は慈善活動とは人を呼び寄せるようなものでなく、謙虚さを表現するものと考えていたからだ。彼の名が冠されている場合、それは息子の仕業だった。慈善活動家がみなこの家長のやり方を見習えばよかったのだが。

ロックフェラーが大富豪になった理由のひとつは、石油産業がグローバル市場を得たからでもある。エネルギーは独特な存在で、たとえば原油はあらゆる国で売買されるグローバル商品であるとともに、グローバル市場を導くものでもあるからだ。エネルギーは商品の輸送に使われるが、輸送される商品のひとつでもある。世界貿易は経済的効率性をもたらし世界の隅々にまで便益をもたらすなど多くのよい側面はあるが、否定的な側面もいくつかある。

現代経済そして莫大な富の創造は、安価で信頼性の高いエネルギーの利用に依存しているため、エネルギーが不足するかオイルショックが起きれば、経済には大きな打撃となる。後者には様々な形態がある。2008年には石油価格が急騰し、世界的経済不況の引き金となった。アメリカではガソリン価格が2倍近くまで跳ね上がり、ガソリン代かローンの支払いかの選択を迫られる消費者も出てきた。通勤に自動車が欠かせないアメリカではたいていガソリンの方を選び、ローンの支払いを先延ばしにしたため、例の住宅ローン危機の引き金にもなった。

1980年代中頃に起きたオイルショックは逆に石油の暴落によるもので「逆オイルショック」とも言われた。サウジアラビアが世界の石油市場を原油で溢れかえらせたため、石油価格が暴落した。テキサス州のような石油産出州では、石油価格が暴落すると多くの石油生産者が破産し、大量の失業者が出る。多くのローンは石油資産が担保になっていて、石油価格が暴落するとその資産価値がなくなるため、銀行が倒産し始めた。貯蓄貸付組合という住宅ローンに特化した小さな銀行が何万行も破綻し、全米で銀行倒産のドミノ現象が起きた。この経験から、将来石油価格が暴落した時に同じような結果になることを避けるため、貸付審査が厳格化された。

2014年後半にも石油価格の暴落が始まったが、かつてほど大きな問題にならなかったのは、この貸付審査の見直しが功を奏したということなのかもしれない。

全体的にみれば石油価格は暴騰しても暴落しても問題が生じ、そこから生まれる経済的リスクは、産油国が石油価格を戦略的に利用し消費国を揺さぶる道を開いた（石油戦略について詳しくは第六章「安全保障」を参照）。

エネルギーが経済にもたらす影響力を考慮したうえで、エネルギー消費と環境への影響を抑えながら、どうすればすべての人が快適な住まいや移動の自由、情報へのアクセスが得られ、肉体労働からも解放され、豊かに生きられるようになるのか、それが現在の人道的課題だ。こうした課題の解決に向けた基本的な方法がいくつかある。第一に、同じ作業あるいは機能を実現するなら効率の高い方法を選ぶこと。たとえば高効率のエアコンや冷蔵庫、断熱性能の高い窓、燃費のいい自動車を利用すれば、少ないエネルギーで食品を保存し、室内温度を安定させ、人々や商品を輸送することができる。第二に装置類の利用をなるべく減らす生活習慣を推進すること。たとえば部屋を出る時には照明を消し、通勤には公共輸送機関を利用する。第三に、クリーンなエネルギーを利用することだ。省エネによりエネルギー消費を削減したうえで、エネルギーをよりクリーンな方法で利用できるなら、環境への影響を削減できる。たとえば煙突や排気管に浄化装置を設置して汚染物質を大気中に放出する前に除去してもいいだろう。あるいはもっとクリーンな別の形態のエネルギーを利用してもいい。

こうした方法が決定的に重要なのは、エネルギーを利用できるようになることで豊かになれるとしても、汚染を発生するエネルギーを過剰に利用すれば貧困化を招くことになるからだ。空気と水が激しく汚染されれば、そのうちに経済的損害は莫大なものになる。中国では大気汚染によって何百万もの人々が早死にしている。そしてそれ以上の人々が大気汚染に起因する喘息などの病気を患い、病気にかかった家族の面倒を見るため、仕事が手につかなくなっている。こうした大気汚染による犠牲者や病気休暇の発生は経済にも影響が及ぶ。さらに汚染による生態系へのダメージは、観光や狩猟、漁業そして木材産業の利益を圧迫する。現代的なエネルギーを利用できない「エネルギー貧困」にある人々にとって、エネルギー利用の推進は明らかに豊かな生活につながるが、すでに豊かな社会にとっては、環境汚染の原因となるエネルギー形態を野放図に利用することは、経済成長を阻害することになる。

第五章　都市

世界人口は過去50年間で35億人から70億人以上へと倍増している。こうした人口増と足並みを揃えるように世界経済も成長してきた。人口が増加すると、人々は新しい生活スタイルを求めて農村での生活を捨て都市を目指すようになる。こうした傾向はほぼ１００年にわたって継続し、現在アメリカにおける農村地域の居住人口は全体の20パーセント以下だ。中国ではおよそ45都市で人口が１００万人を超え、さらに増加を続けている。

これらの都市はエネルギーを基盤として成立している。現代的なエネルギーがなければ、現代的な都市など想像することもできないだろう。都市の屋内空間は照明や室温、湿度がエネルギーを使って制御され、快適に過ごせるようになっている。空に高く伸びる居住密度の高い高層ビルの建設にもエネルギーが必要だ。さらにこうした高層ビルでの生活を可能にし快適にするための照明やエレベーター、給水ポンプにも電力が欠かせない。

また都市では商品や食糧を都市外部から取り込み、廃棄物を都市の外へ排出する輸送機関にも依存している。だからエネルギー密度の高い石炭や石油などの新燃料が現れたのと同時に産業革命が起き、それと足並みを揃えるように巨大都市が出現したのにも納得がいく。新しい都市の物語は新しいエネルギーと並行して展開するのである。都市が発展すれば、そのエネルギー・システムも進化する。エネルギー形態の進歩によって新しい都市ができるのか、それとも新しい都市が新たなエネルギー形態を生み出すのかはわからないが、両者の間に密接な関係があることは否定できない。

都市とは本質的に人口が高密度化することであり、それを維持するには上下水道の効果的な管理と集中的なエネルギー供給が必要になる。狩猟採集民からなる社会では、エネルギーとなる食糧や薪は分散したままなので、都市は発生しないだろう。農地で十分な食糧を栽培できるようになり、安定した水供給が得られ、密度の高いエネルギーが利用できるようになって初めて、ひとつの場所で多くの人々が食物を得られるようになり、都市が存続できるようになった。

デイヴィッド・セドラックは著書『水革命4・0（*Water 4.0*）』で、人類史は水管理によって時代を区分できると述べている[1]。安定した水管理によって食物を探し回らなくても食糧の増産が可能になると、定住型の文明が出現し、職業が専門化する。そして衛生設備と浄水処理が整うと、人口密度の高い都市が形成された。こうして水が都市の人口密度を高めたとすれば、電力は（街灯の設置などにより）都市に安全をもたらし、さらに都市を空高く拡張させることになった。

世界中の都市には人々が大量に流入し続けていて、そのため都市は世界的なエネルギー資源問題を解決するモデルとして重要な位置にある。各都市の市長や知事はこの問題を解決せざるを得ないため、中でも公害問題の対策が一段落した国では、二酸化炭素排出削減に関わるエネルギー資源問題の解決に大きな責任を負っている。[2] 2015年12月にパリで採択された気候変動の抑制に関する国際協定も、都市が重要な役割を担うことを認めている。[3] フランスの首都に1000名を超える市長らが集まり、二酸化炭素排出削減の公約を共有した。建築基準法の見直しと省エネへの投資はふたつの出発点にすぎないが、多くの都市の市長らは政府よりもずっと迅速に行動を開始することを表明した。

都市はこのエネルギー資源対策のレベルアップを積極的に図っていくことが重要だ。ニューヨークやメキシコシティ、北京などいくつかの都市は、小さな国より多くの人口を擁している。だから都市部では生活上の問題が凝縮され、ひしめき合っている。都市はエネルギー資源問題を解決する水先案内人である。なぜなら都市は解決策を素早く拡大できるため、地球の資源を枯渇させず、大気や水を汚染せず、人間の健康を害さずに生活の質をいかに高められるか、つまり快適な生活を実現する実験の場でもあるからだ。

室内照明、摩天楼そして温度調節

エネルギーが屋内生活を改善した重要なポイントは照明と温度調節だった。またエネルギーが都市生活を可能にした重要なポイントは、輸送網と高層建築の実現により高密度化が実現した点にあった。人間は暗闇ではものを見ることができないため、何千年も前から室内を明るく照らす方法が模索されてきた。松明や焚き火、蠟燭なども使われたが、時代とともに徐々に新しい照明へと移り変わってきた。裕福な家、たとえばヴェルサイユ宮殿などでは、照明は富を誇示するために用いられた。１６８８年にはヴェルサイユ宮殿の庭園を照明するために2万４０００本以上もの蠟燭が用いられた。[4] 蠟燭の原料には、非常に高価だが煙が出ないことから蜜蠟が用いられた。[5] オイルランプは、地中海ではオリーブ・オイル、他の地域では鯨油が使われることもあったが、蠟燭より明るかった。ランプとランタンは様々な発明を取り入れながら発達した。たとえば中空の灯芯や風で火が消えないようにするガラス製ホヤ、レンズなど光を遠くまで届かせる光学部品などが利用された。

　照明は必要なものだったが、当時は入手が難しかったので、驚くほど高額なものも多かった。リバタリアニズムを標榜するシンクタンク、ケイトー研究所が立ち上げたヒューマン・プログレスというプロジェクトは「かつて54分間の照明を手に入れるために必要な労働で、今では52年分の照明が得られる」ことを示し、「ジョージ・ワシントンは、一晩に5時間読書するには今日のお金で１０００ドル以上かかると計算した[6]」ことを指摘している。１８００年代に化石燃料が導入され、新しい高性能の照明、特にガス照明とその後電球が発明されると、再び世界が変わった。エネルギーが照明を可能にしたことで、人間は暗闇という足枷《あしかせ》から解放されたのである。

　鯨油は薪よりも明るくクリーンに燃えるため、特によく普及した光源だった。しかし鯨油には悪臭があり、さらに世界中が鯨油を求めて鯨を捕獲したため、１８００年代中頃以降は鯨の個体数が激減し、鯨も高価になっていた。ところがちょうど同じ頃、原油生産によって照明に新たな革命が起きようとしていた。原油1バレルからはガソリンやディーゼル、ワックスそしてタールなど多くの有益な製品が生産できた。同じように原油から生産される灯油は鯨油より明るく燃え悪臭もないため、鯨油よりはるかに優れた光源となった。さらに鯨は捕獲するために遠方まで行かなければならず高価になっていたが、灯油は近くで得られ安価なのでオイルランプの優れた代用燃料となった。著名なエネルギー歴史家ダニエル・ヤーギンは、灯油を売って世界一の大富豪になったロックフェラーを「光の商人」と呼んでいる。[7]

時を同じくしてロンドンやパリなど高度に都会化した地域では、天然ガスの供給システムが設備されていた。家庭ではパイプをつなげば天然ガスを室内照明や暖房、調理に利用できた。壁にあるスイッチを入れるとガスがランプに流れる仕組みで、着火は点火器で行った。このガス灯は明るくクリーンだったが、まだ煙が出て、時には煙と煤で室内を真っ黒にすることもあった。また時々火災の原因となる欠点もあった。電気照明は大きな進歩だった。ちらつきのない高品質の照明をもたらし、さらに煙もなく照明による火災の発生も減少した。シャノン川プロジェクトを推進するための1930年代の広告では、蠟燭やガス灯に代わる安全な照明として電気照明の利点をほめたたえ、子どもでもやけどせずに照明のスイッチを操作できるとアピールした。[8]

都市に人々が集まり密集するようになると、次に人は上へと上り始める。シカゴは摩天楼が遠景を飾る最初の近代都市だった。こうした高層ビルは現代的なエネルギーなしには存在し得なかった。また新しい高みへ到達するには、それまでの建築資材であった石材では限界があるため鉄鋼が必要となり、鉄鋼の製造には石炭が不可欠だった。かつてのビルは石材の壁でビル全体の重量を支えていた。高層ビルを建設する場合石材だと壁面が非常に厚くなってしまい、高さは

5、6階くらいが限界だった。しかしビルの重みを支えるために、石材の壁に代わってI型鋼を用いる鉄骨構造が登場したことで、さらに高層のビル建築が可能になった。

ビルが高くなったことで新たな問題が生じた。いかにして人や商品、水を高層階へ上げるかだ。20階建てのアパートで必要な水をすべて手作業で運び上げるなど想像もできないだろう。そこで電力の出番となる。電力は照明で室内を過ごしやすくしただけでなく、屋上のタンクへ水を汲みあげてくれた。一度タンクへ揚げれば水は各階の様々な蛇口へ重力の作用で送られる。

屋内の生活には温度調節も必要だった。雨風をしのぐ住まいを作ることはこれまでもやってきた。しかし寒冷な気候で生活する人々にとって、厳しい冬を生き延びるのは並大抵なことではなかった。火を扱えるようになったことは他の生物とは異なる人類の特徴のひとつだ。前にも述べたように火は調理に必要だっただけでなく、暖をとるためにも決定的に重要だった。薪や藁、牛糞、ピートといった素朴な燃料は開放型のコンロなど単純な仕掛けで熱が得られたが、煙や煤、灰が大量に発生した。人々が閉鎖的な屋内空間に移動するにつれ、高品質の燃料と暖房装置が必要になった。

暖炉は薪や石炭を燃やして熱を得る設備で、背後にレンガを積み上げて熱を室内に放射しやすくしてある。さらに煙突を使って煙を屋外に排出するようにもした。こうした暖炉にもまだ改善の余地があった。ベンジャミン・フランクリンの発明した、いわゆるフランクリン・ストーブは、燃料を効率的に利用でき室内を暖房すると同時に上面で調理をすることもできた。しかしこのストーブも後にはもっと現代的なガスや燃料油、電気を使う暖房器具に代わった。しかし皮肉なことに環境意識の高い消費者の間では化石燃料の利用を避けるため、ウッドペレットを燃料にする暖炉や暖房機器に回帰している。

ストーブは寒冷な気候なら役に立つが、暑い気候ではどうだろう？　かつてエアコンは室内での生活を快適にする贅沢な設備だった。特に風通しの悪い都市部の住宅や蒸し暑い気候ではありがたい装置だ。このエアコンの普及によりエネルギー消費が増大している。今日アメリカでのエアコンによる消費電力はアフリカ全体の総電力需要の約２分の１といったところだろう。[9] 室内の温度調節が可能になったことで様々な地域の生活はかなり改善された。さらにエアコンは工場における労働条件の改善にも欠かせないものだった。

部屋の暖房は、燃料になるものを燃やすだけで簡単に実現できたが、部屋を冷房するには熱力学の高度な知識が必要だった。冷媒とコンプレッサー、そして熱交換器をうまく組み合わせ、蒸気圧縮冷凍サイクルを用いて屋内から屋外へ熱を移動させるのである。冷蔵庫内から庫外へ熱を移動させる過程と同じだ。現代的なエアコンを発明したのは、ウィリス・キャリアという男だった。[10] キャリアは現代的な電気式空調装置（湿度制御装置付きエアコン）を１９０２年に発明し、１９１５年に創立し自分の名を冠したキャリア社で製造を続けた。空調装置は人命を救い、熱帯地域での居住性を改善し、学校や病院の機能を向上させた。[11] この技術革新の普及に一役買ったのがエンターテインメント産業だった。窓のない映画館はエアコンによってずっと快適な空間になり、映画ファンには映画館で夏の暑さもしのげると歓迎された。そして映画館は人々が初めてエアコンのありがたみに接する機会となり、普及の推進役となったのである。

エアコンが利用できれば苦痛も和らぐ。現在、温度と湿度が高い気候で生活する何億人もの人々は、気候変動によりさらに生死に関わるほどの温度に曝されることになることが予測されている。こうしたことからエアコンの需要が世界的に増加している。インドでは窮屈で風通しの悪いアパートを快適にする窓ユニットの設置数の増加にそのことが見て取れる。エアコンに対するアメリカの消費者意識も、贅沢品から実質的な必需品へと変化している。

アメリカではエアコンは室内を快適にするだけでなく、南部のサンベルト（アメリカの北緯37度以南の温暖な地域）への移住が増えるきっかけにもなった。かつてこの地域の夏は暑苦しく湿度も高いので暮らしにくかったが、エアコンによって暑い屋外から涼しい室内に逃げ込めるようになり、サンベルトの生活が魅力的なものになった。その結果、第二次世界大戦後からサンベルトの人口は着実に増加している。

現在ではエアコンが非常に普及したため、暑い時期には電力需要のピークを生む唯一最大の原因となっている。テキサス州のような土地柄では、暑い夏の午後になれば州全体の電力消費の約半分が家庭のエアコンによるもので、それが系統電力を圧迫し停電のリスクを高めている。つまり地球温暖化によりエアコンの需要も伸びたわけだが、逆にエアコンは電力を大量に消費することで地球温暖化の片棒を担いでいることにもなる。また室内から熱を除去するためにエアコンが用いている冷媒も温室効果ガスなので、エアコンの設置台数が増えれば、冷媒が漏れ出すリスクも増加し、大気中で熱を捕捉する温室効果ガスの濃度を増加させることになる。

街灯

室内照明によって暮らしは快適になり、夜でも勉強ができるようになり、工場はシフト勤務で夜間操業が可能になった。そして街灯も都市生活には欠かせなかった。街灯のおかげで都市では夜遅くまで出歩くことができ、それまではなかった「ナイトライフ」という言葉が生まれ、都市はかつてより安全になった。[12] いろいろな意味で、照明と治安は現代的な都市生活の必要条件だった。

街灯ができるまでは、夜の外出には自分で照明を持ち歩かなければならなかった。そうした時代には外国人や観光客相手の「松明詐欺」も珍しくなかった。日が暮れて暗闇の中を馴染みのない街を歩くなら有料で松明で照らしてやる、と執拗に迫る。そして路地裏に連れ込んでは仲間に襲わせていた。[13] 街灯の設置が始まると、こうしたリスクは減少し、都市はかつてより安全になった。その結果レストランや商店が夜遅くまで営業できるようになった。さらに商店ではショーウィンドーを照明し、灯りに虫が集まるように、自分の店に客を集めようとした。P・T・バーナムはこのことを学んで、灯台に利用されている照明をサーカスに用いて華々しい演出をしてみせた。[14] おそらくこの時の経験が照明への強い思い入れをもたせたのだろう。バーナムはコネチカット州ブリッジポートの市長だった時、街路にガス灯を設置することを強く主張した。[15]

街灯にはガス灯や電気照明などいろいろな形式があった。1800年代初頭、ロンドンではじめて地下のガス本管に接続されたガス灯が都市中を灯した。[16] ガス灯の点火作業はなかなか危険で、手違いがあれば爆発事故につながった。だから毎晩専門の作業員「ランプライターズ」が組織され、安全にガス灯に点火し都市に光を灯していた。今日もランプライターズが5人いて、ロンドンでかつてと同じ作業を続けている。[17]しかし世界のガス灯の大部分はより明るく、安価で火災も起こしにくい電気照明システムに転換した。

テキサス州オースティンでは、街灯といえばあの有名な送電塔のようなムーンライト・タワーからの光が最初だった。高さ約50メートルの照明鉄塔約20本が都心の周囲に配置され、そのうち17本は今も健在だ。オースティンは街灯をくまなく設置するのではなく、このタワーの光だけで広範囲を明るく照らし出した。同じようにムーンライト・タワーを設置した他の都市では、もっと細部まで照明できる方法に移行していて、オースティンのムーンライト・タワーだけが今や歴史を感じさせる珍奇な記念物として残されている。リチャード・リンクレイターの監督作品、映画「バッド・チューニング」は、俳優マシュー・マコノヒーの出世作だが、ムーンライト・タワーの下で当時の若者らしいパーティーシーンが展開する。

街灯によって都市は変貌し安全で開放的になったが、光害という否定的側面もあった。照明が容易で安価になれば、自ずと設置数が増加し、光害問題はさらに悪化した。世界中の都市から暗い夜空は消え、天の川も見えない。ロサンゼルスに住んでいた頃、夜空は明るく照らされ、そのうえ大気汚染の薄い層に覆われていて、一番明るい星座でさえ見えにくかった。ロスのスターといえば月だけだ、地上から見える唯一の天体だ。ロサンゼルスの地元でよく言われるジョークである。

妻とわたしは子どもたちと一緒に毎年新年に集まって新しい1年の目標と決意を交わす。個人的な目標や職業上の目標もあれば、家族の目標もある。たとえばまだ行ったことのないどこかへ一緒に旅行へ行くとかだ。家族の年間目標のひとつに天の川を見るというのがあった。この目標の実現には努力が必要で、つまり難易度が高い。少なくとも一晩は空が晴れるように十分な日数をとって田舎へ行く計画を立てなければならない。そうしないと天の川は見ることができない存在だった。暗い夜空の喪失はわたしたち家族の美意識に関わる問題というだけでなく、サンゴ礁やウミガメのような動物種の繁殖活動を妨げることにもなる。[18]さらに鳥類の渡りにも影響を及ぼし、何百万羽もの鳥が明るいビルディングなどの建造物に衝突し犠牲になっている。[19]これに対して環境保護活動家らは、照明を下向きにし、照明の利用を抑え、ギラギラする光をできる限り減少させて光害の影響を緩和させようとしている。野生生物に影響しないように照明の色を調整することもできる。沖合の石油プラットフォームなどの工業施設に設置されている航空障害灯の緑色の光は、鳥類の渡りへの影響を減らし、航空機のナビゲーションライトの青色の光はバードストライクを減らすことができ、また窓にはその存在がはっきりわかる色を使うことで衝突の確率を下げられる。[20]

これまで数百年間利用されてきた街灯だが、今も進化を続けるテクノロジーでもある。都市部では従来の白熱灯から、効率がよく長持ちする発光ダイオード(ＬＥＤ)への交換が進んでいる。良いニュースとしては、この交換によってエネルギー消費が減り、さらに電球は2年おきに交換しなければならなかったが、ＬＥＤは20年おきの交換でいいので経済的な節約にもなる。残念なのはＬＥＤの利用によって電球交換の仕事が減り、労働者が解雇されてしまうことだ。

照明のもうひとつの特徴は都市部に多く分布することで、人や交通の流れがあり、大気汚染と犯罪が生じる場所に集中している。そうした照明の中でもスマート照明といわれる公共照明はデータ収集が可能な照明で、都市の多くの情報を収集し、公衆衛生と治安の改善を支援する。街灯に大気汚染センサーを設置すれば、リアルタイムで精度の高い大気汚染情報が得られ、光化学スモッグ注意報を発令して注意を喚起したり、公共輸送機関や自動車の相乗りの利用を勧めるために用いられる。最近の公共的照明には音響センサーを設置したものもある。マイクロホンで銃声など異常音を感知すると、正確な発砲場所を確認しつつ救急隊員の派遣などによる迅速な対応で支援する。センサーによってはガラスが割れる音を感知でき、さらにうっかりワイングラスを落としたのか、怒りに任せてビール瓶を投げつけたのかまで判別できる。後者であればその音が喧嘩やそれより悪い事態を示す先行指標となるだろう。怒りに任せてビール瓶を粉砕した音を感知した場合には警察官が派遣されるようにすれば、その後の混乱を事前に抑えることができる。こうした方法を利用して公共的な照明は都市環境をさらに安全なものにしている。

汚染

都市は資源を外部から取り入れ廃棄物を外部へ排出している。これを都市の代謝という。食糧を取り込んでは排泄する人間の身体や個々の細胞と同じだ。[21] こうした廃棄物は一種の汚染だ。ウィリアム・クロノンはシカゴについて、この都市代謝を次のように述べている。

あらゆる生態系において生産者は太陽だけだ。生物は、とても小さな微生物からどう猛な肉食動物まで他の生物を殺して食べるという長い食物連鎖の中にあって、消費する存在だ。生物はエネルギーそのものは生産できないので、全力でエネルギーを蓄えなければならない。寛大な太陽がその恵みを十分に与えてくれない時に備え、生物はエネルギーを大量に備蓄するのである。人間社会も同じだ。穀物や木材、食肉の生産に投入される労働の大部分は、自然界の一部を消費することであり、そこから得られた富の一部を資本として備蓄しているのである。[22]

こうした廃棄物の流れ、つまり都市や都市を維持するための食糧、水そしてエネルギー・システムからの排出は、わたしたちが取り組まなければならない汚染だ。この汚染は規模も大きい。ポップ・カルチャーで数多く描写されている都市像は危険で汚い。たとえば「ブレードランナー」や「ソイレント・グリーン」などのディストピア映画で描き出された都市は過密で不潔だ。これらの都市の代謝は、都市自体の処理能力を超える廃棄物を生産する一方で、人々の健康と生命を維持するために不可欠な食糧と水も十分に得られない。都市は自ら出す廃棄物で自らの首を絞めているのである。このようにディストピア的都市像が描かれる映画もあるが、実は現代的エネルギー形態を利用した清潔な都市も実現している。ロンドンやパリなどの汚水が集中する都市では下水道システムが発達し、その後あらゆる都市の標準的な公共設備となった。またガスや電力、水も下水道と同じようなトンネル構造を介して都市全体に静かに清潔に供給されている。農村部では、環境容量に対する廃棄物の規模が非常に小さいので、都市部より管理が容易だ。

古き良き時代の清潔さに郷愁を誘われるかもしれないが、かつての都市の汚染は耐えられるものではなかった。エネルギーの消費に伴う灰と煙の排出はロンドンらしさを象徴するものでもあった。チャールズ・ディケンズは１８５０年代に分冊で刊行された著書『荒涼館』で、１８００年代初頭のロンドンの汚染と不潔さを描写している。表向きは今日でも繰り返されている訴訟で荒稼ぎをする弁護士の話だが、同時に当時の都市生活のひどい汚染状態が描かれ、ある意味で公害批判にもなっている。ヴィクトリア朝時代文学の専門家アレン・マクダフィは、今ならこの小説を19世紀中頃「新たな資源集約的な産業と経済秩序が登場した時代」に提起されたエネルギー利用と汚染に関する萌芽的な議論と読むことができる、と述べている[23]。マクダフィによると、ディケンズの作品はヴィクトリア朝小説の流れの中にあって、近代的エネルギーの環境問題と持続可能性の問題についても初めてはっきりと述べ、「無限のエネルギー生産という文化的幻想と、自然界における物質的限界との間のギャップ」を指摘した。つまりヴィクトリア朝文学は、１００年後に同じ問題に取り組むために活発になる環境運動の舞台を準備したことになる。

『荒涼館』の冒頭は次のように始まる（強調は著者）。

ロンドン……通りという通りは、さながら洪水がつい今しがた地球の表面から退いたばかりのように、泥にまみれ…煤煙が家々の暖炉の煙突から舞い降り、ぼたん雪ほどもある大きな煤のかけらを交えた、黒いしっとりした霧雨になる——太陽の死を悼んで喪服をつけたかの

ように。

どこもかしこも霧だ。テムズ川の川上も霧で、緑の小島や牧場のあいだを流れている。川下も霧。ここでは、たくさんに並んだ船のあいだや、**この大きな（そして薄汚い）都会の不潔な河岸のあたりを、**霧が汚れた渦を巻いて流れてゆく。……グリニジ海軍病院の病室の暖炉のそばで、ぜいぜい咳こんでいる老廃兵の目やのどの中へもはいりこむ……

霧の中からぼんやりガス灯が町のほうぼうに現れる。たいがいの店は定刻の2時間も前から明かりをつけている。（『荒涼館1』青木雄造・小池滋訳）

薪や石炭を燃やしていたために煤と灰で黒ずんだ空、泥まみれの通り（確実に糞尿も混じっていただろう）、そして水質汚染がこの物語の冒頭を構成している。霧への言及はロンドンを話題にする場合の常套句だが、霧が目や喉に入りぜいぜい咳き込むというのだから、それは純粋な気象現象ではなく、実際には化石燃料の燃焼による大気汚染、スモッグだったのだろう。ディケンズは街に点在するガス灯にも触れていて、日没より早めに点灯しなければならなかったと述べている。スモッグが太陽を覆い隠してしまうからだ。

通りは不潔だった。1865年の『イラストレイテッド・ロンドン・ニュース』の記事は、自治体の首脳陣には道路を清潔に保つ能力がないと痛烈に批判し、添えられた図版からそのことがはっきりわかる。[24] 泥まみれの服に動けなくなった馬車、徒歩でも馬でも行き来するのはノロノロで、どこもかしこもイライラが募っていた。さらに、あらゆる汚水や糞尿、腐敗した動物など、農村なら肥料に使えるものが、路上の泥とまぜこぜになって、旅行者や通行人は病原菌や有毒ガスまみれになっていると、記事は嘆いている。汚物は健康に影響し、咳の原因となり場合によっては命を落とすことになるとも記していた。

ニューヨーク市の通りも汚いことで有名だった。交通手段は馬車が一般的だった。今でこそ馬車はセントラル・パーク周辺で観光客向けの高額アトラクションになっているが、100年以上前にはニューヨーク中で馬車が走っていた。馬を滅多に見たことのない現代人にとって馬の力は楽しい移動手段になるが、馬の数が多くなれば、ロンドンの記事にもあったように、その糞尿も大量になる。通りに積み上がった糞尿の山は語りぐさとなったが、その臭いや光景、疾病リスクは迷惑なものだった。

道路には泥だらけにならないように丸石などの石材を敷き詰めるのが古くからの伝統だった。大きな費用がかかり労働集約的な作業だった。1800年代後半になって原油からアスファルトやタールが製造されるようになると、迅速かつ安価に道路を舗装する可能性が開かれた。しかし今度は、道路からの流水が排水問題を生み出した。道路は汚物を1か所に集めただけで、つまり汚染をなくしたのではなく、移動させたに過ぎなかった。それでも汚物を道路の隅に寄せておけば、歩行者と直には接触しなくなる。原油は道路の舗装を現実的なものとしたのと同時に、馬を輸送には不要なものとした。1バレルの原油から多くの石油製品が生産される。アスファルトとタールも重要だが、前述した灯油やディーゼル、ガソリンも重要な石油製品だ。最後のふたつの燃料は、ニコラウス・オットーとルドルフ・ディーゼルが発明した新しい内燃機関に用いられ、

1900年代前半に自動車の新たな流行を生み出すことになる。こうして道路は原油から製造されるアスファルトとタールで舗装され、清掃も容易になり、やはり原油から製造されるガソリンとディーゼルが道路上の最大の悩みの元である馬の糞尿を消し去った。

ガソリンやディーゼルで動く自動車などの交通機関に移行することで、路上からは糞尿が消え、都市は清潔になった。少なくとも最初のうちはそうだった。昨日の答えは今日の問題だ。自動車が糞尿問題をほぼ完全に根絶し、その普及が進むと排ガスが増加した。騒音も大きくなった。自動車の機械的エンジンに金属製のブレーキ、やかましいクラクションが大気汚染に匹敵する耳障りな騒音公害を起こした。都市の騒音は農村部と比べてかなりひどくなった。都市からの脱出先として農村部が選ばれる理由のひとつにもなっている。騒音は公害になるだけではない。過剰な騒音は従業員のパフォーマンス低下や日中の眠気を誘い、高血圧や循環器疾患の増加をもたらし、学生の認知能力低下など、健康にも影響を与えると、研究者は断言する。[25]

大気汚染も重大な問題だ。『荒涼館』が出版された後、数十年かけてかつてよりクリーンな燃料へ転換した後、灰があたりに漂うなど目に見える大気汚染は実質的に消えていた。しかし酸性雨の元になる窒素酸化物や硫黄酸化物など、目に見えない汚染が増加し続けていた。1950年代には排気筒や煙突からの排出は一層ひどくなり、ロンドンスモッグとして知られるロンドンの酸性霧が発生した。100年前に水質汚染が原因で起きた「大悪臭事件《グレイト・スティンク》」と対になって100年という時代を仕切るブックエンドのような事件となった。汚染に逆転層の発生が伴いスモッグの毛布が形成され、1952年12月はじめの4日間、ロンドンをすっぽり包み込んだ。当時ロンドンは冷え込んだため、市民はいつもよりたくさん石炭を焚いて暖を取った。無風状態で、汚染物質は数日間にわたりロンドンに居座った。石炭を燃やすと、汚染物質が排出され空気中に危険な濃度にまで蓄積される。当時の石炭は低品位で、現在アメリカやイギリスでよく利用されている低硫黄つまり高品位炭に比べて重量あたりに排出する汚染物質量が多かった。そのうえ蒸気機関車が水を蒸気にするために石炭を使い、ディーゼルを燃料とする赤いロンドンバスが運行すると汚染はさらに悪くなった。

視界も利かず、1メートル先を見るのがやっとだった。またスモッグは命も奪った。スモッグは本質的に硫酸の生臭いスープのようなもので、それがロンドン中に垂れ込め、住宅内や職場内に侵入し、さらに罪のない市民の肺にまで浸透して犠牲者を出した。呼吸器障害で何千人もが犠牲になり、最近の推定では4日間のロンドンスモッグが原因で1万2000人が死亡したとされる。[26]健康被害を受けた人は少なくとも10万人以上、おそらくは20万人を超えていただろう。その後、天候が変わり風が吹くと、スモッグは一掃された。

カリフォルニアもスモッグで有名だ。カリフォルニアでは自動車がこよなく愛され、盆地状の地形が汚染を溜め込むことも相まって、南カリフォルニアはスモッグを警告する広告塔のような存在になった。抜け目のない実業家は1984年夏のロサンゼルス・オリンピック期間にあてこんで観光客向けのお土産に「L.A.Smog」とプリントした空気だけ詰めたボトルを販売した。スモッグはハリウッドの看板にも負けず劣らずカリフォルニアを象徴する存在となった。カリフォルニア州の大気汚染は最悪だったため、自動車の排出規制を厳しくし、数十年かけてスモッグを一掃した。現在のカリフォルニアはかつてより多くの人が自動車に乗り総移動距離も増加しているのだが、空気は数十年前と比べればきれいになっている。このケーススタディーは、人口が増加しても、経済活動のレベルを落とさず環境問題に対処できることを示している。

最初の近代都市

シカゴは急速に成長する都市のケーススタディーとして役に立つ。1850年から1890年までおよそ10年ごとに人口が倍増し、1890年から1900年の間にさらに50パーセント以上増加した。[27] 1850年には3万人以下だった人口が1900年には170万人になったのだから驚きだ。

この人口増加が新たな問題を生んだ。マーティン・ドイルが苦々しげに「大都市の成長にとって、都市から水を排出することは都市に水を引くことと同じく重要」と結論づけている。つまりシカゴは急速に成長する前に下水道を完備しておかなければならなかった。1850年代のシカゴでは簡易トイレ（ある種の屋外便所）が利用されていたが、排水を集中的に流す工場やと食肉処理場とともに、増加し続ける人口が生み出す汚物の規模を考えれば、そうした衛生設備では間に合わなかった。建物が高くなって居住密度が高まり、さらに平日には工場に大量の労働者が集まる。上下水道設備は進展していたが、需要には追いつけなかった。最新の対策が普及するのは1930年代のニューディール時代になってからのことだ。ニューディール政策は農村地域の電化と都市の下水道設備をほぼ同時に進行させた。農村の電化は田舎生活の質の改善に、下水道は都市生活の質の改善に必要だった。

シカゴは最初の近代的大都市となったが、それにはいくつか理由があった。ひとつは新たな開発の機会に恵まれたことだ。シカゴは1871年に大火災が起き、かなりの範囲が焼失して更地が広がった。同時に新たなエネルギー形態によって都市建設と輸送に革新的技術が導入された。今日の大都市シカゴの形成を後押ししたのは何より鉄道で、グレートウェスト（西部アメリカ）の原材料と東海岸沿いの市場を結ぶ輸送の要衝という地の利もあった。歴史家ウィリアム・クロノンはシカゴを「ネイチャーズ・メトロポリス」と呼ぶ。[28]クロノンによれば、シカゴとグレートウェストの物語は絡み合いながら進むので、片方だけを追いかけていたのでは意味がない。クロノンは自著について「都市と田舎が極めて密接に結びついてひとつのシステムとなることにより、アメリカの景観を再編成しアメリカ文化を変貌させた物語である」と説明している。クロノンはさらに踏み込んで「19世紀後半に内陸部の都市景観と経済の形成に最も重要な役割を果たしたのがシカゴだった」とも述べている。大都市の誕生は、新しいエネルギー資源とそれに伴う新しいテクノロジーの利用と並行していたのである。

シカゴの景気が急激に上昇したのは、輸送の要衝だったことも理由のひとつだ。ミシシッピ川と五大湖というふたつの大きな水路に挟まれた平野部に位置し、毛皮猟師や農家、アメリカ内陸部の入植者と大西洋経済を結んでいた。[29]シカゴにすでにあったこうしたつながりが鉄道によってさらに強化され、シカゴは中西部一帯の巨大経済圏の中心地となった。シカゴは自ずとあらゆる産物や最終製品の流通拠点となっていった。

鉄道、船舶、艀《はしけ》がシカゴに原材料を輸送し、シカゴでは付加価値の高い製品に加工して再び出荷した。シカゴは周辺の農村部で得られる資源に強く依存していたし、農村コミュニティーも収入と完成品を得るためにシカゴに依存していた。通販カタログの元祖であるシアーズとモンゴメリー・ワードがどちらもシカゴで創業したのにも納得がいく。さらにシカゴでは農産物市場にも活気を吹き込んでいたようだ。

物資の流れによどみはなかった。材木についてはシカゴで丸太を入荷し、製材した木材を出荷した。丸太は（マツなどの針葉樹を北中西部、そして東部のオークやヒッコリーの森からも）川や湖の水運を使って続々とシカゴに入り、シカゴの製材所で加工すると世界最大級の木材置き場で貯木され、そこから西部、プレーリーの入植地へ柵用資材や住宅用建材として、また東部の都市へと出荷された。豚の場合はシカゴに運ばれるとやはり世界最大級の食肉処理場で食肉に加工され鉄道の冷蔵車両で出荷された。さらにクロノンの説明によれば、トウモロコシは金色の絶え間ない流れとなって世界最大級の製粉所のサイロに入り、ひきわりトウモロコシ粉にして出荷される。上空から見れば、動脈と静脈を流れる血液のように物資が絶え間なく出入りする様子が見えたはずだ。絶頂期のシカゴ帝国は、その経済圏の広がりで評価すればローマ帝国にも匹敵しただろう。

しかし、こうした都市への集中はその反動も大きかった。地面には食肉残渣（ストックヤードや食肉処理場から出る）と獣脂の層ができ、空には灰と煤が舞い「大草原を覆い、その汚物は黒い雪のように降った」。シカゴの貪欲なまでの木材需要を満たすためには毎年20～30万本の樹木を伐採することになる。クロノンは次のように解説する。

自然の経済では、人間も含めたすべての生物は太陽エネルギーという高品質のエネルギーつまり食糧を消費して、低品質のエネルギーに変換している。植物は太陽エネルギーを利用可能な炭化水素に転換し、動物は植物が蓄えたエネルギーを肉に詰め込んでいるわけだが、結局あらゆる生物は最も近い恒星の光から命を紡ぎ出していることになる。だからシカゴの後背地の経済を活性化した富は、おおよそ太陽光エネルギーの蓄えでできている。これが自然の富であり、そこに含まれる価値は人間の労働では作れない[30]。

さらにクロノンは次のように述べる。「大草原と森林が何世紀もかけて蓄積してきた富が『無償の土地』を非常に魅力的なものにしていたわけだが、シカゴの爆発的成長はその草原と森を犠牲にして得られた。この大都市を作り上げた資本の大部分、それは自然が培った資本だったのである」

現代都市の代謝は投入を貪ったが、その投入には代償があった。しかし都市の人々はなかなか伐採のペースを落として森林へのダメージを抑えることができなかった。猛烈な勢いで森林を伐採していたにもかかわらず、起業家や地元の名士には森が消滅するなど信じがたいことだった。シカゴ近隣の森をすべて伐採してしまうと、伐採企業はさらに奥地へ、西へ北へと移動せざるを得なかった。そして伐採した木材は艀でシカゴへ輸送した。伐採地が遠くなるにつれ薪の価格は高くなり、代用の燃料が登場することになる。代替燃料となったのが石炭だった。石炭の方が市場に近く（ペンシルヴェニア州かイリノイ州の炭鉱）、燃やすと薪より高温で明るく煤や灰も少なかったので、便利で安価な代用品となった。石炭が普及することで、ようやく森林伐採は減速した。

こうした状況の中で1882年にはシカゴ木材市場の景気は底入れ状態に陥った。それから10年、シカゴ万博が開催され電力が登場すると、薪の熱源や光源としての役割は下火になった（それでも建築資材としての需要は残る）。1893年の万博がシカゴの転換点になった。シカゴは近代の到来を告げる機会を得、世界を舞台にする大都市となったことを表明する場にもなった。シカゴ万博は都市生活の理想の姿を提示した。天然資源を商品に転換するという汚く煤けた役割を担うシカゴを包む汚物や騒音、血糊のことは棚に上げ、快適な印象の都市像を示したのである。万博会場の基本計画は、著名なアメリカ人建築家のひとりで、スタンフォード大学のキャンパスやニューヨーク市のセントラル・パークを設計したフレデリック・ロー・オルムステッドが担当した。

会場の建物はどれも巨大ですべて白壁で塗られ、白色光が灯された。この万博会場は通称「ホワイト・シティ」と呼ばれ、絶え間ない入場者の流れは「ホワイト・シティ巡礼」と呼ばれ1日に15万人にまで達した。数多くの展示物と建物があったが、中でも抜きん出ていた建物があった。「マニュファクチャーズ・ビルディング」はこうした建物では世界最大で、大ピラミッドの面積の2倍を占めた[31]」

そのほかにも注目すべきふたつのものがホワイト・シティでデビューを果たした。シカゴの万博計画担当者らは、パリ万博のエッフェル塔に匹敵する息を呑むような展示を模索し、熟慮を重ねたうえ採用したのがフェリス・ホイールだった。これは巨大な観覧車で、考案したジョージ・ワシントン・ゲイル・フェリスにちなんで名付けられたが、フェリスという名は英語で「鉄の」を意味する「ferrous」（フェラス）のように聞こえるため、この観覧車が金属製であることと、鉄骨構造の高層建築の時代であることを連想させたはずだ。自転車の車輪のようなハブ・アンド・スポーク構造は当初は不可能だと思われ、評論家は動くわけがないし自重を支えきれないだろうと確信していた。ところがフェリス・ホイールはまったく問題なく運転でき、その壮観さは世界を驚かせた。

もうひとつ華々しくデビューを果たしたのが電気照明だった。万博会場内の建物と敷地は7000個のアーク灯と12万個の白熱灯で照らされ、豪華なディスプレーが夜空を照らした。それは同時にジョージ・ウェスティングハウスとトーマス・エジソンの間の電気をめぐる熾烈な競争のクライマックスでもあった。両者はこの万博でも電気設備の入札を競っていた。その結果、交流を使いずっと安価な入札価格で応札したウェスティングハウスが、直流を用いたエジソンを退けた。これによって交流電力の実現可能性が実証され、現在では世界のほとんどの主要系統電力は交流を使って構築されている。

1800年代後半のシカゴの登場は、都市＝農村相互接続により相互の経済的繁栄を支える良い事例となった。大草原と高層ビル群との物理的接続は新鮮だった。現在の都市は食糧をはじめとする製品をグローバル・サプライチェーンによって他の都市と接続し、また情報によっても他の都市と接続している。シカゴはかつて蒸気機関車と蒸気船でグレートプレーンズと接続していたが、今日では、電力で運用される最新の情報サプライチェーンによってロンドンと接続していると言ったほうがいいだろう。製造業や流通といった物理的なサプライチェーンよりも情報サプライチェーンの方が重要になってきているからだ。クロノンの著作に基づく追跡調査で、ある評論家が指摘しているように、情報経済は生活の質と富を向上させるが、それに与《あずか》れるのは直接情報に接することができる者だけだ。古いモデル（後背地を持つ都市地域）では誰もがこの経済の輪に入れたが、新しいモデル（他の都市地域と接続する都市地域）では、多くの農村と、現代産業が期待する技術を持たない者を経済から排除した。[32] こうして置き去りにされた感覚が、ドナルド・トランプの当選やイギリスのＥＵ離脱といった政治的結果に結びついている。これらの最近の政治的結果は、エネルギー転換が社会の分裂を生むことを気づかせてくれる。エネルギー転換は新たな進歩をもたらすが、多くの人々を置き去りにするからだ。

現代のスマート・シティ——廃棄物の削減

端的に言えば都市とは人口を集中させ、社会のエネルギー利用を適度に局所化したシステムに集中させることだ。都市が定着すると、小規模で地域的な戦略によってエネルギー消費の大きな部分を都市に割り当てられるようになる。こうして都市は投入された莫大な量のエネルギーを消費し、それに見合った量の廃棄物を生み出すので、エネルギー利用の利点と欠点が集中的に現れる。だから都市はこの問題の解決策を試す貴重な機会となる。まず最初の試みとしては廃棄物の削減に取りかかるべきだろう。ひとつのアプローチは都市をスマート化し、厄介な廃棄物を価値ある資源に変え、都市の資源効率を高めることだ。[33]

2015年12月20日、中国の深圳市で、山のように積み上げられた都市のゴミが崩れ、少なくとも69名が犠牲になり数十棟の建物が倒壊した。[34] 子ども向けディストピア映画「ウォーリー」には、この災害からインスピレーションを得たゴミの山が登場する。人間が出すゴミが処理できないまま積み上がり、地球では生活できなくなるという恐ろしくもリアルな状況を描写している。現在の都市を持続可能な都市へ転換する最も強力な方法、地球を滅ぼすのではなく維持する方法のひとつは、廃棄物の流れを削減し、残った物を資源として再利用することだ。ひとつの過程から出る廃棄物を別の過程の原料にするのである。

都市は廃棄されたエネルギーや排出された二酸化炭素、食品廃棄物、廃水、浪費された土地、浪費された時間で満ち溢れている。あらゆる廃棄の流れを削減し、廃棄物を費用ではなく資源として運用すれば、複数の問題を同時に解決でき、数十億人の人々にとってより持続可能な未来の創造につながる。今はもう廃棄物を洗い流すだけではだめなのだ。廃棄物を減らしつつその廃棄の流れのループを閉じ、廃棄物を再び利用する。まず第一に廃棄物を抑制し、廃棄せざるを得ないものについてはその再利用を推進するのである。

こうした新しい発想に立てば、汚染という概念も再定義される。テキサス州オースティンの公営水道事業で長年エンジニアを務めるラジ・バッタライは、汚染を「迷子の資源」という新しい概念で説明する。汚染物質は場所を誤れば、たとえば身体や大気、水に入れば有害だ。しかし適切な用途を与えれば、それらは資源になる。たとえば固形廃棄物は排出料を支払って埋立地に持ち込むかわりに、燃焼して発電することができる。また100万人都市から排出される下水からは年間数百万ドルにもなる金などの貴金属が回収でき、それを地元の製造業で利用することもできる。[35] 廃棄物をこうして捉えるようになれば、いわゆる循環経済というもっと大きな概念が見えてくる。それは社会の様々な作用や過程が互いに有利に働きあう経済だ。

二酸化炭素という廃棄物でさえ新しい素材の原料になる。わたしはよくジョークを言う。大気中から二酸化炭素を吸収してまったく新しい自己修復素材を生み出す技術開発が必要だと。その素材は厚くなり丈夫になるほど、大気中からさらに多くの二酸化炭素を除去するようになる。さらに優れた点はこの新素材を原料として新たな製品を製造したり建築資材、また燃料としても利用できることだ。そしてこのジョークのオチが、その最新素材の名は「樹木」というものだ。廃棄物にもそれを役立てる方法があるということだ。

要するに廃棄物は想像力が枯渇したところに現れる。

廃棄物の削減というより、浪費削減の手始めとしてわかりやすいのが水道管の漏水だ。都市の水道はなんと10〜40パーセントが水道管の漏水で失われているのが普通だ。都市の水道水は浄化にくわえ配水するためにポンプを稼働しているので、漏水によってエネルギーまで捨てていることになる。

エネルギー消費はそもそも驚くほど無駄が多い。都市が利用しているエネルギーの半分以上は排熱となり、煙突や排気筒から、さらに暖房器具の裏側、エアコンそして家電製品から放出されている。こうした装置の効率をよくすれば、生産や流通、清掃にかかるエネルギーを削減できる。

家庭ゴミもきちんと管理すべき廃棄物の流れのひとつだ。アメリカでは毎日ひとりあたりおよそ2キロの固形ゴミを排出している。その一部は堆肥にしたり、リサイクルや燃焼する努力がされているが、それでもゴミの半分は埋立地で処分されている。商品包装材の削減は、埋め立て処分の量を減らせるうえ別の恩恵もある。たとえばウォルマートなどの大規模小売業者は、梱包サイズが小さくなれば環境への圧力を減らせるだけでなく、出荷に必要なトラック台数が減り、棚のスペースに余裕ができて多くの商品をならべられることを学んだ。

食品廃棄は食物を捨てるということそのものが罰当たりな問題でもある。世界には飢えと食糧不足に苦しんでいるところが多いというのに、アメリカ人はまだ食べられる食品の25〜50パーセントを捨てている。食糧は資源集約的で、栽培や生産、貯蔵、調整、調理そして処分まで、大量のエネルギーと土地、そして水が必要になる。だから食品廃棄物は環境に大きな影響を残す。アメリカの「#1バリュー・フード」キャンペーンやイギリスで立ち上げられた食品廃棄物削減戦略はこの問題を解決する初めの一歩だ。

都市が廃棄物の流れを減少させることができたら、次に都市のある部門から出た廃棄物を他の部門の資源として利用する。廃棄物を有益に利用している事例は滅多にないが、注目すべきプロジェクトがいくつかの場所で生まれつつある。スイス、チューリッヒの廃棄物をエネルギーに転換する最新のシステムでは、ゴミをみごとに焼却している。またフロリダ州パームビーチのシステムは燃焼後に残る砂粒状の灰から金属の95パーセント以上を回収する。[36]ドイツのユーンデのような田舎町では、牛糞からバイオガスを生産し、市街地の家庭の大部分の熱や電力を供給している。テキサス大学オースティン校のわたしの研究グループでは、テキサス州ニューブラウンフェルズのセメント工場において、石炭の代わりに再生利用不可能なプラスティックから製造した燃料ペレットを燃やすことで、二酸化炭素排出と石炭採掘による生態系への影響を減らせることを実証した。[37]

埋め立てられたゴミでさえ価値がある。ゴミが分解する時に発生するメタンを回収すれば、ゴミの山から出るメタンをただ燃やしてしまうよりいいことは確かだし、メタンをそのまま大気中に漂わせてしまえば、同量の二酸化炭素よりずっと多くの熱を捕捉し温暖化を加速することになる。発電機を使えば回収したガスを電力にも転換できる。バンクーバーの埋立地ではメタンを回収して燃焼させ、トマトを栽培する近隣の温室へ熱を供給している。[38]

それでも埋立地は廃棄物が漏出しやすい。オースティン市では第二章でも述べたように、土壌に加えると生産性が向上する「ディロウダート」を生産するかたわら、有機廃棄物からメタンを生産し、環境への影響を減らしつつ大きな価値を生み出している。こうすれば都市の廃棄物処理にかける費用も削減できる。こうした対策は同時に複数の問題を解決する。買わなければならなかったエネルギー費用を節約でき、大きな費用がかかる埋立地も削減でき、不必要な土地利用と土地への負荷も緩和できる。

排熱にも活用のチャンスがある。しかし低温の熱は電力に変換しにくいため排熱の回収は難しい。NASAは宇宙船で利用する熱電発電機を開発したが、この技術には費用がかかり変換効率が非常に低いという問題がある。将来は熱を効率的に電力に変換する最新素材も登場することになるだろう。今の段階で熱電変換に手をつけるとすればまずは温排水だ。衣服や食器、身体を洗った温水は普通ならそのまま排水される。この熱エネルギーを回収するのである。ノルウェーの首都オスロ郊外にあるサンドヴィカでは、都市の下水管沿いに大量の熱交換器を設置して熱を回収し、付近にある数十軒のビルに熱を供給している。[39] さらにサンドヴィカではこの熱を歩道と道路の凍結防止にも利用している。この方法に熱い視線を向けたバンクーバーは同じ方法を導入し、排水を利用して何千世帯もの高級マンションやオリンピック村を暖房した。

この方法をさらに突き詰めたのがデンマークのカルンボー産業共生地区で、「閉ループ」という概念の代表的具体例となっている。[40] この産業パークには、電気や給水、排水、土壌廃棄物の処理施設を中心にして8つの企業が集積し相互に接続し、各企業や施設からの廃棄物が他の企業や施設へ原料として投入されている。パイプや電線、ダクトの中を蒸気やガス、電力、水、廃棄物が行き来し、この産業パーク全体の効率を向上させ、二酸化炭素排出など全体として廃棄物を削減している。製油所では余剰ガスをフレアスタックで燃焼処理していたが、現在では同産業パーク内の石膏ボード製造工場へ送られ、隣の石炭火力発電所で回収される石膏と合わせて石膏ボードの製造に利用されている。製油所の排水は発電所へ送られ、ボイラー給水の予熱や石炭の燃焼で生じる灰、フライアッシュから不要成分を除去し安定化させるためにも用いられる。また製油所では精油過程で廃棄される蒸気を製薬企業のノボノルディスクへ送る。ここではバクテリアとイーストを利用して世界のインシュリン供給の約半分を生産しているが、その製造過程で製油所からの熱を利用しているのである。この製薬工場は農業向きの汚泥を近隣の農家へ送っている。石炭火力発電所ではフライアッシュをセメント製造会社へ送り、排熱はバイオマスからバイオ燃料などを製造するバイオリファイナリーへ送り、さらにこの工場の温排水は近くの養殖場へ送られる。この産業パーク全体はまるで産業生物のようだ。こうしてカルンボー産業共生地区は、汚染物質の排出を増加させず、さらに減少させながらでも経済成長が可能であることを実証してみせた。

カルンボー産業共生地区のモデルを世界中の都市でもっと大規模に再現することができるだろうか？　もちろん可能だ。ただそれには都市をスマートにしなければならない。産業パークにはわずかなテナントと意思決定者しかいないため、自由度が高いが、都市の場合は数百万の個人がいてエネルギーや水、ゴミについて毎日それぞれが個別に様々な判断をしている。こうしたバラバラな意思決定を統合するには、大きな文化的変化が起きるのを待つかスマート・テクノロジーが進歩してわたしたちの代わりに判断してくれるようにならなければならない。文化的な変化には数十年かかるだろうし、その結果が保証されているわけでもない。あるいはこの両戦略を取り入れるかだ。「スマート・シティ」は至るところに設置したセンサーと安価なコンピューター、そして機械学習と人工知能を組み合わせることで実現する。このテクノロジーの組み合わせにより無駄を検出し作業を最適化し、機械装置の自動運転を可能にしつつ廃棄物と費用を削減するのである。

生活の質を落とさずに高い人口密度を実現したい都市計画の策定者にとって、都市のスマート化は願ってもない魅力的な構想だ。たとえば人口問題と公衆衛生の問題が深刻なインドでは、ナレンドラ・モディ首相が実現可能な打開策として100の小・中規模都市をスマート・シティに転換する方針を発表した。[41] モディ首相が都市のスマート化をインド国民の生活環境を改善するチャンスと捉えているのは明らかだ。

スマート・シティの「スマート」とは、見方を変えれば現在の都市はほとんどが愚かであると告発しているのである。都市が廃棄物で充満しているのは情報がないまま愚かな判断を繰り返しているようにみえるからこそ、都市にそうした告発の矢が向けられる。都市はもっとスマートにならなければならない。アメリカ国立科学財団は「スマートで接続しあうコミュニティー」という重要な研究構想を発表したばかりだ。つまり同財団も廃棄物問題を解決するうえで都市が中心的存在になると認めているのである。ところでこの構想のタイトルは情報化だけでは足りないと言っている。情報化と合わせてシステムや人々同士の相互接続が重要なのである。

スマート・シティはくまなく設置されたセンサー網から回収されるビッグデータが頼りだ。得られたデータから高度なアルゴリズムによって迅速に状況を判断し結論を導き、意思決定する。そして接続したネットワークによってその分析結果を都市中の装置に伝達する。まずその第一歩となるのがスマートメーターの設置だ。この装置で電力や天然ガス、水道の使用量、家電製品や産業機器を時系列で詳しく追跡する。リアルタイムの交通量センサーや大気汚染監視装置、漏水検出器も間もなく登場する。テキサス州オースティンのペカンストリート共同事業体では、何千戸もの家庭からデータを回収し、どのようにデータを利用すれば消費者が費用を節約し消費を削減する方向へ行動を変化させるのかを学習しているところだ。フェニックス市などの都市やコロラド州フォート・カーソンのような軍事基地では、エネルギーと水を自給自足し正味の廃棄をゼロにすることを誓約しているが、その野心的目標を実現するにも相互に関連する大量のデータが必要になる。

漏れやすい水道管のような基本的な問題を解決するにはインフラをスマートにすることが重要だ。水道システム全体に水量計を分布させておけば漏水の検出は容易になる。水の流れを容易に追跡でき、漏水の量と位置がすぐにピンポイントで特定できる。イギリス、バーミンガムの研究者らは小さな圧力センサーを開発し、ほんのわずかな電力で水道網の漏水箇所をほぼ瞬時に検出できるようにした。道路から水が間欠泉のように吹き出していると、誰かが苦情を訴えるのを待つという昔からのテクノロジーの改良版だ。[42] そしていつの日にか、スマート・ロボットが派遣されて水道管の漏れを修理してくれるようになるのかもしれない。

天然ガスの漏れを事故が発生する前に予測し検出する高性能センサーもできるだろう。ガス漏れは環境に悪影響を及ぼし資源の浪費になるだけでなく危険である。古いガス管が敷かれている市街地で爆発事故が起き大々的に報じられることもある。自己修復型のインフラを備えスマート化した最新都市なら漏れを即座に検出できるし、何より漏出そのものを防げるだろう。

資源を浪費している都市を、廃棄物を削減し残り物を再利用する場に転換することは、簡単ではない。連邦政府による総合研究開発への投資には、政府のあらゆるレベルでのスマート化政策と民間市場の技術革新とを組み合わせていかなければならないだろう。残念ながら最近、研究開発資金は削減されており、アメリカではまだまだ減少するだろう。

投資は社会的にもスマートでなければならない。現在のスマート・シティの研究開発は、住民が必要とする以上にテクノロジーに偏っていることが研究によって明らかにされている。[43]道を誤れば、スマート・シティの恩恵は現在すでにインターネットに接続し最新のテクノロジーを利用している者に限られることになりかねない。そうなれば他の社会経済的格差による既存のテクノロジー格差をさらに広げることになるだろう。[44]人は誰もが製品を買い、スイッチを入れるたびに資源利用に関する意思決定をしているのだから、都市住民がスマートになれるように支援することも必要だ。それには教育とデータの利用に勝るものはない。そしてアメリカ国立科学財団が指摘したように、都市住民同士を接続するため、共同作業や近隣住民との付き合いを活性化する都市環境が必要になる。たとえば公園や遊び場、オープンスペース、共有空間、学校、宗教的な施設、コミュニティーセンターなどが考えられるが、何百年も存続してきた都市ではこれらはすべてその中核に位置付けられてきた。都市がますます現代的にスマート化していくと、住民同士が付き合うために、これらの古い世界の仕掛けが必要になってくるのかもしれない。

第六章　安全保障

戦争はしばしば資源をめぐって起きる。資源不足に苦しむ集団が資源を求めて資源が豊富な集団と戦うこともある。また資源の制約は社会を不安定化する要因となり、兵士を志す者も増える。さらに紛争そのものが資源不足の原因にもなる。過去の戦争は食糧や水、塩などの資源をめぐる戦いだった。[1] しかし前世紀からの戦争はエネルギー資源、特に石油をめぐる戦いになった。このエピソードは第一次世界大戦、軍事力の機械化にはじまる。世界に拡大した紛争で石油の利用が勝敗を分けたことから、石油の戦略的価値が高まり、戦う価値のある資源となった。

たとえばチャコ戦争は１９３０年代に石油が豊富な地域の支配をめぐりボリビアとパラグアイの間で起きた紛争だ。またアメリカと連合諸国による日本への石油輸出禁止政策は、１９４１年の日本によるパールハーバー攻撃を誘発した。１９９０年代にはイラクが石油資源を奪うためにクウェートに侵攻した。アメリカの反応は、世界市場への石油供給を維持し、イラクが世界の石油埋蔵量のかなりの部分を支配することを阻むため、多国籍軍とともにイラク軍をクウェートから撤退させる軍事介入に入った。[2] イラクが撤退するとジョージ・H・W・ブッシュ大統領は、勝利した恩恵のひとつとして石油が安くなったことを強調している。[3]

将来に目を向ける評論家は、石油をめぐる次の戦場は北極になるかもしれないと指摘する。[4] 地質学者は北極にはかなりの資源が眠っていると考えていて、カナダ、デンマーク、フィンランド、アイスランド、ノルウェー、ロシア、スウェーデン、そしてアメリカといった国々は北極圏にある領土の所有権を主張している。極北の石油探査は国際関係を冷え込ませているが、気候変動によって北極海に存在する海氷の面積と存在時間が減少したため、皮肉にも石油探査がかつてより容易になっている。

エネルギーは戦争の原因であり、武器でありそして標的になる。エネルギーによってわたしたちは贅沢で心地よく快適な生活を享受し、それが敵国の魅力的な標的となり、またエネルギーによって自国を防衛しつつ他国を攻撃する新たな武器システムを装備している。エネルギーが社会にとって重要事案となると、世界を不安定化する大きな要因となり、戦争になだれ込むきっかけとなってきた。つまり現代のエネルギーは戦争の起き方を変えたのである。うまくすればエネルギーは安全保障の向上に役立つ。しかしやり方を間違えればエネルギーによって安全保障を損なうことになる。

エネルギーと世界戦争

世界大戦によって戦争と防衛におけるエネルギーの役割が根本的に変化した。第一次世界大戦でのエネルギーによる勝利は、20世紀のその後の戦争でさらに加速することになるパラダイムシフトを生んだ。第一次世界大戦は主に陸上と海上が舞台で、兵士と武器を移動させるには石油が有利であることを実証し、第二次世界大戦では現代のエネルギー形態、つまり石油と電力が航空機による高度な戦闘能力に不可欠であることを実証した。

ピュリッツァー賞を受賞した石油歴史家ダニエル・ヤーギンによれば、第一次世界大戦が石油を原動力とした最初の戦争だった。[5] 戦場では重装甲戦車が大々的にデビューした。海軍は石炭からディーゼルへ転換し、当時はまだ消費者向け商品だった石油が戦略物資となった。内燃機関によって新しい仕事や観光を求めて自由に移動できるようになったのと同じように、軍事力も世界に向かって解き放たれた。それまでの戦争は馬や列車を使って戦っていたが、餌やりや鉄道には限界があった。トラックや戦車、自動車は、動物や重くて遅い蒸気機関車よりずっと機動性があり、多くの車両をもつ連合国軍は軍事的に優位になり、最終的に勝利を決定的にした。イギリスの外務大臣カーゾン侯爵は「連合国は石油の波に乗り勝利へ向かって浮上した」と述べている。[6]

こうした車両用の石油の大部分はアメリカから供給され、大西洋サプライチェーンを形成していたが、ドイツのUボートの格好の標的となった。石油のサプライチェーンを標的にすれば第一次世界大戦における連合軍の戦闘能力を壊滅できることをドイツは知っていた。これはアメリカ軍が現在も中東で苦闘するロジスティクスの鉄則だ。

軍事戦略家はよく「素人は戦術を研究し、専門家はロジスティクスを研究する」[7]という。この格言は拡大した紛争のほとんどに有効で、第二次世界大戦も例外ではなかった。エネルギーの生産、輸送、消費の戦略的運用、特に石油やプルトニウム、水力発電の運用が第二次世界大戦における連合軍の勝利の鍵となった。[8]

アメリカ海軍の艦隊は1939年にはわずか数百隻だったが、第二次世界大戦終了時までに6700隻に拡大し、そのうち1200隻は補助艦艇で燃料や弾薬、食糧の輸送に使われた。[9] この1939年からの6年間で、アメリカは50万機近い航空機、装甲車両、戦車、さらにブルドーザーやトラック、ハーフトラック、そしてジープを数十万台製造した。こうした機械的移動手段を大量動員する一方、アメリカ政府は当時として世界最大規模の研究計画に全力を挙げていた。わずか3年と半年で原爆を開発したマンハッタン計画だ。

この戦争に至るまでそして戦争中の生産が爆発的に増加したのはアメリカだけではなかった。ドイツと日本は、アメリカと連合国の生産に対抗するため、総力を挙げて陸軍と海軍に戦争物資を供給し、かなりの成功を収めた。ドイツの設計と製造における技術と生産能力は有名で、装甲、大砲、航空工学、ロケット工学、潜水艦、そして小火器で革新的技術を開発している。同じように、日本も当時最高性能を誇る航空機と艦船を生産した。ドイツと日本が軍備を飛躍的に発展させ軍に供給したにしても、アメリカにはロジスティクス面で戦略的なふたつの強みがあった。石油と水だ。

第二次世界大戦は機械の導入が大きく進み、さらに第一次世界大戦とは違い、まさに世界規模の戦争だったため、世界中に展開する軍事拠点に燃料や物資を供給するために膨大なエネルギーが必要だったが、当時世界最大の石油生産国であったアメリカは、ドイツや日本と比べエネルギー供給の面で圧倒的に恵まれていた。

第二次世界大戦での連合軍の勝利は第一次世界大戦以上に石油に強く依存したものだった。第二次世界大戦では戦車のような装甲戦闘車両が幅広く使われたほか、はじめて航空戦が積極的に展開された。その結果、航空機を製造するためのエネルギー、その燃料となるエネルギーが、それまでの紛争よりも大きな役割を果たすことになった。

様々な船舶や航空機そして地上の車両には、石油から生産される様々な燃料や潤滑油が必要だが、それには何百万バレルもの石油が不可欠だった。また世界中から兵士や武器弾薬、食糧、燃料を集め複数の戦場へ輸送するには、さらに多くの石油が必要だ。幸運にも20世紀前半は、まさにアメリカの石油ブームが浮上した時代だった。そして戦争を遂行する石油を求めて、アメリカはテキサス州東部に目を向けた。

１９０１年前半にテキサス州の最東部でスピンドルトップ油田が発見され、ここからテキサス州の石油ブームが始まった。やはり同州東部に位置するラスク郡でも１９３０年にブラッドフォード油田が発見されると、巨大な「東テキサス油田」として知られるようになった。１９３１年夏までに１２００本以上の油田が稼働し、１日90万バレルを供給した。[10] さらに１９３５年から１９４５年にかけては、戦争遂行のため年間生産量は大幅に増加した。

現在は中東からアメリカへの石油供給が途絶するのではないかと心配されるが、第二次世界大戦中アメリカ国内における石油安全保障への唯一の脅威は、石油をテキサス州からメキシコ湾経由で東海岸の州へ輸送することだった。１９４２年と１９４３年前半には、東海岸沖で数隻の石油タンカーがドイツのUボートに撃沈されている。このリスクを回避するため、現在では環境保護団体や地権団体からの反対で同じことはできないだろうが、東テキサス油田と、フィラデルフィアにある同国の主要な製油所と流通拠点を約2400キロにおよぶパイプライン「ビッグインチ」で結んだ。このプロジェクトは1942年8月に始まり1944年3月までの20か月足らずで竣工《しゅんこう》している。このパイプラインを使い第二次世界大戦終結までに3億5000万バレル以上の石油が輸送された。現在このように大規模なパイプラインをこれほど短期間で建設するなど想像もできない。たとえばカナダのアルバータ州のオイルサンドから採掘された石油をテキサス州の製油所へ輸送するためのキーストーンXLパイプラインのプロジェクトは、規制や法廷闘争により10年間棚上げにされている。

アメリカには確実に供給できる安価な石油がいくらでもあったのとは対照的に、ドイツと日本はほぼすべての石油を他国から略奪するか輸入しなければならなかった。当時のドイツは石油供給の75パーセントがソ連とルーマニアからの輸入で、両国に大きく依存していた。ナチス・ドイツが大戦当初にソ連と不可侵条約を結んだ理由のひとつもこの点にあった。また戦争中にドイツが東方へ侵攻した作戦のいくつかは、軍事用の燃料を確保するために油田に接近したかったためで、石油を外部依存していたことで説明がつく。また石油の禁輪と連合国軍による石油供給ラインへの度重なる攻撃により石油供給の確保が難しくなると、ナチス・ドイツは国内に豊富に存在する石炭を液体燃料に転換するという野心的な計画に着手した。この石炭液化計画は技術的には成功したが、これは石から血液を絞り出すような極めて困難な技術で（この場合は石炭から石油を絞り出す)、高価で人材を投入する必要があり、ドイツの戦闘能力を弱体化させるものだった。その後ドイツの他に石炭の液体燃料への転換を大規模に試みた国が唯一あった。アパルトヘイトが終わる頃の南アフリカだ。アパルトヘイト政策に対する制裁として世界中の国々が同国への石油輸出を禁止したため、南アフリカは世界市場から石油を調達できなくなり、それで国内に豊富に存在する石炭資源に目を向けた。こうしていざというときには石油の代わりに石炭を使う国もあるだろうが、石油の方がずっと安価で利用も容易だ。

国内に石油埋蔵がなく、石炭を液体燃料に転換するドイツの技術を知らなかった日本は、1939年の段階で石油の3分の2をアメリカに依存していて、残りはイギリス領とオランダ領インドから調達していた。ある分析によれば「日本の国力は非常に脆弱で、その生命線は連合国、中でもアメリカに握られていた」[11]。アメリカは1911年の貿易協定にもとづいて石油と航空燃料を西海岸から日本へ輸出していた。しかし、1941年に日本がインドシナへ侵攻すると、アメリカは日本に対する石油禁輸措置を発令し、アメリカの同盟国もこれに加わった。数か月後、日本はパールハーバーへの攻撃でこれに報復する。その後終戦まで、日本の石油はほぼすべてオランダ領東インドからの輸入に頼っていた。しかしこの日本の石油の命綱も、石油タンカーがアメリカの潜水艦に攻撃され、終戦までにはほぼ完全に切断されていた。日本に対するアメリカの勝利は、原子爆弾によるものとされることが多いが、アメリカが日本へのエネルギー供給の基盤を崩したことも大きく関係していた。

第二次世界大戦中、アメリカは30万機以上という大量の最新航空機を製造している。それには膨大な量のアルミニウムが必要だった。さらにアルミニウムの製造には莫大な電力と水がいる。

1939年、アメリカは16万4000トンものアルミニウムを生産した。その生産量は1943年までには5倍の92万トン以上にのぼった。[12] この生産拡大を支えるアルミニウムの原料ボーキサイトについては、アメリカ中に豊富に存在する資源だったので問題はなかった。しかしこのボーキサイトをアルミニウムに転換するための電力生産が問題だった。鉄鋼とアルミニウムの違いは、鉄鋼の場合は熱で製錬するが(通常は石炭を使う)、アルミニウムは電気的な過程を利用してアルミナからアルミニウムを分離する。1ポンド(約454グラム)のアルミニウムを製造するのに10キロワット時の電力が必要になる。そのため20世紀初頭の数十年間、アメリカの主要なアルミニウム製造企業(アルミニウム・カンパニー・オブ・アメリカの頭文字に由来するアルコア社)は製錬工場と同時に水力発電用ダムも建設して工場に電力を供給した。当時、石炭火力発電もあったが、水力発電の方がずっと巨大なダムを建設でき、ひとつのダムで非常に多くの電力を安価に発電でき、さらに一般にダムは市街地から遠く離れていたため、アルミニウム工場のような大口消費者でも電力をめぐる競争は少なかった。

アルコア社は1930年代半ばまでにリトルテネシー川に3か所、ノースカロライナ州西部に2か所のダムを所有していた。テネシー州の3つのダムだけであわせて265メガワットの電力をテネシー州アルコア社の精錬工場に供給した。第二次世界大戦が勃発し、アルミニウムの需要が増大すると、アルコア社はテネシー川流域開発公社と提携し、さらに多くの水力発電を獲得して急速に拡大する精錬工場を稼働させた。しかしこれだけの増設をしても、戦時中の底抜けのアルミニウム需要に製造は追いつかなかった。

そこでアルコア社は西に目を向け、オレゴン州とワシントン州を流れるコロンビア川の水力発電ダムに目をつけた。同社はワシントン州のロングヴューとスポケインの間に製錬工場を立ち並べ、ボンネヴィル・ダムやグランドクーリー・ダムなどから電力を供給した。特にグランドクーリー・ダムの水力発電所は現在6・8ギガワットを発電するが、これは原子力発電所6か所分に匹敵する規模で、現在もアメリカ最大の発電所である。

太平洋岸で成長中の航空産業にとって、このコロンビア川から電力を供給されたアルミニウム製錬所が近くにあったことは願ってもないことだった。これらの工場で生産された大量のアルミニウムは鉄道で太平洋岸沿いに北はピュージェット湾のボーイングの航空機工場へ、南はダグラス、コンソリデイテッド、ノースアメリカン、カーティス、ロッキード、ノースロップ、ヒューズその他ロサンゼルス盆地の航空機製造会社へ輸送された（これらの工場はすべて近くのコロラド川にあるボールダー・ダム［現在のフーヴァー・ダム］で発電された電力で稼働された）。戦時中のアルミニウム生産は1943年のピーク時で年間92万トンを製造し、航空機生産は1944年のピーク時に年間9万6318機を製造している。1943年にアルミニウム産業は単独でアメリカ最大の電力消費産業となって年間220億キロワット時の電力を消費し、アメリカ国内の全電力消費の8パーセントをわずかに超えるレベルに達した。[13]

こうしたアルミニウム産業の急激な成長はもうひとつの技術的ブレイクスルーと並行していた。原爆開発である。1944年にアメリカで水力発電電力を二番目に多く消費した産業は

1943年には存在すらしなかった。しかも最高機密のプロジェクトとして立ち上げられた。
マンハッタン計画は不確実性の雲の下で発進した。原子爆弾の製造法は誰も知らなかったし、実現可能かどうかさえわからなかった。ドイツがアメリカより先に原爆製造に成功するかもしれないという恐怖の下での、不確実性と危急性から、ふたつの異なる設計アプローチが遂行された。ひとつは核分裂物質としてウラン同位体のウラン235（^{235}U）を利用するもの、もうひとつがプルトニウム239（^{239}Pu）を用いるものだった。

ウラン同位体のうちウラン235は天然ウランには約0・7パーセントしか含まれず、99パーセントは核分裂物質としては利用できない同位体ウラン238だ。だから天然ウランからごく微量のウラン235を分離して十分な量を得るには、莫大な量のウランを濃縮過程に投入しなければならない。またプルトニウムはウランより核兵器に適しているものの、自然な状態では存在しない（現在ではウラン鉱石中にごく微量存在することがわかっている）。プルトニウムはそれまで設計も製造もされたことのない「パイル」（最初期の黒鉛型原子炉）で人工的に製造しなければならなかった。そしてどちらの設計アプローチにも電力と水が必要だった。

マンハッタン計画の指導者らはウラン235の濃縮についてもひとつの方法に賭けるのではなく、同時に3つの異なるウラン濃縮法の開発を進めた。最も見込みのある方法とされたのがガス拡散法と電磁分離法そして熱拡散法の3つで、いずれの方法も大量の電力が必要になる。アルコア社と同じくマンハッタン計画でも水力発電に目を向け、テネシー州にあるアルコア社本社のすぐ西側に後にオークリッジ国立研究所となる研究施設の建設を開始した。1941年には存在すらしなかったオークリッジは1945年の終戦までに人口7万5000を抱えるまでに成長し、テネシー州第五の大都市となった。[14] オークリッジに中核的な濃縮施設が建設されたのは1944年。施設は端から端まで1・5キロ以上あり、建築面積は約18ヘクタールで4階建て、建物容積は280万立方メートル以上だ。建物としては当時世界最大だった。[15] ウラン同位体を分離する施設はさらに2か所建設され、ピーク時にはこの3つの濃縮施設だけでアメリカ全土で発電する電力の1パーセントを消費していた。[16]

ところがこれだけ努力してウランを濃縮しても、得られるウラン235はせいぜい原子爆弾1発分だった。大量生産には核兵器の第二の道であるプルトニウムの方が有望であることがわかった。大量のプルトニウムを生産するために、マンハッタン計画の技術者はプルトニウム239の生産を増強する専用原子炉3基の建設を計画した。プルトニウム239は原子炉でウランを燃焼させ、ウラン238に中性子を吸収させて生産する。その後プルトニウムを再処理施設で化学的に分離しなければならず、その処理にはさらにふたつ大きな施設が必要になる。これらの物質は極めて放射性が強く、人体の骨に蓄積するため扱うのは非常に危険だ。

マンハッタン計画はプルトニウム生産プロジェクトでも再びアルコア社の後を追い、今度は太平洋岸北西部に目を向けた。選ばれたのはワシントン州南部の遠隔地にある2000平方キロ以上もの建設サイトで、冷却水を近くのコロンビア川から得、電力もやはり近くにあるボンネヴィル・ダムとグランドクーリー・ダムから得られた。ハンフォード・サイトとして知られ、現在はアメリカエネルギー省（DOE）のパシフィックノースウェスト国立研究所（PNNL）が置かれ、科学や技術での重要な革新的研究成果を生産し続けている。今日の国立研究所がダムサイトに隣接しているのは、かつて濃縮施設の立地条件として水が必要だったためで、電力と発電用の水が戦略的に重要であったことの歴史的証拠だ。また同時に将来のブレイクスルーを実現するためにも信頼性の高いエネルギーが大量に必要であることをはっきりと示している。

3基の原子炉は冷却水を利用するためにコロンビア川沿いに、安全性を配慮して数キロずつ離して設置された。原子炉は発電用ではなくプルトニウム製造用に設計されていたため、核分裂で発生する膨大な熱を除去しなければならなかった。稼働中は3基の原子炉各々にはコロンビア川の冷たい水を毎分約284キロリットル流し続けなければならない[17]。またふたつの巨大再処理施設にも冷却と発電にコロンビア川から供給される水が必要だった。

オークリッジとハンフォードで進められていた原子力開発はニューメキシコ州のロスアラモス（現在この場所にはPNNLと並ぶ世界トップレベルの技術開発センター、エネルギー省ロスアラモス国立研究所がある）へ結集された。広島に使われた原爆リトルボーイと長崎に落とされたプルトニウム爆弾ファットマンをこれほどの短期間で製造するには、テネシー川流域とコロンビア川の豊富な水資源と水力発電がなければ不可能だっただろう。

一方、日本に核兵器計画はなかった（なにしろ水力発電用の水資源が限られていた）。ドイツは核兵器計画を追求したが、やはり領土内の水資源は乏しかったため、豊富で安価な電力（それと核分裂の減速材となる重水あるいは重水素）を求めてドイツは北のノルウェーに目を向けざるを得ず、巨大な兵器開発を極秘裏にかつ鉄壁に進めることを難しくした。

最終的に第二次世界大戦で勝利できたのは、アメリカに豊富で信頼性の高い石油と水の資源があったからというだけではない。しかし、これらの天然資源がなければ、アメリカ軍と連合国軍の機械化と規模の拡大は、特に大戦初期に加速することはできなかっただろう。これらの資源が存在したこと、そして1930年代にはすでに開発され利用されていたことが、アメリカ参戦以前から劇的な機械化の拡大を可能にさせ、戦争の遂行と最終的な勝利に大きく貢献した。

第二次世界大戦におけるマンハッタン計画の経験から、アメリカは他国で萌芽的段階にある核兵器計画を検出する方法を学べた。ウランの濃縮に必要な電力は非常に大きいため、電力需要を追跡すれば、イランなどの国での核兵器計画の進捗状況をうまく監視できる。原子力発電所にはウラン235が必要だが、それは天然に存在するウランの0・7パーセントだ。原子炉級燃料にするには約5～20パーセントまで濃縮する。しかし兵器級燃料にはウラン235同位体濃度を85パーセントまで上昇させた高濃縮ウランが必要だ。エネルギー消費量は核燃料濃縮過程の段階を示す指標となるため、国際的な兵器査察団は強い関心を持っている。

戦争の道具としてのエネルギー

エネルギーは戦争につくしてきた。第一次、第二次世界大戦では、エネルギーの主な価値といえば航空機や陸上兵器を製造し燃料を供給することにあった。エネルギーによって通信システムを稼働し、情報を収集し、兵器を製造し、誘導する。こうしてエネルギーは戦争の姿を変え、戦争に対するわたしたちの考え方も変えた。

冷戦中、エネルギーは核弾頭ミサイルの推進燃料として、恐怖の破壊能力を持つ最新兵器を世界中に展開させた。しかしこれらのミサイルの使用（あるいは不使用）は相互確証破壊という概念によって抑制された。対立する世界の超大国、アメリカ合衆国とソヴィエト社会主義共和国連邦が核ミサイルを自ら発射することはないとする核戦略上の理論で、先に核兵器を使えば報復を受け両国が壊滅的に破壊し合うことになるというのがその根拠だ。エネルギーは国家の安全保障を向上させると同時に破局的な攻撃を受けるリスクを上昇させる。このことはエネルギーが諸刃の剣であることを象徴している。

「指向性エネルギー兵器」（DEW）という一連のシステムもある。レーザービームなどを用い遠距離にある対象にダメージを与える兵器だ。レーザー（LASER）は「誘導放出による光増幅放射」（Light Amplification by Stimulated Emission of Radiation）の頭文字を取った略語で、収束性と指向性の高い単色の光線だ。普通の電球が多くの色の光（白色光は実際にはあらゆる色の可視光が混じっている）をあらゆる方向に放つのとは対照的だ。エネルギーをこのように特殊で精巧な方法で利用し、戦士は敵にレーザーの熱を浴びせて損害を与え、飛翔してくるミサイルを破壊し、車両の光学装置を機能不全にすることができる。またDEWには攻撃の際にノイズを発生しないという特徴もある。さらに不可視領域の波長を利用することも可能で、従来の大砲とは異なり風の影響を受けず、実質的にコリオリ効果や重力の作用も考慮しないでいい。DEWには電磁レーザーという種類もあって、このレーザー光が発射点から標的の間を進む時に経路周囲をイオン化させると、直後に標的に強力な稲妻のような電流が流れ、電気ショックを与える。テーザー銃のような兵器だが、射程は数キロもある。これらは敵を殺さずに無力化する非致死性兵器である点で魅力的だが、レーザーが人の目に当たれば盲目になるので残酷だとする否定的な見解もある。

こうしたDEWの作用を思えば皮肉なことだが、エネルギーによって大きな視野を得ることもできる。現代の戦争の特徴のひとつに航空機や人工衛星そして無人ドローンなどを利用した「地上監視装置」の利用がある。初期の飛行機はプロペラ推進で飛行高度が限られていた。敵陣内を飛行すればパイロットは撃墜のリスクに曝された。現代のエネルギー形態によってジェット燃料と高性能材料が生み出され、航空機の高高度飛行が可能になった。軽量のアルミニウムで製造された機体は頑丈なため高高度でも飛行できた。金属製の機体になったことで気密性が高くなり、空気が薄くなる高空でもキャビンを加圧してパイロットが生存できるようになった。

こうした性能は偵察を目的として採用されたもので、アメリカの防衛関係上層部は高性能カメラを搭載して高高度を飛行できる高性能航空機を催促していた。地上の防空監視施設からは発見されず、しかもできるなら地上から放たれる高射砲の射程より高く飛びたかったからだ。最もよく知られているのが、中央情報局（CIA）のU2偵察機で、ソ連にあるミサイルサイロなどの軍事施設を探査するために開発された。U2は高度2万メートル以上、民間航空機の2倍以上の高度を飛行できた。また興味深いエピソードとして、このU2をめぐって石炭が遠因となったある事件があった。1960年5月1日、その事件は世界に衝撃を与えた。アメリカ人パイロット、ゲイリー・パワーズが操縦するU2がソ連上空を偵察飛行中に撃墜されたのだ。これほどの高高度を飛行する航空機を撃墜できるソ連の能力にアメリカは驚愕した。ソ連はアメリカに悟られることなく、対空兵器の射程を大幅に伸ばしていたのだ。この撃墜事件はアイゼンハワー大統領にとって外交上難しい事態を招くことになった。というのも大統領がアメリカの偵察行動を隠していたことがばれたからだ。パワーズは誰でもよく知るおなじみの名前となった。ではなぜパワーズがU2に乗っていたのか、それは彼の父親オリヴァー・パワーズが、アパラチアの炭鉱夫だったからだ。オリヴァー・パワーズは自分の息子は絶対に炭鉱では働かせないと誓っていた。それでゲイリーはパイロットの道に進んだのだった。[18]

高高度航空機では明らかにまだ高度が足りなかった。そこでもっと高高度を求め、最終的には地表から何百キロ、何千キロも上空の軌道に人工衛星を打ち上げ、撃墜を恐れずに情報を収集するようになった。わたしは偵察衛星の計画をハンス・マーク博士から教えてもらった。博士は1970年代後半にアメリカ国家偵察局（NRO）を指揮した人物だ。NROは主要なアメリカ情報部局のひとつで、アメリカの多くの偵察衛星を管理している。その後博士はNASA副長官を務め、スペースシャトル計画を担当した。その後テキサス大学の学長に就任する。ちょうどその頃わたしはテキサス大学の学部学生で、博士にはわたしの師としてまた論文指導教授として指導していただいた。

地球の重力からの脱出速度を得られるロケット燃料がなければ、これらの人工衛星を軌道に乗せることはできなかった。またオンボード電源、つまり長期間利用できる小型原子炉や燃料電池、あるいはバッテリーと組み合わせた太陽電池パネルなどがなければ、人工衛星はその任務を遂行できない。エネルギーは人工衛星の任務のあらゆる場面で不可欠だ。人工衛星は地上の対航空機兵器の射程よりもずっと高度が高いのはいいのだが、地上のはるか遠くから監視することになる。その結果、いくら高性能の光学機器を搭載していても、収集できる画像の解像度には限界があった。そこで、同じ軌道上にとどまりつつ偵察範囲を限定して解像度を上げるか、貴重な燃料を使って別の低軌道へ移動する必要があった。

偵察の空白部分を埋めるのが無人航空機、つまりドローンだ。ドローンは高度な通信技術、コンピューター能力の向上、新たな軽量材料を結集させた技術で、どれをとってもエネルギーが動力源となりエネルギーを使って製造される。ドローンの魅力は無人飛行にある。無人なら長時間飛行できるからだ（ほとんどの有人ミッションは、パイロットのトイレ休憩や居眠りがはじまるまでに完了しなければならないので、飛行可能時間が制約される）。さらに圧縮空気やコックピットといった生命維持システムを搭載する必要がないので、ずっと小型化かつ軽量化でき、そのことがエネルギー節約につながるため、連続飛行時間がさらに延びる。こうした特徴をもつドローンは高度が上がると検出されにくくなる。「グローバル・ホーク」偵察ドローンが到達できる高度1万8000メートルから、人工衛星で利用するような高性能光学機器を使って撮影すれば、低軌道で周回する衛星画像から得られる情報よりはるかに詳細な情報が得られる。

ドローンの兵器化は必然だった。最初の卓越した攻撃型ドローンが「プレデター」だ。2005年にネヴァダ州ネリス空軍基地から、このドローンの偵察、攻撃行動をリアルタイムで見たのを覚えている。この基地から遠く離れた地球の裏側で、危険が及ばない場所からパイロットが遠隔操作するドローンが作戦を展開した。わたしはビデオゲームでも見ているような感じだった。多国籍軍のメンバーがジョイスティックを操り、ドローンの飛行、光学系そして武器システムを操作し、その反応が映画に出てくるような壁を覆いつくす巨大スクリーン上に映し出された。ネリス空軍基地を日中に訪問したときはちょうどアフガニスタンで深夜の秘密工作が展開されているときだった。わたしはリアルタイムでドローンが農村部をスキャンし、反乱軍を乗せた車を追跡する様子を目撃した。何千メートルも上空からドローンが追跡し、何千キロも離れたところからドローンのパイロットやアナリストが監視しているとは、反乱軍には思いもよらなかったはずだ。攻撃されることのない究極の隔離距離だ。

隔離距離とは攻撃を仕掛ける際の敵との間の距離のこと。この距離が長くなれば、敵側兵器の射程より遠方からの攻撃が容易になる。だからロングボウ（長弓）やクロスボウ、ライフル、そして突き詰めればミサイルは非常に効果的な攻撃が可能で、拳銃やマスケット銃、剣よりも隔離距離を大きく取れる。そして究極の隔離距離を可能にするのがエネルギーだ。（飛行機やミサイルなどを）長距離飛行させる推進力を生み、（人工衛星やドローンを使い）リモート・センシングと遠隔操作を可能にするからだ。こうした究極の隔離距離により兵士たちの安全性が向上し、戦場から兵器のオペレーターや射手をなくせるので、交戦規程上の倫理的意味もあるだろう。

またエネルギーは追跡、同定システムにとっても重要だ。先にも述べたように、レーザーはそのものが指向性エネルギー兵器となるが、他の兵器の誘導もできる。航空機やドローンに搭載される兵器は、風速や航空機の速度を配慮しながら単純な重力によって落下させる爆弾から、特定の場所へ航行させる誘導能力をもつスマート爆弾へと進化した。最終的にレーザー誘導兵器が開発された。この兵器を用いるには、航空機やドローンに情報収集用光学機器を装備した照準ポッドを搭載する。照準ポッドからレーザー・ポインターが照射され標的に照準を定めると、誘導爆弾はその標的に自ら経路を修正しながら向かう。レーザー・ポインターは地上部隊による照射も可能で、数キロの射程がある。したがって何百メートルも上空にいるパイロットより地上にいる兵士の方が敵の場所を確認しやすい場合は、地上配備のレーザー・ポインターで敵のいる建物に照準を当て、頭上の航空機から発射される爆弾を誘導することもできる。

兵器としてのエネルギー

エネルギーは社会が正常に機能するうえで最も基本的なものとなり、その経済的影響力は武器にもなった。敵国の戦力を阻害したり政治的譲歩を引き出したりするために用いることができる。よく知られているのが意図的に世界への石油供給を停止する石油戦略だ。こうした戦略は産油国が石油消費国に経済的な圧力を加え、輸入国を困らせ、産油国の政治的目的を達成するために用いられる。一般的な効果としては、輸入諸国に対する石油供給を制約すれば石油が不足するため価格が上昇し、輸入国国民の不満の原因となる。

石油戦略の典型例が1973～1974年にかけての石油危機で、オイルショックとしても知られる石油輸出国機構（OPEC）による石油禁輸措置だ。アラブ産油諸国は、輸入諸国のイスラエル支持に反発し、石油生産を日産約500万バレル削減し（これらの産油国の生産が約

25パーセント減少したことになる）、固定価格を削減前の水準の約500パーセントに引き上げた。[19] 国際石油市場は1日430万バレルの不足に陥り、こうした石油不足はアメリカなどの国ではガソリンの不足と高騰をもたらした。その後1970年代後半のイラン革命による石油途絶も大きな衝撃を与えた。このふたつの石油危機ではガソリンスタンドに長蛇の列ができ、エネルギー価格が高騰し、懐は寂しくなり、ドライバーは不便を強いられ、石油危機は1970年代を象徴する常套句となった。この時代の厳しい試練の経験は記憶に残り、その後数十年間、石油安全保障問題が常に意識された。

これらの石油危機はその影響が連鎖的に進み世界中に衝撃を与えた。アメリカでは1970年代の石油危機によりエネルギー省と、エネルギー統計を追跡する新しい政府組織が創設された。アメリカは代替エネルギーに向けた連邦研究費を増額し、企業別平均燃費基準（CAFE）を義務づけ、省エネを中心とした情報公開キャンペーンを展開すると、1960年代後半から1970年代前半にかけて急増した環境運動ともうまくかみ合った。第二次世界大戦中のドイツのエネルギー安全保障の作戦計画書をお手本にして、アメリカでも国内の石炭資源を液体燃料に転換する可能性を追求する計画が立てられた。しかし最終的にこの計画に莫大な費用がかかることから公的支援は縮小し頓挫することとなった。

ヨーロッパ諸国でも燃費基準を導入し、様々な形態のエネルギーに関する研究も意欲的に強化した。特にフランスでは1974年から、電力部門において石油とガスの代替として原子力発電の利用に舵を切りはじめた。その結果、フランスは原子力発電と核廃棄物の再処理に関する技術で世界をリードしている。フランスの電力の約75パーセントが原子力発電で供給されている。

1973年の石油供給の途絶により1日9000万バレルを扱う世界市場から、1日100万〜600万バレルの供給が消えた。それほど大きな変化ではないようだが、供給量の変化は小さくても価格には大きく影響する。1973年の石油禁輸と将来の供給途絶の危機に対し、石油供給を支えるため国際的な行動を調整する国際エネルギー機関（IEA）が1974年に設立された。[20] IEA創設時の加盟国は16か国で（現在は30か国）、その主要な任務はエネルギー安全保障に関する国際的協調にあった。石油供給途絶に対する緊急対応は、現在もIEAの主要な任務のひとつだ。IEAへの参加条件は、1日あたりの石油純輸入量の最低90日分を石油備蓄していること、そして石油危機の事態には他のIEA加盟国を支援することだ。

アメリカではIEAの参加条件を準備するため、戦略的石油備蓄として地下にある岩塩空洞に7億バレルを越える石油を蓄えた。こうした地中の空洞はテキサス州やルイジアナ州などにあり深さは数百メートルに及び、エンパイア・ステート・ビルディングが縦に2本重ねて入る。戦略的備蓄の意図は、将来の石油供給途絶の衝撃を弱めることと、重大な供給途絶が起きた場合でも、緊急行動あるいは軍事行動に必要な最低限の石油を確保することにある。他の国でも同じように石油を備蓄した。リスクは今もなくなっていないため、IEAは報告書を発行し、世界中の国々がこの問題に関心を持つよう積極的に働きかけている。

武器として用いられるのは石油だけではない。IEAが注意したように「エネルギー安全保障はもはや石油に限られない」[21]。天然ガスと石炭も戦略的に供給を止めることができる。1970年代の石油危機から数十年経過すると、石油貿易はある意味で世界市場となり、特定の産油国が供給を止めたとしても、別の供給国を探すことが容易になった。しかし世界の天然ガス市場はまだ萌芽期にすぎない。つまり石油安全保障にかかわるリスクのいくらかが天然ガスに移る。そして天然ガスはある意味で制御しやすい武器となりうる。というのも天然ガスは大規模な封鎖政策をとらなくても、パイプラインを遮断するだけで供給を止めることができるからだ。石油はパイプラインやトラック、船舶での輸送が容易だ。1隻のタンカーが輸送できなくなったとしても別のタンカーを利用でき、パイプラインが破裂しても、石油はトラックでも輸送できる。それに比べて天然ガスは代替輸送方法が少なく、天然ガスの供給ラインを迅速に代替することは不可能だ。天然ガスのパイプライン建設には時間がかかり、高圧で運用されるため、天然ガスパイプラインは石油パイプラインと比べ修理も難しい。トラックでは大量のガスは輸送できず、液化天然ガス（LNG）の船舶での輸送には特殊な液化およびガス化施設が必要で、それには数千億円かかり、建設にも数年はかかるからだ。さらにLNGタンカーは特殊な構造で莫大な費用がかかる。その結果、内陸国やLNG輸入施設をもたない国では、生産地からパイプラインで輸送される天然ガスに依存している。つまり現在の天然ガスのインフラ構成では全体的に復旧力が弱く、生産者がガス配給を支配する立場にある。

パイプラインは供給側と需要側を物理的に接続しているため、両者には紛争時に選択できる手段は数少ない。そこでロシアのような大きな供給者はその影響力を都合よく利用してきた。2000年以降、ロシアはウクライナのパイプラインを通してヨーロッパ諸国の消費者へ供給している天然ガスを何度も遮断してきた。1970年代に中東産石油が輸入できなくなった時のリスクより、2000年代と2010年代にロシア産のガスが利用できなくなるリスクの方が大きかった。しかもこうした紛争や供給遮断、遮断の威嚇は、ヨーロッパが暖房にガスを利用する冬期に仕掛けられることが多かった。2009年の紛争は、厳しい寒さが続くなか3週間におよび、ヨーロッパの消費国、特にガスの主要輸入国であるドイツは、寒さの中で孤立する危機的状況に曝された。

石炭は国内に豊富にあることから安定した供給が可能のように思えるが、そんな石炭でさえリスクに曝される。数年にわたり度重なる紛争とロシアがクリミアへ侵攻し緊張感が高まる最中にあって、2015年11月にロシアはウクライナへの天然ガスと石炭の供給を遮断した。[22] ロシアへの依存を減らしエネルギー不足を解消するため、最終的にはアメリカ産の石炭がウクライナへ輸出された。[23]

安全保障関連では石油を武器として利用するだけでなく、石油と武器を交渉の手段とすることもある。エネルギー生産者は石油を餌にアメリカから兵器を手に入れ、輸入国は兵器を餌に石油を得る。2008年、世界の石油価格は非常な高値になっていた。ブッシュ政権が終わりを迎えようとし、大統領選が進行する中、世界的景気後退が始まったばかりだった。サウジアラビアのアブダラ王と会談したジョージ・W・ブッシュ大統領は、アメリカの消費者のために石油価格を下げたいので石油の増産を要請すると、その後新聞には「サウジ、ブッシュの石油増産要請を拒絶」と見出しが躍った。[24] これに対して民主党は上院で、サウジアラビアが石油を1日100万バレル増産しない限り10億ドル以上の兵器をサウジアラビアへ輸出することを禁止する法案を提出した。[25] サウジが石油禁輸を武器にして脅したように、アメリカの為政者は兵器の禁輸を武器として石油を要求しようとしたのである。この対立の火花が落ち着いてきてもサウジは自らの戦略を変えなかった。石油と兵器システムとを天秤にかけた戦いでは、石油を武器にした方が有利だったのだ。

ブッシュが嘆願したのは微妙な時期でもあった。エネルギー安全保障は、1970年代の石油危機に見舞われるまで国家的優先課題ではなかった。その後数十年の間、石油安全保障の考え方は、供給の安全性に焦点が当てられていた。しかし2001年9月11日にアメリカで起きたテロリストによる攻撃のあと、エネルギー安全保障の考え方は新しい展開を見せた。アメリカは安定供給を懸念するより、石油の購入がテロリズムの資金源になることを心配した。イラクとアフガニスタンでは、西側諸国が購入する石油から得た収入を資金源とする相手とアメリカは戦っていた。まるでわたしたちは敵、味方の双方に資金提供しているようなものだった。9・11の19名のハイジャック犯のうち15名がサウジアラビアの出身で、石油輸入との関連性が特に懸念された。

9・11から10年と経たないころ、アメリカ軍が中東に深く関わりながら、ブッシュ大統領がサウジアラビアに石油増産の要請をしたことは、エネルギーと国家安全保障の間の深く難しい関係を照らし出すことになった。それからまたほぼ正確に10年後、シェール革命をはじめエネルギー部門の状況が大きく変化したにもかかわらず、ブッシュ大統領の要請の不気味な再生ビデオでもみているかのように、ドナルド・トランプ大統領は世界の石油価格を下げるためにサウジアラビアに増産を嘆願した。[26]

石油安全保障への関心が続く中、今日では1970年代ほど石油戦略が有効ではないとする見方もある。当時そしてそれ以前、国々は輸出入の二国間協定を締結していた。つまり、石油輸入国が特定の石油輸出国から石油を購入する取り決めをしていたのである。したがって輸入国には選択の余地がないまま、石油販売国は石油価格を上げ供給を止めることもできた。しかし1980年代以降世界の石油市場は自由化され、購入国はそれぞれ供給について多くの選択肢を持ち、石油価格は変動するようになった。今日の市場主導の考え方に沿ってエコノミストは、石油はいまや代替可能商品なので供給を遮断する戦術は長続きしないと指摘する。買い手はひとつの供給者に供給を遮断されても、他の国や企業から石油を買えばいいだけだ。産油国はシーレーン封鎖などの軍事介入をしない限り、消費国が世界市場から石油を購入することを妨げられない。

石油が武器としてはもはや有効でないもうひとつの理由は、産油国は金が必要だからだ。2007年の前半、『ウォール・ストリート・ジャーナル』のある記事の見出しに「ベネズエラ、イランは石油危機に耐えられるか?」とある。産油諸国は消費国が石油を必要としている以上に石油販売による歳入が必要であることを正しくも指摘している。このことを根拠として、イランなどの国々を相手に輸入禁止という制裁を外交政策の道具として使っている。イランなどの国で石油の輸出ができなくなれば歳入が大きく減少し、危険な兵器システムの開発を阻止できる。ただこのアプローチが長期的に有効かどうかについてはまだ結論は出ていない。

こうした論拠と数十年におよぶ市場の自由化にもかかわらず、武器としての石油は今日も様々なかたちで生きている。さらに石油を重要な交渉戦術と考えているのはロシアや中東諸国などの「非友好国」だけではない。カナダもまた石油を武器として使うとアメリカを威嚇した。2008年のアメリカ大統領選挙を取り上げた記事がこの事件を次のように伝えている。「カナダ貿易相デイヴィッド・エマーソンは、アメリカ民主党の大統領候補バラク・オバマとヒラリー・クリントンが目指す北米自由貿易協定（NAFTA）の再交渉があれば、オタワは石油輸出を武器に使うことをちらつかせた。カナダの豊富なエネルギーを背景としたこのように遠回しな威嚇は、アメリカの保護貿易論者からの圧力に対して、これまでもときおり用いられてきた」[27]

2009年8月、長年リビアの最高指導者であったムアンマル・アル＝カッザーフィー（カダフィ）が関係した事件が1週間に2回おきた。それが図らずも1970年代の石油危機が遠い過去のこととなった今日でも、石油戦略が妥当であることを示すことになった。簡単に説明すると、スイスに対しては石油の禁輸を持ち出し、イギリスとは石油開発と生産契約の交渉に乗ることで、リビアは躊躇なく石油を使い取引を有利に進め、消費諸国はそれに巧みに操られた。同じ月の記事は「先週はリビアの指導者ムアンマル・カッザーフィーにとって気分のよい1週間だった。スコットランド、ロッカビー上空の270人の罪なき人々を殺害した（パンナム機爆破事件）テロリストが祖国へ英雄として帰還し、世界で最も好戦的でない国といわれるスイスに別の件で謝罪させたからだ」と伝え「アラビアの石油禁輸から36年、石油戦略は今も健在だ」[28]と結んだ。穏やかとは言えないこの1週間の動きのなかで、ゴードン・ブラウン率いるイギリス政府はロッカビー爆破犯アブデルバセット・アル・モハメド・アル・メグラヒを釈放し、リビアへ帰国させた。しかしそれはＢＰ（前身はブリティッシュ・ペトローリアム）との数百万ポンドの石油探査契約と引き替えだった。あるニュース記事は、細かい点ははしょって事もなげに「ロッカビー爆破犯、石油と交換に解放」[29]と書いた。

リビアはこの爆破犯解放と並行して、スイスの政策操作にも石油を利用していた。カダフィの息子ハンニバルが従業員に暴力をふるった件で、スイスはハンニバルを収監した。するとカダフィは息子の釈放と国としての謝罪を要求した。スイスは第一の要求には応じる一方で、謝罪は拒否した。しかしリビアは当時スイスの石油消費量の20パーセントを供給していたため、リビアは交渉で優位に立てた。カダフィは石油供給を遮断し、銀行から預金を引き揚げ、国交を断絶した。最終的にスイスは何か月も続く石油遮断の圧力に屈し、２００９年8月に謝罪した。[30]

しかし石油消費国にも交渉手段はある。消費者は節約によって需要を抑え、石油価格を下げることで産油国に経済的圧力を加えることができる。２００８年以降アメリカは強力に石油を増産し、石油の消費の伸びを抑えたこともあり（燃費基準が厳しくなり公共交通機関の利用が増えたため）、アメリカの世界市場から調達する原油量は大きく減少し、その結果イランは核エネルギーの交渉テーブルに着かざるをえなくなった。[31]そして石油の低価格が続いたことが１９９０年代前半にソ連が崩壊する要因のひとつにもなった。ロシアやサウジアラビアのような国にとっては、石油の売り上げが国家財政の大きな収入源なので、石油価格が下がるか減産になれば、国家財政は破綻する。こうして産油国の石油戦略に対して、消費国は石油節約戦略によって、いくつかの産油国の妥協しない態度をうまくあしらえるようになる。そしてその過程で石油消費国はエネルギー費用を節約することになり、全体的な石油消費が減少するため汚染も減ることになる。

エネルギー供給の安全保障

１９７０年代までは石油と石油によって可能になる物理的および社会的移動性が、国家安全保障の支えと考えられていた。確かに石油によって船舶や航空機で長距離を迅速に移動できるようになったのは、どちらも有益なことだった。しかし１９７０年代の二度のエネルギー危機がそうした状況を変えた。石油、具体的には石油の輸入が国家安全保障上のマイナス要因となったのである。この危機によって供給の安全保障について終わることのない不安が生まれた。２０１１年9月11日のテロ攻撃の後、エネルギー安全保障の重点は、エネルギーを買うことでアメリカを嫌悪する国に利益を与えてはならないという考え方に置かれた。輸入に頼らないという方向性の中で１９７０年代には主に燃料の転換と省エネが進められた。それが9・11以降になると主に国内資源の開発へと向かった。

１９７０年代のエネルギー安全保障問題は実際にはその数十年前から始まっていた。１９０１年にテキサス州東部で壮大な噴出油田、スピンドルトップを掘り当ててから数十年間というもの、アメリカは他の追随を許さない石油生産大国だった。そしてこのアメリカの石油生産が第一次、第二次世界大戦の勝利にも貢献したわけだが、第二次世界大戦後、アメリカの石油消費量は生産量より急速に増大していた。結局、アメリカはさらなる石油を輸入するため世界に目を向けることになり、その後西側連合国への安定した石油供給の維持がアメリカの国家的優先課題となった。

アメリカはまた、石油の確保には戦争をするだけの価値があることを明確に示した。1990年代前半と2000年代前半のイラクにおける石油戦争は、ジョージ・H・W・ブッシュ大統領とジョージ・W・ブッシュ大統領にとって明らかな軍事ミッションだったわけだが、石油が戦争に見合う価値があるとする考え方は実際には「カーター・ドクトリン」として知られている。カーター大統領は1980年の一般教書演説で、中東の最も活発な石油生産の中心地であるペルシャ湾における国益を守るため、アメリカは軍事力を行使する準備があると述べた。カーター・ドクトリンの具体策として、アメリカ軍は世界中にその力を誇示し、石油タンカーが自由に航行できるよう海軍にシーレーンを守らせた。

特に気がかりなのがチョークポイントだ。チョークポイントというのは、重要な貿易航路のなかで地形的に狭くなった部分のことで、この地点が軍事的に封鎖されたり敵対勢力によって寸断されたりすれば、輸送の流れ全体が止まってしまう貿易の急所だ。2015年、世界は1日に9700万バレル近い石油を消費していた。そのうち5900万バレル近くはタンカーで海上輸送され、その際いくつかのチョークポイントを通過する。[32] 重要なチョークポイントをあげると、ペルシャ湾の出口に当たるホルムズ海峡（1日に1900万バレル、世界の消費の約20パーセントがこの海峡を通過する）、スエズ運河（この運河で1日550万バレルの石油が中東からヨーロッパへ輸送されている）、そしてシンガポールの近くを通りマレー半島とインドネシアの間に連なる長さ数百キロにおよぶマラッカ海峡（アジア向けの1日1600万バレルの石油が通過する航路）がある。中でもホルムズ海峡はイランに近いことと、世界市場へ向け海上輸送される石油の約3分の1がこの海峡を通過するので、リスクの高いチョークポイントと考えられている。この海峡をイランが単独あるいは他の敵国と協調して封鎖し、世界の石油供給を混乱に陥れるのではないかと懸念されている。

こうした懸念から、アメリカ軍はホルムズ海峡やスエズ運河、そして産油国周辺に積極的に展開している。チョークポイント周辺に展開する軍はいつ緊張が高まるかしれないため、厳戒態勢が敷かれている。２００４年6月21日はその年で一番長い日となった。イギリスの海軍と海兵隊の８名が海峡近くで演習中にイランに拘束された。イランはイラン領海にイギリス兵が迷い込んだとして非難したが、外交的圧力により3日後には解放した。それから3年も経たない２００７年3月には、イギリス海軍の15名がイラン領海を侵犯したという同様の嫌疑で拘束された。ホルムズ海峡周辺での嫌がらせは翌年も続き、今度はアメリカ海軍との間のいざこざで、イランの高速艇がアメリカ海軍戦艦の直前を高速で通り過ぎ、大きな物体を海中に落下させた。[33] アメリカ側はイランが機雷を落としたのではないかと心配したが、実際には妨害のために空箱を落下させただけだった。イランの高速艇は銃撃を受ける直前に向きを変えた。この時の小競り合いが火種となって石油価格が跳ね上がり、世界石油市場の緊張と世界の石油途絶に対する懸念が顕《あら》わになった。

これらのチョークポイントは非政府活動家、つまり海賊による攻撃リスクもあった。今では１５００年代のように木製の義足にアイパッチを着けて王家の財宝を載せた船を狙う海賊はいないが、現代の海賊の標的は別の王家の財宝、サウジアラビア王家の石油だ。超大型タンカー一隻で、200万バレルの石油を運ぶ。1バレル50ドルとして1億ドルの価値がある。うまく乗っ取れば大金が転がり込む。2009年の事件では、ソマリアの海賊がサウジアラビアの所有するスーパータンカー〈シリウス・スター〉を2か月間拘束した末、300万ドルという大金と交換で解放した。[34] 海賊は世界中で1年間に何百隻もの船舶を攻撃し、なかでも石油タンカーは彼らにとって魅力的な獲物で、年間数十隻が攻撃を受けている。[35] 2003年から2017年にかけて総計470隻の石油タンカーが攻撃を受け、他にも天然ガスとプロパンガスのタンカー133隻が攻撃を受けた。タンカーへの攻撃がこれほどの頻度になったことで、世界の石油価格は上昇した。[36] 石油のグローバル・サプライチェーンがこのように脆弱なことをみせつけられると、多くの国は石油輸入量を削減し、可能ならエネルギーを自給自足することに積極的な関心を示すようになった。

アメリカもそうした国のひとつだ。1970年代、アメリカの為政者は国家安全保障に基づき、石油の輸出を停止する貿易障壁を築いた。しかし2010年代になると、国家安全保障に基づいて天然ガスの輸出が検討された。1970年代の石油危機のあと、アメリカ産の石油を世界市場へ輸出すれば、アメリカの石油生産者は国内の石油供給を保証するより、高値をつける国に輸出するようになり、国内利用が危機に曝されると考えられていた。しかし石油の輸出禁止は見当違いだった。アメリカの石油消費は伸び続け生産は減少していたため、焦眉《しょうび》の問題は輸入の方で、輸出を考えるなどお笑いぐさだった。ところが2000年代にテキサス州フォートワースの外れで始まったシェール革命の後、アメリカの国内供給にめどが立つと再び輸出が現実味を帯び、エネルギー地政学は一変したのである。

１９７０年代の考えでは、中東産油国の支配下から離脱するためにアメリカは石油の輸出を禁止しなければならなかった。一方２０１０年代になると、ヨーロッパの同盟国を輸出国ロシアの支配下から脱出させるため、アメリカは天然ガスの輸出を開始しなければならないと考えたのである。結局、アメリカでは現在液化天然ガスの輸出基地を建設中で、議会も１９７０年代以来初めて原油の輸出を解禁した。当時としては珍しい与野党が歩み寄った法案だった。ヨーロッパで現在主流となっているロシア産天然ガスは高価で、ステンレス製のパイプを通してベルリンなど西側ヨーロッパの消費の中心地に突き刺すように供給されている。この法案によってアメリカ本土の天然ガス生産業者は、こうした高価な慣習をアメリカ産ＬＮＧによってきっぱり縁切りさせ、ヨーロッパのエネルギー安全保障問題を解決すると豪語することもできるようになった。

戦争の標的となるエネルギー、戦争を予感させる闇

エネルギーは社会に欠かせないものであるからこそ、製油所やダム、パイプラインといったエネルギー・インフラは戦時の標的になりやすい。エネルギー・サプライチェーンを狙えば、犠牲者を出さずに敵軍への直接攻撃に匹敵する効果が得られるからだ。通常はエネルギー施設を標的に兵士が送り込まれるが、退却する兵士が侵攻してくる敵軍にその施設を利用させないためにエネルギー・インフラを破壊することもある。たとえば１９９１年の湾岸戦争で、イラクのサダム・フセインの軍は退却する間に油田に火をつけたため、アメリカ軍はその石油を使うことがで

きなかった。
石油サプライチェーンは現代の軍隊では命綱のようなものだ。石油から製造される燃料の利用は第二次世界大戦終結以来17パーセント増加し、1日兵士ひとりあたりで83リットルになる。[37]そのため戦時には、エネルギー輸送に大きな労力が払われる。2006年の「不朽の自由作戦」と「イラクの自由作戦」の展開中、アメリカ国防総省は1億1000万バレルの石油と38億キロワット時の電力の購入に136億ドルを費やしている。[38]100億ドル強が燃料に、約35億ドルが電力に費やされた。その後の消費量の増加と石油価格の上昇により、2008年には軍の燃料費は200億ドルにのぼった。[39]
軍が戦場に配備するために輸送しなければならない全物資の約70パーセントが燃料だ。[40]その費用も莫大になる。アメリカ空軍の空中給油には1ガロンあたり42ドルかかる。実に高価だが、それさえも前線に燃料を供給するために1ガロンあたり400ドルかかっている事実によってかき消されてしまう。世界の戦場に燃料を供給するため、陸軍だけでも制服組約6万名が任務に当たっている。内訳は現役兵士が2万名、予備兵4万名だ。さらに無人航空機(たとえばドローン)などの最新装置が導入され燃料消費が急増していることで、燃料事情はますます深刻になっている。1990年には戦場で6種類の燃料が利用されていた。それが2005年までには10種類に、2010年には13種、これらすべての燃料を戦場へ送り込まなければならなかった。[41]
これらの燃料を供給するための広範におよぶサプライチェーンは、敵対勢力にとって格好の標的となる。あいにく輸送トラックは攻撃に対してほとんど無力なため、そのことがさらにリスクを呼び寄せている。燃料輸送隊は路上爆弾のいい標的にされ、最近の戦争では、燃料消費が多いほど戦死者も増加するという、明らかな相関が見られる。[42] イラクとアフガニスタンにおける燃料輸送に関わる死者数は2007年だけで150人を超えた。[43] 陸軍の前線基地では太陽光発電に転換することで輸送燃料を減らし、兵士の生命を守ることにつなげている。[44]

パイプラインも標的にされやすい燃料サプライチェーンだ。2008年のロシアとジョージア(旧グルジア)との間の紛争では、ロシアは消費国に対し優位に立つためパイプラインを利用した。石油パイプラインよりずっと北を通るノルドストリーム2という当時計画中のロシア製天然ガスパイプラインの支持を得るために取った手段でもあったのだろう。[45] 新聞各紙が報じたところによると、ジョージアを経由して1日に100万バレルが輸送される世界で2番目に長い石油パイプラインを、ロシアが何十発ものミサイルで猛攻するのを見て、多国籍エネルギー企業は警戒を強めたという。結果的にこのミサイル攻撃が失敗だったことは幸いだった。この作戦がジョージアを脅すためだったのか、あるいは西側原油消費国を威嚇するためだったのかははっきりしていない。当時の石油価格は非常に高く、石油と天然ガスを豊富に産出する恵まれた国ロシアには金が流れ込み、自信を強めていた。この一件はロシアが石油軍国主義という兵器庫から腕ずくの信書を届けたとも言えるだろう。注目すべきはミサイルがわずかにパイプラインをそれたことだ。専門評論家によると、ロシアのナビゲーション・システムは高性能で目標をはずすはずがなく、ロシアは意図的にはずした可能性が高いと指摘する。おそらくロシアはジョージアを経由するパイプラインにはリスクがあり、パイプラインはジョージアを遠く迂回するべきだというシグナルを、ミサイルを使って端的に送ったのだろう。ロシアが自らのパイプラインを破壊することはないので、費用は余計にかかっても安全な北寄りのロシア製石油パイプラインにビジネスを誘導する作戦だったのかもしれない。ヨーロッパ連合（ＥＵ）はロシアに近く、ロシアと近隣諸国との間のエネルギー紛争の火の粉を浴びる大きなリスクがあるため、事態を静観していた。この沈黙はヨーロッパが石油と天然ガスをロシアに依存していることをしぶしぶ認めたことを意味した。それから10年後、ヘルシンキで開かれたウラジミール・プーチンとの有名な首脳会談で、トランプ大統領はヨーロッパのエネルギー安全保障の改善にむけ、ノルドストリーム２天然ガスパイプラインをヨーロッパへの経路として推奨し、最終的にロシアの目論みの達成を助けるかたちとなった。

敵国の電力供給の意図的な遮断も典型的な戦術のひとつで、敵の作戦遂行能力を弱体化させ、国民の士気を削ぐことができる。しかし、エネルギー・インフラの破壊は敗戦国の戦後復興を阻害し、不安定な状態を長引かせ、和平の妨げになりかねない。１９９０年代のバルカン地域での紛争で、こうしたトレードオフの解消に向けてアメリカが導入した新兵器が「グラファイト爆弾」だ。別名「停電爆弾」とも言い、送電網は破壊せず停電だけ起こす。[46] この爆弾は１００分の１センチ程度の厚みの炭素繊維製のワイヤーをまき散らし変圧器や電線の絶縁されていない部分に付着してショートを起こす。作戦が終了してから、送電線網を再建する必要がないので都合がいい。１９９９年5月の集中爆撃作戦でＮＡＴＯ機がこの兵器を使用し、セルビアの首都ベオグラードの電力を遮断した。この時は1か所の攻撃でセルビアの70パーセント以上の照明が消えた。[47]セルビアは送電線から炭素繊維を除去し24時間以内に送電網を復旧したので、北大西洋条約機構（ＮＡＴＯ）は数日後に再び同じ攻撃を仕掛けた。ＮＡＴＯスポークスマン、ジェイミー・シェーは「われわれは必要とあればどこでも望む時に停電を起こすことができる」と述べ、セルビア国民に大きな不安を与えた。[48]

こうした送電網への攻撃は、テクノロジーの進歩とともに進化する。たとえば高高度での核攻撃によって電磁パルス（ＥＭＰ）を発生させることも考えられている。ＥＭＰは雷などの自然現象でも生じるし、専用兵器で起こすこともできる。雷雨時に起きる現象と似て、エネルギー・パルスにより電流が急増するサージが生じ、変圧器や変電所などの電気機器に損害を与え、送電網の一部が停電する。こうした停電は生活を混乱させ、地域送電網を利用する国内軍事基地の機能を麻痺させる。また戦場で必要なジェット燃料を生産する製油所も操業できなくなる。こうしたリスクは極めて現実的であるため、軍事計画では前々から認識されていた。[49]この攻撃の目的は破壊そのものではなく、バックアップシステムでは維持しきれないほど長時間にわたって停電を持続させることにあった。特に送電網にある高電圧変圧器などの大型装置を製造しているのは、世界でカナダにある企業ひとつだけだ。電力のない現代社会など想定もできないため、ＥＭＰ攻撃の恐怖が頭をよぎるようになる。電力公営事業体もこのリスクは十分に念頭にあり、積極的にそのシナリオ分析を行っている。その評価によると、広島に投下されたものより１００倍以上強力な原子爆弾を使うことで特定の地域を停電させることができる。しかし幸いにして、公営事業体が分析したどのシナリオでも、送電網が全国規模で崩壊する事態は起きなかった。[50]

送電網が崩壊するとその復旧は難しい。大きな停電後に送電網を復旧させる過程を「ブラックスタート」(自力起動)という。実はほとんどの発電所は事前に電力が供給されていない限り稼働できない。発電所を稼働するには、その定格電力の約10パーセントを外部電力から供給する必要がある。そうでなければ、発電所の装置と系統電力を同期させることができないのだ。こうした問題から、水力発電所がブラックスタートに用いられることが多い。系統電力が落ちても重力はなくならないからだ。しかも重力にはお金もかからない。しかし系統電力をてこ入れするだけの豊富な水力発電資源はどの地域にもあるわけではない。2018年5月のはじめ、テキサス大学オースティン校のわたしの研究グループがテキサス州系統電力運用者とともにブラックスタートの訓練を行った。テキサス州には水資源が少ないため、水力発電資源も心許ない。この訓練のインストラクターがわたしの学生に次のように話した。「うちのガレージには24日分の水を蓄えてある。ブラックスタート訓練の責任者がそういうことをしているということは、何が重要かはわかるだろう?」[51]

国防総省がエネルギー問題を解決する

アメリカエネルギー省はエネルギー問題の先頭に立っていると見られているだろうが、それは連邦政府に関する皮肉のひとつで、その名称と裏腹にエネルギー省は歴史的に国家安全保障組織の一部であって、元来は兵器関係の機関で、たまたま副業としてエネルギー問題に手をつけたに過ぎない。裏返して言えば、国防総省が予想以上にエネルギー問題に関わっているということになる。エネルギー運用という複雑な問題にこれほど関わっている組織は世界中どこを探しても国防総省以外にない[52]。国防総省は世界最大のエネルギー消費者であり、エネルギー貿易を保護し、エネルギー関連の戦術で犠牲をはらい（同時に受益者）、世界中のエネルギーが潤沢な地域におけるアメリカの権益を戦略的に保護する組織でもある。

武器や武器輸送、あるいは兵器の誘導システムなど、これほど様々なかたちでエネルギーを利用しているということは、軍が莫大な量のエネルギーを消費していることを意味する。総計すると国防総省は単独で世界最大のエネルギー得意先で、ブルガリアやデンマーク、イスラエルそしてニュージーランドなどの国より多くの電力を消費している。国防総省は毎年液体燃料50億ガロンを消費する。そのうちジェット燃料だけで36億ガロン、ほとんどは空軍向けだ。総計すると国防総省は約７００兆ＢＴＵを消費し、これはアメリカ政府全体の消費量の約75パーセント、アメリカ全土で消費される全エネルギーの１パーセント近くになる。アメリカ合衆国郵便公社と比較してみよう。郵便公社は世界最大の民間車両隊を有し、最大で23万台以上の車両が年間24億キロ以上走行するが、それに要するエネルギーの16倍だ[53]。１９７０年代と１９８０年代の冷戦のただ中で、軍は極めて大規模な戦略航空機部隊を維持し、有事にはただちに離陸できる状態にしていたとき、そのエネルギー消費量は今日の2倍近かった。良いニュースとしては、アメリカ軍がエネルギー消費を大きく削減したことだが、それは冷戦が終結したことと新たにエネルギー効率が改善されたことによる。軍の燃料の必要性は非常に具体的ではっきりしているので、国防総省のエネルギー問題はさらに広い社会のエネルギー問題、つまり信頼性が高く手頃な価格で持続可能なエネルギーを確保する課題の縮図として見ることもできる。

アメリカ合衆国郵便公社と同じように、アメリカ軍も何十万台もの陸上車両、船舶そして航空機をもつ。アメリカ海軍も艦船用の燃料が必要で、多くの潜水艦や航空母艦は原子力に転換した。艦船は極めて効率がよいので、必要な燃料は戦車や航空機と比べるとわずかだ。結局軍で最もエネルギーを消費しているのが航空機だ。

さらに航空機の燃料事情を悪くしているのは、ジェット燃料がエネルギーとして非常に特殊なことだ。航空機や戦車へ給油する場合、普通街角のガソリンスタンドでトラックに給油するより高性能の燃料が必要になる。特に空軍は燃料タンクを小型かつ軽量にするため、極めてエネルギー密度の高い燃料が必要で、しかも安全に貯蔵、取り扱い、利用ができなければならない。中東の真夏の舗装路という灼熱地獄でも、また真冬のアラスカや高高度での極寒のもとでも使える都合のよい沸点と凝固点をもつ燃料でなければならない。こうした条件を考えると、バッテリーに蓄電した電力やエタノール（どちらも石油ベースのジェット燃料と比べるとはるかにエネルギー密度が小さい）では過酷な条件や長距離飛行には使えない。航空機を電力で飛ばすのが難しいのはバッテリーが重いためだ。バイオ燃料ではジェット燃料と同等のエネルギー密度や凝固点、沸点が得られない。結局、地上の輸送部門から航空機の用途に見合う既成の代替エネルギーを調達し利用することは難しい。

アメリカ軍は早くも１９４６年に「航空機推進力としての原子力エネルギー」（ＮＥＰＡ）プロジェクトを立ち上げ原子力航空機の実験を開始した。（ジェット燃料を燃焼させるのではなく）原子核反応によって高温で高圧のガスを発生させ、その噴出により加速力を得て航空機を推進できると考えたからだ。しかし放射線から乗組員を保護するというやっかいな問題があり、さらに原子力航空機が頭上を飛ぶことに市民が不安を抱いた。原子力航空機計画は、複数のタイプと計画名が存在し原型エンジンもいくつか製作されたが、最終的にケネディー政権時に中止となった。結局液体燃料が最もバランスのよい性能を発揮できる特性をもっていることから、液体燃料は軍のエネルギー消費の大きな部分を占めている。

エネルギーの利用が国防総省の財政に大きな影響を与えていることから、同省ではエネルギー省その他の政府機関より消費を削減する方法を開発するために多大な資金を投入している。政府機関の財政はたいてい一方を減らせば他方が増えるゼロサムゲームなので、国防総省が燃料費を削減できれば、その費用を別の目的に利用できる。国防科学委員会（ＤＳＢ）の研究が、軍事利用で燃料を前線へ輸送する費用が高額になることを考慮して指摘したように、「国防総省にとって省エネは、国内いや世界中の他のどんな組織よりも大きな価値がある」[54]。こうした経緯から、国防総省は次第にエネルギー研究開発や新しいエネルギー技術の実践と代替燃料の利用の先導的立場に立つようになっている。既存のインフラと両立可能で、従来のエネルギー形態と同様にアメリカのエネルギー需要を満たせる国産低炭素エネルギー資源を発見する最有力候補が国防総省だ。国防総省がそれを実現すれば、アメリカのエネルギー問題を解決するだけでなく、世界のエネルギー問題の解決にも大きな役割を果たすことになるだろう。

おそらく国防総省が裁量をもつ最も重要な道具が、国防高等研究計画局（ＤＡＲＰＡ）をはじめ海軍研究局（ＯＮＲ）や空軍科学研究局（ＡＦＯＳＲ）など様々な研究機関に配分されている潤沢な研究費だ。連邦政府が進めるあらゆる研究のなかで、エネルギー関連の研究開発費用の総額は通常は年間30億ドル前後で推移している。医学関係の研究費の３００億ドル以上と比べればごくわずかだし、防衛関係の研究費８００億ドルと比較すれば塵《ちり》のようなものだ。こうした国防総省の莫大な研究費を考えれば、同省には省エネ研究を推進するうえで他の政府機関を束にしてもかなわない力がある。

エネルギーはアメリカとその同盟国にとって経済的にも政治的にも重大関心事なため、炭化水素燃料の流通を維持することは、戦略的最優先事項になっている。アメリカ軍が自前のエネルギーを大量に投入し、世界でエネルギーが豊富な地域の安定と防衛を担っているのは皮肉な帰結だ。こうした全任務に値札をつけるのは難しいが、いろいろな分析から、アフガニスタンとイラクでの戦争費用を除き、石油の供給と輸送を守るだけでアメリカは毎年約２９０億ドルから１４３０億ドルくらいを費やしている。この費用を考えると、カナダとメキシコ以外の国から輸入する石油１バレルに対し、アメリカ人は暗に軍事費として9ドルから44ドルを支払っていることになる。著者がランド研究所の国家安全保障分析チームに属していたとき、ペンタゴンの上級職員との会合で、サウジアラビアのサウード王家が没落したり彼らの主要な製油所が攻撃されれば、世界的な安全保障問題になることを何度か聞かされたことがある。

世界中でこうしたエネルギーに端を発する介入がおきていることは、ペンタゴンの多くの戦略計画者にとって頭痛の種となった。幸い国防総省には、自らのエネルギー問題解決に役立つ手段がいくつかある。第一に経験がある。それはエネルギーを生産し、流通させ、利用する経験で、代替燃料を開発するうえで助けになる。さらに国防総省には電力と燃料を長期購入する契約ができる独特の権能があり（電力は20年以上、燃料は5年まで）、これによってエネルギー開発者は大規模プロジェクトに欠かせない資金の流れを確保できる。他の政府機関ではエネルギーの長期契約を結ぶのは難しい。

その結果アメリカ空軍は、バイオ燃料や石炭由来の液体燃料など石油代替燃料を利用する野心的な目標を掲げた。また新燃料が登場するとその燃料を利用する航空機のフライト回数を積極的に増やしている。バイオ燃料の場合、原料となる植物が成長する際に大気中から二酸化炭素を吸収するため為政者にとっては魅力的だが、バイオ燃料として一般的に生産されるエタノールはエネルギー密度が低いためジェット燃料には不向きだ。しかしバイオディーゼルに似たジェット燃料なら、広範な原材料からいくつかの異なる過程を利用して製造できる。原材料として最も関心が寄せられているのが藻類で、トウモロコシや大豆など従来の植物原材料に比べ年間単位面積あたりの生産能力が非常に大きい。農家は低品質の水（場合によっては海水でもいい）を利用して耕作不適地で藻類を栽培できるので、藻類バイオ燃料は農業との競合も回避できる。

研究者の間では藻類が燃料源となることは数十年前から知られていたが、開発に莫大な費用がかかることと規模の面で難しかった。そこでインターネットを生み出したことで有名なペンタゴンの研究開発部局、DARPAが登場する。2000年代後半にDARPAは藻類をもとにしたジェット燃料を開発し、24か月でガソリンと競争できる価格で数千ガロン製造する突貫計画に

5000万ドルを投入した。2018年現在、藻類由来のバイオ燃料を商業レベルで生産することはできていないが、世界最大の上場石油企業エクソン・モービルから大きな継続投資を引き出すことができた。

さらにDARPAは再生可能エネルギーを採用した。2005年、アメリカ空軍はアメリカ環境保護庁(EPA)のグリーンパワー・パートナーシップ(グリーンパワーの調達を支援する自主的プログラム)における再生可能エネルギーの最大の購入組織となっている。空軍はネヴァダ州ラスベガスのネリス空軍基地に当時としてはアメリカ最大(現在は最大ではないが)の15メガワット太陽電池アレイを設置した。ここは著者が中東の上空を飛ぶドローンを大画面を通して目撃したのと同じ基地だ。さらに、数は少ないがテキサス州ダイエス基地やワシントン州フェアチャイルド基地では、エネルギーを100パーセント再生可能資源から調達していて、コロラド州フォートカーソン基地など大きな基地ではエネルギーと水の外部からの供給を正味ゼロにしようとしている。

軍は知的リーダーシップも発揮できる。アメリカ国内では気候変動をめぐって政治的論争が起きているが、「4年ごとの国防計画見直し」(QDR)では何の躊躇もなく、気候変動は国家安全保障にとって脅威だと断言している。[55] 2014年のQDRでは気候変動がアメリカに深刻な戦略的問題を突きつけ、軍事行動の可能性が増加していると指摘した。暴風雨や干魃、集団移民、パンデミック、政府転覆、テロリスト活動の活発化、あるいは地域の不安定化の影響に対処するため介入が必要になっているからだ。QDRの結論にも反映されているように、気候変動の緩和によってこうした介入の必要性が減少し、国家安全保障の状況が改善されるというのがアメリカ軍の見解だ。２００８年の国防科学委員会の研究では、アメリカが二酸化炭素排出削減という国際的努力に協力するシグナルを送るため、また国家安全保障の脅威を悪化させる気候変動の緩和を進めるため、国防総省は低炭素燃料に投資すべきだと勧告した。軍がバイオ燃料などの低炭素燃料を強く求めるようになった理由のひとつがこの勧告だった。

最終的に国防総省には世界のエネルギー危機を回避する大きな責任があり、エネルギーが豊富な地域を安定化させ、供給遮断を防ぐことでその責任を果たそうとしている。しかし必要なエネルギーや資金、人材の投資は莫大だ。こうしたエネルギーの複雑な関係に購買力を結びつけられる国防総省には、世界のエネルギー問題を解決する他に類を見ない見識と動機そして能力が揃っている。実際に国防総省では一般に考えられている以上にエネルギー問題に取り組んでいる。アメリカは数十年をかけて世界史上最も強力な軍隊を構築してきたが、ひょっとするとこのアメリカ軍がエネルギーという分野で新たな成果を見せてくれるのかも知れない。

原子力安全保障

「原子力安全保障」で最初に思い浮かぶのは核弾頭のことだろう。しかし原子力は別のエネルギーのエピソードにも関係している。

原子力は海軍の燃料源として非常に都合がいい。核燃料は化石燃料と比べ圧倒的にエネルギー密度が高いため、航空母艦のような大型船舶は船内空間の節約のために原子炉を利用する。しかし技術的な難しさや費用、そして国際条約があるため、原子力航空母艦をもつ国はほんの一握りだ。原子力は特に潜水艦に適していて、バッテリーとディーゼルで駆動する潜水艦よりもずっと長期間潜航できる。ディーゼル潜水艦を動かすには酸素が必要なため潜航も海面近くになり、潜航回数にも限界がある。またバッテリーは再充電するまでの持続時間に限りがある。

しかし電力部門で利用する場合、原子力は諸刃の剣だ。気候変動は国家安全保障上の脅威なので、国内で低炭素エネルギー源である原子力を利用すれば温室効果ガスの排出を削減でき、環境上も安全保障上も意味がある。さらに世界の貧困地域で原子力を推進すれば、貧困が減り、テロや市民暴動の脅威も緩和できるかもしれない。しかしこうした核燃料は兵器用のレベルまで濃縮できるため、核兵器が拡散する懸念がある。イランや北朝鮮が原子力発電を渇望していることを世界が心配するのも、こうしたリスクがあるためだ。先進国が核開発計画を温存しなければならない理由もここにある。つまり世界の原子力安全保障を向上させるためだ。[56]

原子力は世界中で多くの障害に直面している。建設中の原子力発電所の計画に遅れが出たり、中止になったり、建設費が超過したりしている。また既存の原子力発電所の中には多額の費用がかかることや原発に対する否定的な市民感情、天然ガスや風力、太陽光といった安い資源に対する競争力がないことから、閉鎖の可能性も出てきている。だが原子力発電所の閉鎖をもちだすことが国家安全保障に長期的な意味でのリスクになることに、多くの人が気づいていない。わたしたちにとって最も重要な核拡散防止のための資産、すなわち多くの優秀な核科学者や核技術者という人材育成を阻害することになるからだ。

これは原子力発電の皮肉でもある。核物質の増大により核兵器拡散のリスクが増すと多くの者が心配する一方で、逆もまた問題になる。アメリカ国内における原子力関連の労働人口が減少すれば原子力の専門家も減少し、アメリカが専門家を派遣し核拡散関連の査察を実行できなくなり、核物質の危険性から世界の安全を守れなくなるからだ。

こうしたリスクへの取り組みに直接関わっているのがアメリカ国防脅威削減局（ＤＴＲＡ）で、２０００人の制服組が化学兵器や生物兵器、放射能兵器そして核兵器の発見や除去に取り組み、核関連のミッションだけで数百人が携わる。さらに核エネルギーの平和利用の維持だけを目的とした多国籍組織である国際原子力機関（ＩＡＥＡ）には２５００名のスタッフが従事している。ＩＡＥＡは民間原子力施設の定期査察を実施し、核物質と核科学関連研究者の移動を監視している。

要するに、ＤＴＲＡに必要な専門的能力を維持することがアメリカの国益にかない、ひいては核兵器から世界を守る国際機関に貢献することになる。アメリカでは現在5万人以上が核燃料製造またはその燃料を利用する原子力発電所に勤務している。原子力産業が衰退すれば、核に関連するリスクを管理するわが国自前の才能を失う可能性がある。その損失はフランス人か日本人で埋め合わせできるし、重要な同盟国でもあるから悪くはないが、それではアメリカが他国の専門家に依存することになる。

政府の施しつまり補助金で数十年経過した原子力発電所を救済するのは後ろ向きのようだが、炭素に値札をつければ市場の効率性を利用でき、炭素フットプリントが小さい原子力が市場での競争力を持つことになる。原子力を国内の燃料ミックスの一部として残すことは、経済面でもロジスティクス面でも、環境面でも強力な根拠がある。そして国家安全保障を強化するとなれば、原子力に対するこの見解はさらに強靱になる。そして見逃しやすい安全保障の脅威にも目を向けさせてくれる。

マリファナと太陽光とタクシードライバー――オースティン流のエネルギー安全保障

エネルギー安全保障の解釈は人によって様々だ。アメリカにおけるエネルギー安全保障は中東からの石油の輸入を減らすことだ。ヨーロッパでエネルギー安全保障といえば、ロシアからの天然ガス輸入を削減することになる。しかしテキサス州オースティンではまったく異なる。

これまでにも述べたように、わたしたちは自動車やトラックのガソリンあるいはディーゼル燃料として石油を利用している。しかしハワイやバックアップ用のディーゼル発電機を除けば、アメリカでは石油を発電には用いていない。それにもかかわらず、政治家や活動家はもっと太陽電池や風力タービンを設置してエネルギー安全保障を向上させたいと主張する。風力や太陽光は電力部門なら石炭の代用になるだろうが、石油輸入をこれらの資源で置き換えることはできない。つまり様々な外交政策目標を持つ国々からの石油輸入と関連するエネルギー安全保障問題は、風力と太陽光では改善しないのである。この微妙な点は、評論家にはほとんど意識されていないが、テキサス大学の世界で最も優秀な大学院生へ向けたわたしの講義では重要なポイントになっている。

ある日、タクシーに乗ってオースティンの空港に向かっている間、よくあることなのだが、わたしはドライバーとの会話に夢中になっていた。わたしが生活のためのエネルギーを研究しているというと、そのドライバーはとても興奮して「おれはね、エネルギーが気に入ってるんだ」と嬉しそうに応えた。「わたしもですよ」とわたしは彼の興奮を受け止めた。ドライバーは特に太陽エネルギーがお気に入りのようで、エネルギー安全保障の状況を改善できるからだと続けた。

後部座席からわずかに軽蔑の眼差しを向けたわたしは、彼の誤りを正そうとしていた。偉ぶった教授の口ぶりで、太陽光エネルギーを導入しても石油の輸入が減少することはないので、エネルギー安全保障に資するところはないと講義しようと意気込んでいた。ところが講義を始めようとするとドライバーはこう続けた。「そうさ、みんなでソーラーパネルをのせれば(その電力で室内でも十分な照明ができるので) わが家でもマリファナを栽培できるだろ、そうなりゃどこかのゲリラや闇カルテルから輸入しなくたってすむんだから、国家安全保障の改善につながるってもんだ」

わたしは開いた口がふさがらなかった。確かに彼の言い分には一理ある。そんなことは考えたこともなかった。太陽光エネルギーも国家安全保障の向上につながるのだ。毎日が新しい勉強だ。

将来を見すえて

エネルギーが戦争のあり方を変貌させてきたことを考えれば、将来もそうなることが予想できる。くすぶっている問題はエネルギーが社会を安全にするのか否かだが、その問いに答えるのは簡単ではない。電力その他の現代的な燃料を利用した高度な防衛システムによって安全にはなってきている。しかしエネルギー供給を不安定な地域に依存している現状は安全とはいえない。さらに激しいエネルギー消費がもたらす気候変動がそうした地域をさらに不安定化させ、紛争のリスクを増大させている。実際、ペンタゴンによるペンタゴンのための国防科学委員会（ＤＳＢ）の研究と「４年ごとの国防計画見直し」（ＱＤＲ）の報告書には、気候変動に全力で取り組むことが重要であると指摘されている。[57] 国防科学委員会は国防総省に対して低炭素エネルギー開発を推進するリーダーとなることを要請した。２０１４年版「４年ごとの国防計画見直し」は軍が気候変動の圧力を受けるだろうと指摘した。気候変動により「将来の任務はその頻度、規模そして複雑性が増大し、国内軍事施設での訓練支援能力も低下する」ためだ。そして「さらに強力で効果的な戦闘部隊の編成に向けエネルギー技術への投資」を要請している。ペンタゴンの見解は、軍に必要なエネルギーについては社会における低炭素へ向けた動向と足並みを揃えることが、紛争リスクを低減するうえで重要な優先事項になるとしている。

コロラド鉱山大学ペイン研究所の常任理事であり、国連と世界銀行にも携わったモーガン・バジリアンは「すぐれた計画とエネルギー・インフラ、管理の行き届いたサービスの提供が平和と経済発展の礎になる。逆もまた真だ」と述べている。[58] エネルギーの欠乏が紛争の原因となることは将来も変わらないだろう。しかし、水とエネルギー資源の利用を拡大できる新エネルギー・システムが開発できれば、平和への道が開けるかもしれない。

終章　エネルギーの未来

トレードオフ

生命はいろいろな意味で妥協の産物だ。本書でも示したように、わたしたちが知っている生命とはエネルギーのことでもある。だからエネルギーもまた妥協の産物であることが多い。エネルギーは身の回りに存在するわけだが、複雑で理解しにくい存在だ。どんな燃料やテクノロジーにも恩恵とリスクがある。こちらの燃料やあちらの燃料をそれぞれの利点や問題点を認識しないま支持したり反対したりするのは、現代の政治風土ではありがちなことだが、愚かなことだ。石炭を支持する勢力は、国内に豊富に存在し低価格であることから、調達するうえでの安全性と経済的利点を指摘し、環境に対する影響の問題は巧みにはぐらかす。一方再生可能エネルギーを支持するグループも風力や太陽光がクリーンであることを訴えるが、広大な土地が必要なことや天気まかせで変動が大きい点についてはあまり口にしない。

つまりわたしたちが消費するエネルギー量については拮抗《きっこう》したトレードオフが存在する。たとえば、エネルギーを使えば豊かになるが、豊かになればさらにエネルギーを消費するようになり、質の悪いエネルギーを使い過ぎればその富は失われる。つまり、ここでも環境破壊により公衆衛生や生態系への負荷が蓄積し、人々は病気にかかり、観光業や農業などの産業もその影響を被る。

今日、石炭は山頂除去採掘法と酸性雨のせいで森林の敵と考えられているが、1800年代には石炭のおかげで森林伐採が減少し、森林が救われたこともあった。同じように現在では海底油田と石油の海上輸送によって石油が鯨の生存を脅かしているといわれる。しかしやはり1800年代には石油が鯨を救っていた。それまで照明に使われていた鯨油の代わりに灯油が利用されるようになったからだ。こうしたトレードオフが複雑な問題を簡明に解決する妨げとなっている。時代を経ることで問題が変化することもあり、かつての解決策が新たな問題ともなるのである。

将来を見すえたとき、現在は解決策であっても将来問題となるものはなんだろうか？

現代世界では、誰もが高揚感と罪悪感を抱きながらエネルギーを使っている。エネルギーに魅せられた者のジレンマだ。[1] 悪い影響をおよぼさずエネルギーを消費して、その恩恵を享受するにはどうしたらいいのだろうか？　どんなエネルギーと燃料にも恩恵とリスクがあるので、エネルギーをじょうずに運用してリスク回避できれば、人類に途方もない便益をもたらしてくれるだろう。その結果、わたしたちは豊かで健康に、そして自由に暮らせるようになるだろう。しかしエネルギーを誤った使い方をすれば脆弱性と破局をもたらし、安全保障は弱体化し、経済的不平等が拡大し、環境を汚染することになる。エネルギーの創造的潜在能力を誰でも利用できるようにすることが21世紀の大きな課題だ。

トレンドと社会の変化

この大きな課題に取り組む時に、わたしたちが心に留めておかなければならないのは、6つの人口学的トレンドと3つの技術面でのトレンド、そしてエネルギー・システムに影響する非常に重要な環境面のトレンドが存在することだ。これまでも読者に伝えてきたように、この問題は複雑である。

重要な6つの人口学的トレンドとは人口増加、経済成長、都市化、モータリゼーション（自動車の普及）、工業化そして電化だ。この6つのトレンドがエネルギー需要を増加させている。人口増加によりエネルギーや食糧、水の需要が増加する。生きていくためには食糧と水は不可欠で、それらの資源を得るには何らかの形態のエネルギーも必要になる。人口増加に加えて経済成長がある。豊かになると貧しい時よりひとりあたりより多くの食糧、水そしてエネルギーを消費するようになる。これは普遍的傾向といっていいだろう。

工業化が進むと生活が豊かになる。エネルギーを利用することで商品やサービスを生産する機会に恵まれ富を蓄積するようになるからだ。だから（工業化のために）エネルギーを消費することで生活が豊かになり、豊かになることでさらにいっそうエネルギーを消費するようになる。

人は豊かになると都市へ移動し、自動車を購入し、多くの作業を電化するようになる。電力は家庭や仕事場で便利に使えクリーンなので、豊かな人々にはお気に入りのエネルギーだ。自動車によって個人で移動する自由が得られるが、一般的にガソリンやディーゼルなどの燃料が必要になる。第二次世界大戦後の1950年代、アメリカは自動車産業の絶頂期で、自動車はアメリカの自由の象徴だったわけだが、同じことは他の場所でも起きていた。経済的に発展途上の国でも、ステータス・シンボルとして自動車の保有は急速に伸びた。

社会が豊かになると、市民の食卓も芋や種子、ナッツ類から動物性タンパク質へとタンパク質が豊富な食事へ移行する。動物性タンパク質はもうご存知のように、飼料作物を栽培するために化学肥料や灌漑が必要で、生産にあたっては水とエネルギーを集約的に利用する。

これら6つのトレンドが互いに関連し合いながら、社会が消費するエネルギーの量と種類の変化を誘導する。暖房や調理をするだけなら藁や牛糞、薪などの固形燃料でも可能だが、エネルギーの利用はそれだけにとどまらない。自動車や工場、発電所でもエネルギーを使う。つまりわたしたちは素朴な意味での燃料の他に、石油や天然ガスそして電力(電力は石炭や原子力、風力、太陽光そして水力など様々な資源で生産される)を利用しているのだ。

6つの人口学的トレンドに加え、3つの技術的トレンドがある。第一に社会はますます効率的になる傾向がある。数十年前に比べると、製品やサービスを利用して同じ結果を得るために必要なエネルギーは少なくなっている。部屋の照明にしても自動車の運転、金属の形成にしても以前より少ないエネルギーで可能になっている。

第二の技術的トレンドとして、あらゆるものがどんどん情報集約的になっている。あらゆる場所にセンサーがあり安いコンピューターが手に入り、最近ではインターネットも利用でき、かつて十分と考えられていたよりずっと多くのデータを利用できる。社会の省エネが進んでいる理由のひとつにこうした情報の利用がある。取得した情報によって作業過程を微調整することで、エネルギー利用を最適化し浪費を削減している。さらに情報技術によりお互いの連絡方法や電化製品、建物との関係も変化している。

第三の技術的トレンドが分散化だ。電力を遠方にある巨大な発電所で発電するのではなく、屋根上の太陽電池パネルなどオンサイトでの発電が広がりつつある。3Dプリンターが開発されたことで、製品によっては遠く離れた工場に発注しなくても、オンサイトで製造できるようになっている。つまりマスプロダクション（大量生産）ではなくマス・カスタマイゼーションだ。運行時刻と経路が固定されたこれまでの大量輸送機関に代わって、ウーバーやリフトといったマイクロ・トランジットやモビリティ・サービスが出現し、点から点への輸送をより早くより安価に提供することで、人々の望みを実現している。究極的にはエネルギーの分散的利用が、エネルギーの民主的利用と同じ意味になる。ヴォルフガング・シヴェルブシュは照明が工業化してゆく歴史に関する著書で、「大容量の発電所にエネルギーを高密度に集中させることは、経済力を巨大銀行に集中させることと同じだ」と批判している。[2] つまり分散化こそ社会を解放し収入の不平等を克服する助けとなり、エネルギーの独裁的管理では自由が制約されることになるというわけだ。エネルギーを（大型発電所ではなく）分散的形態へ移行することにより、社会における富の分配がより平等になると期待していいのかもしれない。

こうした技術面でのトレンドにより、わたしたちのエネルギー・システムはますますスマート化し、迅速かつ安価になっていくことが予想できる。こうした傾向はどれも良いニュースで、これらの変化を組み合わせれば、最終的には社会状況のトレンドを検討しつつエネルギーから得られる便益と悪影響というトレードオフをうまくやりくりできるだろう。そして実際、将来は情報とエネルギーそして日常生活が一体化していくことになるだろう。オースティン・エネルギーの前CEOロジャー・ダンカンはわたしのよき友であり師匠だ。彼は2005年の『ビジネスウィーク』誌でトニー・ブレアやアーノルド・シュワルツェネッガーらと並び、電力部門における二酸化炭素排出量削減に貢献したことによって、世界で最も重要な人物に名を連ねた。そんなダンカンは、将来は知覚する機械やビルディングが登場すると指摘している。

こうした大きなトレンドは、全体としてみれば農業や土地利用、エネルギーを見直して社会の二酸化炭素排出を削減する脱炭素化政策と市場が結びついたものだ。燃料による二酸化炭素排出の削減は、たとえば石炭から石油へ、さらに天然ガスへと転換したことで、これまでも100年以上継続している。しかしその間にエネルギー消費の総量は大きく増加してしまった。現在、わたしたちのエネルギー消費の伸びはゆるやかで燃料もクリーンになりつつあり、実際アメリカでは人口増加は続いているが二酸化炭素排出量は減少している。うまくいけば先進国世界はこの傾向を将来も維持でき、インドや中国などの発展途上国でも排出削減の傾向に弾みがつくだろう。

工業化と奴隷解放そして帝国主義が19世紀を特徴付け、ファシズムの打倒が20世紀を象徴したように、いろいろな意味で、エネルギー利用の増加と足並みを揃えて脱炭素化を進めることが21世紀を特徴付ける課題となる。脱炭素化は気候変動の最悪の影響を回避するために重要だ。しかし今でも電力や上水道、衛生設備が利用できない人々が10億人以上いる。だからこそエネルギー利用の推進を重視することも欠かせない。エネルギーによって寿命が延び生活を改善できるのだから、エネルギーをクリーンで持続可能にすることも大切だが、エネルギー利用を拡大することも重要なのだ。

わたしたちはエネルギーによる恩恵を受け入れなければならない。エネルギーの利用を止めるわけにはいかないし、脱炭素化を進めるために他人のエネルギー利用を止めることもできない。アメリカとヨーロッパでの脱炭素化のトレンドは大きな流れとなっていて、現時点でその大きな慣性を獲得した脱炭素化を止めることはできないだろう。しかし、社会を脱炭素化する過程にはまだ多くの落とし穴がある。

新しい発想が必要

エネルギーは陰に陽に社会と複雑に絡み合っている。このエネルギー問題から学ぶべき教訓があるとすれば、即座に解決できる普遍的な方法は存在しないということだ。エネルギーは世界中で利用されているわけだが、それを利用するためのシステムは多くの部分システムをもつ複雑なシステムで、それを改善するには粘り強い継続的な努力と歴史を踏まえたエネルギーに関する深い理解が必要になる。

人類の十大課題を世界に提起したリック・スモーリーは、エネルギー問題の解決にはそれぞれ関連し合う3つの行動を取る必要があると結論づけている。(1)次世代の科学者と技術者のやる気を起こすこと。（２）枯渇しないエネルギー供給を開発すること。そして（３）地球規模の気候変動を防ぐことだ。[3] どれも困難であることは言うまでもないが、新たな投資や技術革新、進歩の機会が与えられたとも言える。

　この難題を解決するには、化石燃料か再生可能エネルギーかといった論争のための論争を繰り返していてはならない。この問題を生み出したのと同じ発想、つまりもっと油田を掘削し、どんどん道路を作って、もっと消費を増やすといった考え方では問題は解決しない。もっとスマートな情報機器を使えば何とかなるといった聞き飽きた技術おたく的な発想も役に立たない。さらにエネルギー貧困すれすれになるまで消費を削減しても十分ではないだろうし、人道的にも問題だ。必要なのは二酸化炭素を排出しないクリーンなエネルギーだ。原子力や風力、太陽光を利用するか、そうでなければ、従来のエネルギー形態が排出する炭素を捕捉して浄化すれば、地球環境を劣化させることなくエネルギー利用を維持し拡大することができる。わたしたちの行動が遅すぎれば、地球工学（ジオエンジニアリング）を応用してひどい状態になった地球をクリーンにする、つまり大気圏から二酸化炭素を除去する必要がでてくるかもしれない。またエネルギー生産指向のビジネスモデルから、エネルギーサービスを優先するビジネスモデルへの転換も必要だ。単純にエネルギーの増産で利益を得るのではなく、わたしたちが求めている暖房や照明、移動といったいわゆるエネルギー・サービスを提供することで利益を得るのである。究極的には、新しい生産とエネルギー利用の増加、スマートな解決策、そして省エネを誘導する文化的意味づけのすべてが必要になる。それが実現すれば、エネルギー問題を緩和すると同時にエネルギーの便益を世界中の多くの人にもたらすことができる。

これまでにないまったく新しい発想でエネルギー問題にアプローチする必要がある。世界をみわたし長期的な視点に立ってエネルギー問題を考えれば、廃棄物を削減し、効率性を改善し、環境の劣化も緩和する技術革新が生まれるだろう。

これまでアメリカでは、エネルギーに関する意思決定過程にこの長期的視点が欠けていた。エネルギーの選択として提起されてきたのは、経済重視（安価なエネルギー）か環境重視（クリーンなエネルギー）のどちらの道をとるかだった。しかしこの選択肢の提起の仕方は間違っている。なぜならアメリカ人が求めているのは、安価かつクリーンなエネルギーであることは間違いないからだ。こうした選択肢こそ短期的思考の産物だ。似たような言葉をつかうなら「環境オプション」ということになるが、高性能開口部、高効率エアコン、低燃費の自動車は価格が高額だ。しかし長期的に見れば、環境に配慮した解決策と経済に配慮した解決策は違いがなくなる。高額で効率的でクリーンな装置なら一般的に稼働コストが削減できる。また環境汚染は経済成長の妨げになる。汚染のために病気にかかれば健常時のようには働けなくなり、生態系が劣化すれば生産力も低下する。結局、汚染を排出するエネルギーを選択した場合、環境汚染が長期的に累積し莫大な費用が必要になる。時間的視野を1、2年先ではなく数十年先まで広げて、環境保全に失敗した場合のコストまで含めれば、環境重視と経済重視の選択の違いは消えることになり、そうした選択には意味がないことがわかる。

わたしたちは本質的に視野を広げて考える必要もある。自宅の裏庭だけを気にしていれば、他人の裏庭で起きている汚染を無視することになる。発電所を他人の流域に押しつけても、汚染が減るわけではない。汚染を移動させるだけだ。そしてたいてい建設に抵抗するすべをもたない人々に汚染を押しつけることになる。しかし資源、そして汚染が世界に広がることに目を向ければ、道徳的な判断ができるようになるだろう。たとえば地球全体が自分の裏庭だとすれば、どこで汚染が生じようとその汚染を削減することが絶対に必要だと感じるだろう。

地球気候変動は、長期的思考と大局的視野の必要性が理解できる絶好の事例だ。資源利用に関する現在のわたしたちの判断が、地球の裏側でこれから生まれる子どもたちの将来を左右する。短期的で局所的な思考ではこの問題解決に乗り出すことはできないだろう。「他人の子」なら無視してかまわないという考え方では何も解決しない。この世界のすべての子どもたちのことは、わたしたちすべてに責任がある。世界中の子どもたちを大切にするのか、しないのか。世界中の子どもたちが居住に適した環境でエネルギーを利用できるようにすること、それがわたしたちに課された何より緊急性の高い責務だ。

ローマ式アーチはローマが文化勢力圏を拡大する間の損傷に耐え、その後何千年も崩れ落ちずに立っている。それを可能にした重要な要素のひとつが「くさび石」だ。エネルギーもまた、自由という権利を拡大しつつ現代社会の豊かさを何千年も維持するために欠かせない要素だ。

最終的にこのエネルギー問題を解決するには、次世代のイノベーターが不可欠だ。今すぐにでも必要だ。幸いなことに、将来のリーダーである若手は想像力があり道徳的意味も理解できる。教室で10年足らずの間に１０００名以上の大学生を教え、わたしが提案したオンライン講座で世界中の5000名の学生を指導してきた経験から、将来彼らが成長してわたしたちをこのエネルギー問題というジャングルから解放してくれるものと確信している。

その例証としてわたしの娘イヴリン・ウェバーが8歳の時のふたつの出来事を聞いてもらいたい。

ある晩娘は体調が悪くて眠れず、わたしといっしょに居間にいた。そのときわたしはガソリンの代替燃料になるトウモロコシ・エタノールのドキュメンタリーを見ていた。娘は就寝時間から何時間も過ぎていて気分もよくなさそうで、話もしなかった。それでイヴリンは眠いのか、何か物思いにふけっているのだろうと思っていた。ところが実際にはそのドキュメンタリーを真剣に見ていて、静かに激怒していたのである。ドキュメンタリーが終わると、イヴリンが突然背筋をぴんと伸ばすのでびっくりした。すると罫線入りのメモ帳と赤ペンをつかむなり、筆記体で2ページの評論を猛烈な勢いでためらうことなく一気に書き上げた。そのタイトルは「なぜトウモロコシを利用してはいけないのか[4]?」この小論の冒頭は「トウモロコシは食物なのだから、燃料を作るために使ってはいけない」。最新のバイオ燃料が提起している食糧と燃料の間のジレンマを直感的に理解し、そのことを最初の1行にぶつけていた。さらにイヴリンは新しい資源を利用するのではなく、ゴミやその他の汚染物質を利用してエネルギーを得るべきだと続けた。

もうひとつ、イヴリンが8歳の時の出来事は、彼女とサッカーの試合を見に行くため車を運転していたときだった。自宅からは40キロ以上離れていた[5]。交通渋滞に巻き込まれ、車の流れはどこまでも続いているようだった。この時イヴリンは「こんなにたくさん車を運転してたら、世界のガソリンがなくなってしまうけど、そうなったら自転車に乗らなくちゃならなくなって楽しいから最高ね」と言った。確かにその通りだ。金属製の檻の中で周囲の人々や自然から切り離されて車の中でただ座っているより、自転車に乗る方がずっと楽しいはずだ。

わたしたちは自らのパターンに固執し、それが望んでいる方法かどうか問い直すこともせず、安直にそれが必要なことだと思いこみやすい。多くの人々にとって、石油の大量消費と自家用車から脱却するなどとても考えられない。しかしわたしの娘の考え方なら、それこそ心身ともに解放されることになるだろう。イヴリンの反応と観察から、生活の質や地球の健康、資源を注意深く利用する必要性について、さらにそれらの間にある関係を子どもたちが思慮深く捉えていることに気付かされた。うまく説明できないのだが、大人になるとそうした本能が麻痺するのかもしれない。それでも子どもの時のように不思議を発見する楽しみを思いだし、いろいろなエネルギーにつきまとう排他的な主張から距離を置いてみれば、まったく新しい解決策への道が開けるはずだ。

重要なのは、エネルギーとは世界の秩序を変える手段であり、それ以上でもそれ以下でもないということだ。エネルギーは魔法のようだ。結局、エネルギーが現在のこの世界をつくりあげ、おそらくこれから何度も世界を作り替えていくことになるだろう。だからこそエネルギーを理解しようとする意思がある限り、エネルギーはわたしたちが必要とする解決策を提供してくれると信じることには十分な理由がある。いまあるわたしたちの問題を若い世代に解決してもらおうとするのは、ふざけているか責任の放棄と思われるかもしれない。特に現在のエネルギー問題を引き起こしてきたすべての人々が、かつては子どもだったことを考えれば、そう思われてもおかしくない。しかしエネルギー問題の解決には想像力、多くの人のたくさんの想像力が必要だ。エネルギーは夢を生む。小さな子どもが不思議を愛するようにエネルギーを深く理解すること、そしてエネルギー問題に柔軟な心で立ち向かうこと、それが解決へ向けた第一歩となるのではないだろうか。

　子どもたちの資源問題を解決する能力を育むためには、エネルギー教育の新しいアプローチも必要だろう。[6]科学的研究によると、人が気候科学に関する誤った情報を信じ科学的証拠を拒絶する場合、たいてい論理的な誤りに気づいていないという。[7]事実と虚偽をはっきり区別できる批判的思考を身につけなければならない。科学、技術、工学、数学（ＳＴＥＭ）の教育によって分析的思考を培えるが、批判的思考を育むには人文科学の教育も欠かせない。新しい解決策を見いだす創造的思考には芸術の教育も必要だ。こんなジョークがある。「芸術（art）のない地球（earth）なんてエーッ？（eh）」つまり地球にはアートが必要だということ。その線で行けば、エネルギー教育にはＳＴＥＭだけでなくＳＴＥＡＭが必要だということ。Ａは芸術（fine arts）と人文科学（liberal arts）のＡだ。

　社会には中央集権的な仕組みも多いが、エネルギーについてはアメリカだけで3億２５００万の意思決定者がいて、世界には70億以上の意思決定者がいる。わたしたち誰もがいろいろな装置のスイッチを入れるとき、住宅を購入し、どう生きるかを決めるときに選択をしている。利用できる燃料や技術はたくさんある。しかし素敵なガジェットやクリーンな燃料の代用になるものはそれほど多くはない。また常識を見直して行動も変えなければならない。どんな時間スケール、どんな空間スケールでも有効な数少ない選択肢が省エネだ。照明を消しサーモスタットを調節すれば、個人のレベルで今日からでも省エネをはじめられる。また地域のレベルでも、都市を歩くのに適したコンパクトな都市に設計し直すことで数百年の時間スケールにおよぶ省エネが可能になる。

よりクリーンな選択をしながらエネルギーの利用を広げ、汚染に染まった過去から離脱することが将来へ向けた重要な過程だ。しかし貧困な人々のエネルギーの利用手段を否定したり、先進諸国の裕福な人々にエネルギーなしで生活するよう命令するだけでは、失敗は目に見えている。エネルギーの魔法のような力に注目すれば、わたしたちはエネルギーを憎んだり敵に回したりせずにこの問題を解決できる。変化の方向は間違っていない。だから変化をさらに進めていかなければならない。変化が現れるまでには時間がかかる。だから今すぐにでもはじめなければならない。わたしたち全員がその結果に関わっている。やるべきことはたくさんある。だから全員が全力で取り組まなければならない。わたしたちひとりひとりがエネルギー物語の新たな扉を開く力となる。

謝辞

本書のように広範な話題を含む書籍を執筆できたのは、テキサス大学オースティン校の多くの学生や共同研究者から学んだおかげです。彼らの研究によって科学的理解が進んだことにとても感謝しています。お力添えをいただいたひとりひとりに感謝を申し上げることがかなわないことをお許しください。

執筆にあたっては数々の方から経済的な支援もいただきました。ドロン・ウェバーとアルフレッド・P・スローン基金には出版補助金をご支援いただいたことに感謝いたします。この補助金のおかげで多忙な中でも本書を執筆する時間と資金を得ることがかないました。またスローン基金とシンシア・アンド・ジョージ・ミッチェル基金、テキサス州省エネルギー対策局、アメリカエネルギー省、アメリカ国立科学財団、アイトロン、その他にも個人の方々や財団、企業スポンサーによる研究支援や経済的援助によって、本書の土台となる新しい事実を知ることができました。進歩した社会の特徴は未来に投資する意欲であり、先進的な研究に進んで支援してくださる人々は高度な知識を生産するグループの一員です。わたしの学生を信頼し彼らに研究の機会を与えてくださったことに感謝いたします。本書はみなさんの寛大なはからいのごく一部が結実したものです。

ベイシック・ブックで本書を担当してくださった編集者のエリック・ヘニーとT・J・ケレハー、プロジェクト・エディターのステファニー・サマーヘイズと整理編集者のベス・パーティンは卓越した才能のある編集者で、校正時にも多くの有益な提案をいただきました。フレッチャー・アンド・カンパニーのメリッサ・チンチロはわたしのことをよく理解してくれました。本文中には過去に雑誌に掲載した記事の一節も含まれています。サイエンティフィック・アメリカンのマーク・フィシェッティ、アース誌のミーガン・セヴァー、そしてASMEメカニカル・エンジニアリング誌のジェフリー・ウィンタースにも感謝申し上げます。彼らはみなとても忍耐強い編集者で、エネルギーに関するわたしの様々なアイデアをわかりやすい言葉で表現するため、何度も議論に付き合っていただきました。

本書が実現したのは重要な個人指導を受けたおかげでもあります。プレジデンシャル・リーダーシップ・スカラーズ（PLS）プログラムは、テキサス州ダラスのジョージ・W・ブッシュセンターとアーカンソー州リトルロックのウィリアム・J・クリントン・センターが設立した超党派リーダー養成プログラムで、2018年の5か月間、自己反省や全国のリーダーたちとの交流なども含め、集中してリーダーシップについて、また思考法について磨きをかける機会を得ることができました。大統領やそのスタッフにわたしのような人間と会う時間を割いていただけるということは、わたしたちには力を合わせて問題を解決する能力があると大統領から認められたということです。そしてわたしは彼らからも多くのことを学びました。またワールド・クラス・コーチズのジョニー・ジョンソンとも仕事をしてきました。わたしの考えや方針がぶれないように支援してくれました。ジョニーとＰＬＳプログラムがわたしに欠けていた自信と踏み出す力を与えてくれたことに感謝します。

本書を書き進めるにあたっては、エネルギーについてわたしが講義し研究する範囲を超えて幅広い知識を身につける必要がありました。独学のために特に役だった書籍があります。ヴァーツラフ・スミルは実に多産な作家で、そのホーリスティックな視点によってわたしは自分の思考を整理し、多くのことを学ぶことができました。スミルは時代の先端を走り、時代を超えた作品を生み出し続け、エネルギー研究者とエネルギーに魅せられた人にとって有益な出発点となっています。友人のマーティン・ドイルの著作『資源（*The Source*）』はアメリカの河川の役割についての傑出した情報源でした。ウィリアム・クロノンの『ネイチャーズ・メトロポリス（*Nature's Metropolis*）』はわたしにとって革新的な書籍で、農村と都市の相互接続性と、水や食糧、都市、富そして輸送の重要な意味を学ぶことができました。１９９０年代中ごろ、わたしの卒論副指導官であったブルース・ハントからも多くのことを教えていただきました。またハントの著書『電気と光を求めて（*Pursuing Power and Light*）』は電力部門の歴史の参考書として大いに役立ちました。テキサス大学図書館のラレイン・ダラスとデニス・トロンバトーレは確認を取ることが難しい事実調査を手助けしてくれました。感謝申し上げます。

これまで10年以上にわたってロジャー・ダンカンとエネルギーに関して多くの時間を割いて議論してきました。彼の視点、特に未来についての考え方はわたしにとってとても重要なものでした。またラッセル・ゴールドともエネルギーについてしばしば議論しました。ゴールドはいつも独特の発想を提供してくれました。アーサー・C・クラークの作品を紹介してくれた母親にも感謝します。クラークの突拍子もなく楽観的な未来像は、同世代の創造性欠如に対する彼の怒りも絡み合って、本書の序章と終章に生気を与えてくれました。

水に関する章は学生や共同研究者による多くの研究が下敷きになっています。特にイリノイ大学アーバナ・シャンペーン校のアシュリン・スティルウェル教授、南カリフォルニア大学のケリー・サンダース教授、テキサス大学オースティン校のケアリー・キング博士、ジョージア工科大学のエミリー・グルバート教授には大変お世話になりました。また炭化水素から水を生産する研究では、ワイオミング大学のエリカ・ベルモント教授、そしてF・トッド・デイヴィッドソン博士、イェール・グレイザー博士、エミリー・ビーグル博士と共同研究ができました。女性の自由と資源利用の重要性についてはシェリル・カーシェンバウムと共同で執筆しました。彼女にはエネルギー教育を再考するエピローグでも共著者として協力していただきました。マーティン・ドイルからは多くのことを学び、彼の著書『資源』にも大きく依存しています。またピーター・グリックとデイヴィッド・セドラックも水に関するあらゆることについて強い味方となってくれました。フアン・ミロにはアステカ族の言葉では「都市」のことを「水の山」と表現することを教えていただきました。

食糧の章は、動物の排泄物と食品ロスのエネルギー論的意味に関するアマンダ・キュエラー博士の研究に多くを依存しています。ケリー・サンダース博士からは小麦と牛肉の二酸化炭素原単位の相違について教えていただきました。キャサリン・バーニー、F・トッド・デイヴィッドソン博士、ケイティ・フランクリンは「フードプリント」の評価で協力していただきました。イザベラ・ジーには食材配送サービスについて教えていただきました。食糧とエネルギーそして水のつながりについてチャーリー・アプショー博士とヘザー・ローズと共同で行った最近の研究が、都市農業に関する議論で聞かれるようになっています。コリン・ビール博士には食糧システムのライフサイクル・アセスメントについて多くのことを教えていただきました。ビール博士と彼の父親でヴァージニア工科大学名誉教授のビル・ビール博士には、序章と食糧の章で思慮深い意見をいただきました。ありがとうございました。カリフォルニア大学デイヴィス校のフランク・ミトローナー教授は、食品ロスと取り組むことによって食糧システムの環境への影響を緩和できる可能性について、初めて気づかせてくれました。今でも教授から学んでいるところです。サンフランシスコ大学のビジャヤ・ナガラジャン教授からは食品ロスと道徳に関する新しい視点を教わり、教授の論文から長い引用もさせていただきました。ありがとうございました。

輸送の章ではF・T・トッド・デイヴィッドソン博士、ゴードン・ツァイ、そしてオークリッジ国立研究所のゼンホン・リンのモビリティ・サービスに関する研究を参照させていただきました。電気輸送機関に関する数値についてはジョシュア・ローズ博士に数量化していただきました。複雑な交通システム・モデルの世界有数の研究者であるカラ・コックルマン博士からも学ばせていただきました。アラン・ロイドとデイヴ・タトルとたまたま話したときに、水素や電力による輸送の特性について気づかせてもらいました。ありがとうございました。

富の章では、ヴェルサイユへの旅行が勉強になりました。それまでも2度訪れたことがありましたが、サンドリーヌ・ヴィオレット（http://sandrinevoillet.com）に同行してもらい詳しい説明を聞けたことで、新鮮な旅になりました。ありがとうございました。ブライアン・オガラコー教授には、SNSへの投稿を介してアイルランド電力供給公社のアーカイブを教えていただきました。ありがとうございました。

都市の章は、わたしとオースティン・エナジー・アンド・ピーカン・ストリートとの協力関係がもとになっていて、この団体からはスマート・グリッドについて多くのことを学ばせてもらいました。ラジ・バタライのホーリスティックな世界観からも学ばせてもらい、廃棄物の管理問題の議論の中でその世界観を理解しようと努力しました。

安全保障の章では、石油と水を利用して第二次世界大戦に勝利したことについてフレッド・ビーチとともに執筆した記事の多くを参照しています。ケン・エイクマン将軍（退役）には国防総省のエネルギー消費に関する統計の追跡を支援していただきました。お礼申し上げます。ウェストポイントのアメリカ陸軍士官学校のコリー・ジェームズ教授の研究からもこの章の重要な部分でわたしの考えを導いていただきました。

終章はロジャー・ダンカンから学んだことが土台になっていて、ジョシュア・ローズ博士から教えていただいたことも含まれています。エネルギー教育を再考する研究は以前にシェリル・

カーシェンバウムと共同で執筆しました。この章ではその一部を利用しています。また娘のイヴリンはそのすぐれた観察力でわたしを発憤させてくれました。ありがとう。

本書とは別に、ドキュメンタリー・シリーズが製作されていました。そのときの製作チームとのブレインストーミングと絵コンテの議論が本書の構成を考えるうえで役立ちました。マリアンヌ・シヴァーズ・ゴンザレスは、ジョイス・ヘリングからの重要な情報とともに最初の数年間、わたしたちの作業を進める助けとなってくれました。アルフェウス・メディアのマット・ヘイムズとベス・ヘイムズ、ディスコ・ラーニング・メディアのファン・ガルシアには最初から最後までお世話になりました。ファン・ガルシアは本書の『*Power Trip: The Story of Energy*』というタイトルを提案してくれました。脱帽です。最高の仕事仲間の協力に感謝します。また本書の執筆を勧めてくれたのがこのドキュメンタリーのスポンサーであるヒューレット財団、ビークエスト財団、ビル・ボリンジャーとジュディー・ボリンジャー、ティラー・ファミリー財団、ミッチ・ジュリスその他のみなさんでした。

本書に必要な知識を得るために多くの協力者が手助けしてくれましたが、なにより忍耐強い妻ジュリアは辛抱強くわたしを支えてくれ、子どもたちは執筆が長くかかることを理解してくれました。どうもありがとう。家族の支えがなければ本書の執筆はかないませんでした。家族が人生に目的を与えてくれたのです。本当にありがとう。

Twelve Things You Should Know About the US Postal Service," https://facts.usps.com/top-facts/#fact93, 2018 年 6 月 3 日閲覧。

54. Report of the Defense Science Board Task Force on DoD Energy Strategy, "More Fight—Less Fuel," Office of the Under Secretary of Defense for Acquisition, Technology & Logistics (ATL), February 2008.

55. John Broder, "Climate Change Seen as Threat to US Security," *New York Times*, August 8, 2009.

56. Michael E. Webber, "Why the Withering Nuclear Power Industry Threatens US National Security," *The Conversation*, August 10, 2017.

57. Report of the Defense Science Board Task Force on DoD Energy Strategy, "More Fight—Less Fuel"; Strategic Environmental Research and Development Program (SERDP) and Environmental Security Technology Certification Program (ESTCP), "2014 QDR Emphasizes Climate Change and Energy," April 14, 2014, https://www.serdp-estcp.org/News-and-Events/Blog/2014-QDR-Emphasizes-Climate-Change-and-Energy, 2018 年 7 月 23 日閲覧。

58. Morgan Bazilian, 2018 年 7 月 21 日付け私信および公開ツイート, https://twitter.com/MBazilian/status/1020719142645608454, 2018 年 7 月 22 日閲覧。

終章

1. 「エネルギーに魅せられた者のジレンマ」(energy-lover's dilemma) という概念はウォールストリートジャーナルのエネルギー担当上級記者ラッセル・ゴールドとの会話の中で生まれた。このときゴールドは「化石燃料に魅せられた者のジレンマ」(fossil fuel–lover's dilemma) と述べた。

2. Wolfgang Schivelbusch, *Disenchanted Night: The Industrialization of Light in the Nineteenth Century* (Berkeley: University of California Press, 1995), p. 74.(『闇をひらく光 —19 世紀における照明の歴史』小川さくえ訳、法政大学出版局)

3. Richard E. Smalley, "Future Global Energy Prosperity: The Terawatt Challenge," *MRS Bulletin* 30 (June 2005).

4. Evelyn C. Webber, "Why We Can't Use Corn!," 個人的な小論, February 11, 2008.

5. このエピソードの初出は以下。Michael E. Webber, "Three Cheers for Peak Oil!" *Earth*, June 2009.

6. Michael E. Webber and Sheril R. Kirshenbaum, "It's Time to Shine the Spotlight on Energy Education," *The Chronicle of Higher Education*, January 22, 2012.

7. John Cook, Peter Ellerton, and David Kinkead, "Deconstructing Climate Misinformation to Identify Reasoning Errors," *Environmental Research Letters*, February 6, 2018.

35. Brandon Prins, Ursula Daxecker, and Anup Phayal, "Somali Pirates Just Hijacked an Oil Tanker. Here's What Pirates Want—and Where They Strike," *Washington Post*, March 14, 2017, https://www.washingtonpost.com/news/monkey-cage/wp/2017/01/25/what-do-pirates-want-to-steal-riches-at-sea-so-they-can-pay-for-wars-on-land/?noredirect=on&utm_term=.402f92c7c2d9, 2017 年 6 月 10 日閲覧。
36. Frank Holmes, "The Somali Pirate Attacks Are Taking a Toll on Oil Prices," *Business Insider*, May 21, 2011.
37. Christopher Helman, "For US Military, More Oil Means More Death," *Forbes*, November 12, 2009.
38. Report of the Defense Science Board Task Force on DoD Energy Strategy, "More Fight—Less Fuel," Office of the Under Secretary of Defense for Acquisition, Technology and Logistics (ATL), Arlington, VA, February 2008.
39. Jerry Warner and P.W. Singer, "Fueling the 'Balance': A Defense Energy Strategy Primer," Brookings Institution, August 25, 2009.
40. Report of the Defense Science Board Task Force, "More Capable Warfighting Through Reduced Fuel Burden," Office of the Under Secretary of Defense for Acquisition, Technology and Logistics (ATL), May 2001.
41. US Department of Defense, Air Force Research Lab, via Lt. Gen (ret.) Ken Eickmann, 私信。
42. Christopher Helman, "For US Military, More Oil Means More Death," *Forbes*, November 12, 2009.
43. Deloitte, "Casualty Costs of Fuel and Water Resupply Convoys in Afghanistan and Iraq," February 25, 2010, https://www.army-technology.com/features/feature77200/, 2018 年 7 月 22 日閲覧。
44. "Exploding Fuel Tankers Driving US Army to Solar Power," *Bloomberg*, October 1, 2013, https://fuelfix.com/blog/2013/10/01/exploding-fuel-tankers-driving-u-s-army-to-solar-power/.
45. Michael E. Webber, "Conflict Between Russia and Georgia Adds New Twist to the Energy War," *Austin American-Statesman*, August 17, 2008.
46. "NATO Carries Out Its Most Intensive Bombing over Last 24 Hours," CNN, May 14, 1999, http://www.cnn.com/WORLD/europe/9905/14/kosovo.01/, 2018 年 5 月 20 日閲覧。
47. "Fact File: Blackout Bombs," BBC News, http://news.bbc.co.uk/2/hi/americas/2865323.stm, 2018 年 5 月 20 日閲覧。
48. 同書。
49. Report of the Defense Science Board Task Force on DoD Energy Strategy, "More Fight—Less Fuel."
50. Naureen S. Malik, "Can America's Power Grid Survive an Electromagnetic Attack?," *Bloomberg*, December 22, 2007, https://www.bloomberg.com/news/articles/2017-12-22/hardening-power-grids-for-nuclear-and-emp-attacks-by-north-korea, 2018 年 7 月 22 日閲覧。
51. Evan Pierce からの私信 , ERCOT black start training, University of Texas at Austin, May 2, 2018.
52. Michael E. Webber, "Breaking the Energy Barrier," *Earth*, September 2009.
53. US Postal Services, "Postal Facts," https://facts.usps.com/size-and-scope/; and "Top

cityofalcoa-tn.gov/188/Alcoa-Inc-Needed-Electricity, 2018 年 5 月 27 日閲覧。『アメリカ合衆国統計便覧 1949 年版』(the Statistical Abstract of the United States, 1949 edition) p.512 によると、アメリカにおける 1943 年の年間国内電力消費量はおよそ 2670 億キロワット時。同年にアルミニウム製錬所で消費された電力は 220 億キロワット時なので国内電力消費量の約 8 パーセントに相当する。 https://www.census.gov/library/publications/1949/compendia/statab/70ed.html, 2018 年 5 月 27 日閲覧。

14. "Mystery Town Cradled Bomb," *Life Magazine*, August 20, 1945.
15. US Department of Energy, "The War Effort in East Tennessee," K-25 Virtual Museum, http://www.k-25virtualmuseum.org/site-tour/the-war-effort-in-east-tennessee.html, 2018 年 7 月 22 日閲覧。
16. B. Cameron Reed, "Kilowatts to Kilotons: Wartime Electricity Use at Oak Ridge," *History of Physics Newsletter* 12, no. 6 (Spring 2015), https://www.aps.org/units/fhp/newsletters/spring2015/upload/spring15.pdf, 2018 年 5 月 27 日閲覧。
17. "B Reactor," US Department of Energy, 2018 年 12 月 5 日閲覧。 https://www.energy.gov/management/b-reactor.
18. David Halberstam, *The Fifties* (New York: Random House, 1993). (『ザ・フィフティーズ：1950 年代アメリカの光と影』峯村利哉訳、筑摩書房)
19. International Energy Agency, *Energy Supply Security: Emergency Response of IEA Countries 2014* (Paris, 2014).
20. 同書。
21. 同書。
22. Maxim Tucker, "Coal Cutoff Escalates Russia-Ukraine Tensions," Politico, November 27, 2015.
23. Nolan Peterson, "Ukraine Turns to American Coal to Defend Itself Against Russia," *Daily Signal*, November 9, 2017.
24. Sheryl Gay Stolberg, "Saudis Rebuff Bush's Request for More Oil Production," *New York Times*, May 16, 2008.
25. Associated Press, "Saudi Arabia Rebuffs Bush on Oil Production," May 16, 2018.
26. Summer Said, Mark H. Anderson, and Peter Nicholas, "Trump Asks Saudi Arabia to Pump More Oil, Citing High Prices," *Wall Street Journal*, June 30, 2018.
27. David Ebner and Barrie McKenna, "The Pipes That Bind," *Globe and Mail*, February 29, 2008, https://www.theglobeandmail.com/report-on-business/the-pipes-that-bind/article18138386/, 2018 年 6 月 1 日閲覧。
28. Gal Luft, "When Hannibal Met Heidi," *Chicago Tribune*, August 25, 2009.
29. Jason Allardyce, "Lockerbie Bomber 'Set Free for Oil,'" *Sunday Times*, August 30, 2009.
30. Luft, "When Hannibal Met Heidi."
31. Alexandra Phillips, "The US Shale Boom," *Harvard International Review*, June 14, 2014.
32. US Department of Energy, Energy Information Administration, "World Oil Transit Chokepoints," July 25, 2017.
33. Associated Press, "Iran Boats Harassed US Navy Ships in Strait of Hormuz, Pentagon Says," January 6, 2008.
34. Mohammed Ibrahim and Graham Bowley, "Pirates Say They Freed Saudi Tanker for $3 Million," *New York Times*, January 9, 2009.

2016): 918–921.

39. Friotherm AG, "Energy from sewage water – District heating and district cooling in Sandvika, with 2 Unitop® 28C heat pump units," 2017年11月にアップロードされた販促資料, https://www.friotherm.com/wp-content/uploads/2017/11/sandvika_e005_uk.pdf.
40. R. P. Siegel, "A Natural Fit," *Mechanical Engineering*, May 2016.
41. Ayona Datta, "Will India's Experiment with Smart Cities Tackle Poverty—Or Make It Worse?" The Conversation, January 27, 2016, https://theconversation.com/will-indias-experiment-with-smart-cities-tackle-poverty-or-make-it-worse-53678.
42. Ali M. Sadeghioon et al., "SmartPipes: Smart Wireless Sensor Networks for Leak Detection in Water Pipelines," *Journal of Sensor and Actuator Networks* 3 (2014).
43. Kendra L. Smith, "How to Ensure Smart Cities Benefit Everyone," *The Conversation*, October 31, 2016.
44. 同書。

第六章

1. Peter Gleick, "Water and US National Security," War Room, United States Army War College, June 15, 2017; Mark Kurlansky, *Salt: A World History* (New York: Walker and Company, 2002).(『塩の世界史：歴史を動かした、小さな粒』山本光伸訳、中央公論新社)
2. David Marsh, "Oil Remains the Driving Force of the Persian Gulf War," *Washington Post,* January 23, 1991.
3. Transcript of President George H.W. Bush's Address on the End of the Gulf War, *New York Times*, March 7, 1991.
4. Basia Rosenbaum, "The Battle for Arctic Oil," *Harvard International Review*, March 9, 2015.
5. Daniel Yergin, "The First War to Run on Oil," *Wall Street Journal*, August 14, 2014.
6. 同書。
7. Robert Paulus, "A Full Partner—Logistics and the Joint Force," *Army Logistician*, July 1, 2003.
8. 本節の多くはテキサス大学オースティン校フレッド・ビーチと共同執筆した記事に基づく: Fred C. Beach and Michael E. Webber, "How Oil and Water Helped the US Win World War II," *Earth* 56, no. 3: 34.
9. "US Ship Force Levels," Naval History and Heritage Command, published Friday, November 17, 2017, https://www.history.navy.mil/research/histories/ship-histories/us-ship-force-levels.html.
10. Bruce Wells, "H.L. Hunt and the East Texas Oilfield," American Oil & Gas Historical Society, accessed December 5, 2018, https://aoghs.org/petroleum-pioneers/east-texas-oilfield/.
11. Ryohei Nakagawa, "Japan-U.S. Trade and Rethinking the Point of No Return toward the Pearl Harbor," *Ritsumeikan Annual Review of International Studies* 9 (2010): 101–123, http://www.ritsumei.ac.jp/acd/cg/ir/college/bulletin/e-vol.9/06Ryohei%20Nakagawa.pdf.
12. "The Aluminum Industry—Part I: Development of Production," Federal Reserve Bank of San Francisco, Monthly Review, August 1957.
13. "Alcoa Inc. Needed Electricity," City of Alcoa, Tennessee, https://www.

Prevent Bird Strikes," *Science*, April 13, 2015, https://www.sciencemag.org/news/2015/04/blue-lights-could-prevent-bird-strikes; US Fish and Wildlife Service Division of Migratory Bird Management, *Reducing Bird Collisions with Buildings and Building Glass: Best Practices* (Falls Church, VA: US Fish and Wildlife Service, 2016), https://www.fws.gov/migratorybirds/pdf/management/reducingbirdcollisionswithbuildings.pdf.

21. Austin Troy, *The Very Hungry City* (New Haven: Yale University Press, 2012).
22. William Cronon, *Nature's Metropolis: Chicago and the Great West* (New York: W. W. Norton, 1991).
23. Allen MacDuffie, "Dickens and Energy," Faculty Seminar on British Studies, Harry Ransom Humanities Research Center, Austin, TX, November 15, 2013; MacDuffie, *Victorian Literature, Energy, and the Ecological Imagination* (Cambridge: Cambridge University Press, 2014).
24. "A Thaw in the Streets of London," *The Illustrated London News*, February 25, 1865, 184–185, http://www.victorianweb.org/science/health/streets.jpg.
25. Mathias Basner et al., "Auditory and Non-auditory Effects of Noise on Health," *Lancet* 383, no. 9925 (April 12, 2014): 1325–1332, https://www.ncbi.nlm.nih.gov/pmc/articles/PMC3988259/, 2018 年 8 月 12 日閲覧。
26. Richard Stone, "Counting the Cost of London's Killer Smog," *Science* 298, no. 5601 (December 13, 2002): 2106–2107, DOI: 10.1126/science.298.5601.2106b.
27. Martin Doyle, *The Source: How Rivers Made America and America Remade Its Rivers* (New York: W. W. Norton, 2018).
28. Cronon, *Nature's Metropolis*.
29. Doyle, *The Source*, p. 165.
30. Cronon, *Nature's Metropolis*, p. 12 ("blanketing the prairie"「大草原を覆い……」); p. 149 ("In nature's economy"「自然の経済では……」).
31. 同書 p. 341.
32. Emily Badger, "What Happens When the Richest US Cities Turn to the World?," *New York Times*, December 22, 2017, https://www.nytimes.com/2017/12/22/upshot/the-great-disconnect-megacities-go-global-but-lose-local-links.html?_r=0.
33. 本節の廃棄物削減に関する議論の多くの部分は以下が初出。Michael E. Webber, "Tapping the Trash," *Scientific American*, July 2017.
34. Hong Yang et al., "The Crushing Weight of Urban Waste," *Science* 351, no. 6274 (February 12, 2016): 674.
35. Warren Cornwall, "Sewage Sludge Could Contain Millions of Dollars Worth of Gold," *Science*, January 16, 2015, http://www.sciencemag.org/news/2015/01/sewage-sludge-could-contain-millions-dollars-worth-gold.
36. "From Waste to Energy: Zurich," My Switzerland, http://www.myswitzerland.com/en-us/zuerich-warmth.html; John B. Kitto Jr. and Larry A. Hiner, "Clean Power From Burning Trash," *Mechanical Engineering*, February 2017.
37. Alex C. Breckel, John R. Fyffe, and Michael E. Webber, "Trash-to-Treasure: Turning Non-Recycled Waste into Low-Carbon Fuel," *Earth* 57, no. 8: 42.
38. Kenneth R. Weiss, "Vancouver's Green Dream," *Science* 352, no. 6288 (May 20,

Play Key Role in Implementing Paris Agreement," November 10, 2016, http://www.un.org/sustainabledevelopment/blog/2016/11/cities-striving-to-play-key-role-in-implementing-paris-agreement/.

4. Wolfgang Schivelbusch, *Disenchanted Night: The Industrialization of Light in the Nineteenth Century* (Berkeley: University of California Press, 1995), p. 7.(『闇をひらく光：19 世紀における照明の歴史』小川さくえ訳、法政大学出版局)
5. Etablissement Public du Musée et Domaine National de Versailles, "La galerie des Glaces: Le Brun, maître d'oeuvre," October 2007, http://www.chateauversailles.fr/resources/pdf/fr/public-spe/aide_visite_galeriesglaces.pdf, 2018 年 8 月 27 日閲覧。
6. "How the Cost of Light Fell by a Factor of 500,000," Human Progress, February 15, 2017, https://humanprogress.org/article.php?p=495, 2018 年 8 月 27 日閲覧。
7. Daniel Yergin, "The First War to Run on Oil," *Wall Street Journal*, August 14, 2014.
8. Electricity Supply Board archives, "Print Adverts by Decade: 1930s," carousel view, https://esbarchives.ie/2016/03/09/esb-advertising-1920s-and-1930s/#jp-carousel-1303, Dublin, Ireland.
9. Rowan Moore, "An Inversion of Nature: How Air Conditioning Created the Modern City," *The Guardian*, August 14, 2018, https://www.theguardian.com/cities/2018/aug/14/how-air-conditioning-created-modern-city, 2018 年 8 月 19 日閲覧。
10. Molly Ivins, "King of Cool," *Time*, December 7, 1998.
11. Moore, "An Inversion of Nature."
12. Wolfgang Schivelbusch, *Disenchanted Night: The Industrialization of Light in the Nineteenth Century* (Berkeley: University of California Press, 1995).(『闇をひらく光：19 世紀における照明の歴史』小川さくえ訳、法政大学出版局)
13. Schivelbusch, *Disenchanted Night*, p. 89.
14. Julia Hider, "The Lost American Museum That Had It All," Messy Nessy, January 12, 2017, http://www.messynessychic.com/2017/01/12/the-lost-american-museum-that-had-it-all/, 2018 年 8 月 23 日閲覧。
15. Philip B. Kunhardt Jr., Philip B. Kunhardt III, and Peter W. Kunhardt, *P. T. Barnum: America's Greatest Showman* (New York: Knopf, 1995), p. 244.
16. Schivelbusch, *Disenchanted Night*, p. 32.
17. Laura Freeman, "The Most Magical Job in Britain: Enchanting Story of Our Last Gas Street Lights . . . " November 24, 2014, http://www.dailymail.co.uk/news/article-2848038/The-magical-job-Britain-Enchanting-story-gas-street-lights-five-men-burning-just-did-Dickens-day.html.
18. Nicholas St. Fleur, "Illuminating the Effects of Light Pollution," *New York Times*, April 7, 2016.
19. "Light Pollution Effects on Wildlife and Ecosystems," International Dark Sky Association, http://darksky.org/light-pollution/wildlife/, 2018年8月12日閲覧。
20. H. Poot, B. J. Ens, H. de Vries, M. A. H. Donners, M. R. Wernand, and J. M. Marquenie, "Green Light for Nocturnally Migrating Birds," *Ecology and Society* 13, no. 2 (2008): 47, http://www.ecologyandsociety.org/vol13/iss2/art47/; Ian Randall, "Blue Lights Could

人が抱える大問題』大沢章子訳、NHK出版）

2. Chelsea Follett, “Technological Progress Freed Children from Hard Labor,” CATO at Liberty, July 2, 2018, https://www.cato.org/blog/technological-progress-freed-kids-hard-labor, 2018 年 8 月 19 日閲覧。
3. Wolfgang Schivelbusch, *Disenchanted Night: The Industrialization of Light in the Nineteenth Century* (Berkeley: University of California Press, 1995)(『闇をひらく光：19 世紀における照明の歴史』小川さくえ訳、法政大学出版局）
4. Martin Doyle, *The Source: How Rivers Made America and America Remade Its Rivers* (New York: W. W. Norton, 2018).
5. Bryan Burrough, *The Big Rich: The Rise and Fall of the Greatest Texas Oil Fortunes* (New York: Penguin, 2009).
6. Arman Shehabi et al., *United States Data Center Energy Usage Report*, Lawrence Berkeley National Laboratory, US Department of Energy, June 2016, LBNL-1005775.
7. Anmar Frangoul, “9.8 Million People Employed by Renewable Energy, According to New Report,” CNBC, May 24, 2017, https://www.cnbc.com/2017/05/24/9-point-8-million-people-employed-by-renewable-energy-according-to-new-report.html; Martin Tiller, “The Fossil Fuel Industry May Not Help the Planet, but It Employs Millions,” July 9, 2014, “Oil and Gas Employment in the United States,” https://oilprice.com/Energy/Energy-General/The-Fossil-Fuel-Industry-May-Not-Help-the-Planet-But-It-Employs-Millions.html.
8. “Did You Know? Key Facts About the Shannon Scheme,” Electricity Supply Board archives, https://esbarchives.ie/test-ss-key-facts-page/Dublin, Ireland.
9. “1920s,” Electricity Supply Board archives, https://esbarchives.ie/2016/03/10/esb-advertising-1920s/ Dublin, Ireland.
10. Jeff Goodell, *Big Coal: The Dirty Secret Behind America's Energy Future* (New York: Houghton Mifflin Harcourt, 2006).
11. Georges Vigarello, *Le propre et le sale: L'hygiene du corps depuis le Moyen Age*, trans. Sandrine Voillet (Paris: Du Seuil, 1985), p. 116.（『清潔になる〈私〉：身体管理の文化誌』見市雅俊訳、同文舘出版）
12. Lindsey Fitzharris, *The Butchering Art: Joseph Lister's Quest to Transform the Grisly World of Victorian Medicine* (New York: Scientific American, 2017).
13. Electricity Supply Board archives, “Prints for Adverts: 1930s,” https://esbarchives.ie/2016/03/09/esb-advertising-1920s-and-1930s/, Dublin, Ireland.
14. Bonneville Power Administration, *Hydro*, BPA Film Collection, Vol. One, 1939–1954, https://www.bpa.gov/news/AboutUs/History/Pages/Film-Collection-Vol-One.aspx, 2018 年 7 月 5 日閲覧。

第五章

1. David Sedlak, *Water 4.0: The Past, Present, and Future of the World's Most Vital Resource* (New Haven: Yale University Press, 2015).
2. Ed Crooks, “Mayors Look to Tackle Climate Change at City Level,” *Financial Times*, December 1, 2016.
3. Paris Agreement summary, European Commission, 2018 年 12 月 10 日 閲覧。, https://ec.europa.eu/clima/policies/international/negotiations/paris_en; United Nations, “Cities Striving to

Lessons_from_the_Green_Lanes:_Evaluating_Protected_Bike_Lanes_in_the_U.S.

51. F. Todd Davidson et al., "An Analytical Framework for Quantifying the Economic Value of Mobility Services," 査読中．わたしたちはオンラインで利用できるインタラクティブ計算機を考案した．移動の条件，時給などから自家用車をもつのと交通網サービスを利用するのとどちらが安価かがわかる。: www.rideordrive.org.
52. Donald Shoup, "Free Parking or Free Markets," *ACCESS: The Magazine of UCTC* (Spring 2011), https://www.researchgate.net/publication/285889431, 2018 年 11 月 13 日閲覧。
53. Patrick Sawer, "Motorists Spend Four Days a Year Looking for a Parking Space," *The Telegraph*, February 1, 2017, http://www.telegraph.co.uk/news/2017/02/01/motorists-spend-four-days-year-looking-parking-space/.
54. Daniel J. Fagnant and Kara M. Kockelman, "The Travel and Environmental Implications of Shared Autonomous Vehicles, Using Agent-Based Model Scenarios," *Transportation Research Part C: Emerging Technologies* 40 (2014): 1–13, http://www.sciencedirect.com/science/article/pii/S0968090X13002581.
55. Kendra L. Smith, "How to Ensure Smart Cities Benefit Everyone," *The Conversation*, October 31, 2016.
56. John Morell, "Train Versus Traffic," *Mechanical Engineering,* February 2017.
57. J. D. Power, "New Vehicle Retail Sales Pace to Decline for Fourth Consecutive Month," July 27, 2017, http://www.jdpower.com/press-releases/jd-power-and-lmc-automotive-forecast-july-2017; US Department of Transportation, Bureau of Transportation Statistics, "National Household Travel Survey Daily Travel Quick Facts," https://www.bts.gov/statistical-products/surveys/national-household-travel-survey-daily-travel-quick-facts, 最終更新 2017 年 5 月 31 日
58. 本節の議論については以下が初出。 F. Todd Davidson and Michael E. Webber, "To Uber or Not? Why Car Ownership May No Longer Be a Good Deal," *The Conversation*, October 15, 2017.
59. "National Household Travel Survey Daily Travel Quick Facts," Bureau of Transportation Statistics, US Department of Transportation, 2017 年 5 月 31 日更新 https://www.bts.gov/statistical-products/surveys/national-household-travel-survey-daily-travel-quick-facts; "Average Annual Miles per Driver by Age Group," Office of Highway Policy Information, Federal Highway Administration, US Department of Transportation, 最終更新 2018 年 3 月 29 日，https://www.fhwa.dot.gov/ohim/onh00/bar8.htm.
60. Matt McFarland, "How Free Self-Driving Car Rides Could Change Everything," CNN, September 1, 2017, http://money.cnn.com/2017/09/01/technology/future/free-transportation-self-driving-cars/index.html, 2018 年 5 月 2 日閲覧．
61. Gillian Tett, "US Truck Driver Shortage Points to Bigger Problems," *Financial Times,* April 8, 2018.

第四章

1. Rose George, *The Big Necessity: The Unmentionable World of Human Waste and Why It Matters* (New York: Picador, 2008).（『トイレの話をしよう：世界 65 億

28. この節の大半の初出は Michael E. Webber, "A New Age of Rail," *Mechanical Engineering*, February 2018.
29. Bureau of Transportation Statistics, *Freight Facts and Figures 2015*, (US Department of Transportation, 2015), https://www.bts.gov/sites/bts.dot.gov/files/legacy/FFF_complete.pdf.
30. Brian A. Weatherford, Henry H. Willis, and David S. Ortiz, *The State of US Railroads: A Review of Capacity and Performance Data* (Santa Monica, CA: RAND Corporation, 2008), p. 14.
31. Bureau of Transportation Statistics, *Freight Facts and Figures 2015*, p. 23.
32. 同書 p. 65.
33. Weatherford, Willis, and Ortiz, *The State of US Railroads*, p. 12.
34. 同書 p.38.
35. 二酸化炭素・排出については以下を参照。For CO2 emissions, see Bureau of Transportation Statistics, *Freight Facts and Figures 2015*, p. 88; for percentage of ton-miles, Department of Transportation, Federal Railroad Administration, *National Rail Plan Progress Report*, September 2010, p. 14.
36. Federal Railroad Administration, Comparative Evaluation of Rail and Truck Fuel Efficiency on Competitive Corridors, November 19 , 2009.
37. Bureau of Transportation Statistics, *Freight Facts and Figures 2015.*
38. 同書 , p. 4.
39. 同書 , pp. 75 and 77.
40. Michael Anderson and Maximilian Auffhammer, "Pounds That Kill: The External Costs of Vehicle Weight," *Review of Economic Studies* 81, no. 2 (April 1, 2014): 535–571, https://doi.org/10.1093/restud/rdt035.
41. Bureau of Transportation Statistics, *Freight Facts and Figures 2015*, p. 75.
42. K. A. Small, C. Winston, and C. A. Evans, *Road Work: A New Highway Pricing and Investment Policy* (Washington, DC: Brookings Institution, 1989).
43. M. E. Webber, "Coal Country Isn't Coming Back," *New York Times*, November 12, 2016.
44. Alexander E. MacDonald et al., "Future Cost-Competitive Electricity Systems and Their Impact on US CO2 Emissions," *Nature Climate Change* 6 (2016): 526–531.
45. Bureau of Transportation Statistics, *Freight Facts and Figures 2015*, p. 72.
46. M. E. Webber, "How to Overhaul the Gas Tax," *New York Times*, December 23, 2013.
47. International Energy Agency, *Railway Handbook 2017: Energy Consumption and CO2 Emissions* (Paris, 2017).
48. "Artificial Intelligence and Life in 2030," One Hundred Year Study on Artificial Intelligence, panel discussion, Stanford University, September 2016, https://ai100.stanford.edu/sites/default/files/ai_100_report_0831fnl.pdf,2018 年 11 月 13 日閲覧。
49. Daniel M. Kammen and Deborah A. Sunter, "City-Integrated Renewable Energy for Urban Sustainability," *Science* 352, no. 6288, May 20, 2016.
50. Christopher Monsere et al., "Lessons from the Green Lanes: Evaluating Protected Bike Lanes in the US," National Institute for Transportation and Communities (NITC), Portland, Oregon, 2014, http://trec.pdx.edu/research/project/583/

GeneralTechnical/GeneralTechnical.htm,2018 年 4 月 30 日閲覧。
8. たとえば以下を参照。Kate VanDyke, *Fundamentals of Petroleum*, 4th ed. (Austin, TX: Petroleum Extension Service, 1997), p. 211.
9. Douglas A. McIntyre, "America's Biggest Companies, Then and Now (1955 to 2010)," 24/7 Wall St. blog, September 21, 2010. https://247wallst.com/investing/2010/09/21/americas-biggest-companies-then-and-now-1955-to-2010/, 2018 年 11 月 13 日閲覧。
10. David Halberstam, *The Fifties* (New York: Ballantine Books, 1993)(『ザ・フィフティーズ：1950 年代アメリカの光と影』峯村利哉訳、筑摩書房)
11. Stephen A. Ambrose, "Eisenhower: Soldier and President" (New York: Simon & Schuster, 1991).
12. The History Channel, "The Interstate Highway System," A&E Television Networks, https://www.history.com/topics/interstate-highway-system, 2018 年 11 月 13 日閲覧。
13. David Halberstam, *The Fifties* (New York: Ballantine Books, 1993)(『ザ・フィフティーズ：1950 年代アメリカの光と影』峯村利哉訳、筑摩書房)
14. Philip S. Schmidt and John R. Howell, "Historical Background on the Brayton Cycle and Development of Gas Turbine Engines," American Society of Engineering Education, Centennial Conference, June 20–23, 1993.
15. 以下に参照されている。John Golley, *Whittle: The True Story* (Washington, DC: Smithsonian Institution Press, 1987).
16. Clarke, *Profiles of the Future*.(『未来のプロフィル』、福島正実、川村哲郎訳、早川書房)
17. Schmidt and Howell, "Historical Background on the Brayton Cycle and Development of Gas Turbine Engines."
18. Kenneth Chang, "25 Years Ago, NASA Envisioned Its Own 'Orient Express,'" *New York Times*, October 20, 2014.
19. Bruce Hunt, *Pursuing Power and Light* (Baltimore: Johns Hopkins University Press, 2010).
20. Joshua D. Rhodes and Michael E. Webber, "The Solution to America's Energy Waste Problem," *Fortune*, December 18, 2017, http://fortune.com/2017/12/18/electrification-energy-u-s-economy/, 2018 年 4 月 30 日閲覧。
21. Jonathan Mahler, "The Case for the Subway," *New York Times Magazine*, January 3, 2018.
22. Robert M. Salter, *The Very High Speed Transit System*, RAND report P-4874, Santa Monica, CA, August 1972.
23. Emilia Simeonova et al., "Congestion Pricing, Air Pollution, and Children's Health," National Bureau of Economic Research, Working Paper 24410, March 2018.
24. Justin Gillis and Hal Harvey, "Cars Are Ruining Our Cities," *New York Times*, April 25, 2018.
25. Eric Jaffe, "California's DOT Admits That More Roads Mean More Traffic," CityLab, November 11, 2015, https://www.citylab.com/transportation/2015/11/californias-dot-admits-that-more-roads-mean-more-traffic/415245/, 2018 年 5 月 1 日閲覧。
26. Simeonova, "Congestion Pricing, Air Pollution, and Children's Health."
27. 同書。

Ammonia Sensor Using Diode Lasers and Photoacoustic Spectroscopy," *Measurement Science and Technology* 16 (2005): 1547–1553.

52. Amplifier-Enhanced Optical Analysis System and Method, Patent No. 7,064,329 (2006), described in Webber et al., "Agricultural Ammonia Sensor."
53. Amanda D. Cuellar and Michael E. Webber, "Cow Power: The Energy and Emissions Benefits of Converting Manure to Biogas," *Environmental Research Letters* 3 (July 2008).
54. Bathina Chaitanya et al., "Biomass-Gasification-Based Atmospheric Water Harvesting in India," *Energy* 165 (2018): 610–621.
55. Colin M. Beal et al., "Energy Return on Investment for Algal Biofuel Production Coupled with Wastewater Treatment," *Water Environment Research* 84, no. 9 (2012).
56. Judith Lewis Mernit, "How Eating Seaweed Can Help Cows to Belch Less Methane," YaleEnvironment360, July 2, 2018, https://e360.yale.edu/features/how-eating-seaweed-can-help-cows-to-belch-less-methane, 2018 年 7 月 8 日閲覧。
57. Paul Horn, "Infographic: Why Farmers Are Ideally Positioned to Fight Climate Change," Inside Climate News, October 24, 2018, https://insideclimatenews.org/news/24092018/infographic-farm-soil-carbon-cycle-climate-change-solution-agriculture, 2018 年 10 月 28 日閲覧。
58. Caitlin Dewey, "You're About to See a Big Change to the Sell-By Dates on Food," *Washington Post*, February 16, 2017.
59. "The Dating Game: How Confusing Labels Land Billions of Pounds of Food in the Trash," Natural Resources Defense Council Issue Brief, September 2013, Issue Brief 13-9-A, https://www.nrdc.org/sites/default/files/dating-game-IB.pdf, 2018 年 11 月 13 日閲覧。
60. ReFED, "A Roadmap to Reduce US Food Waste by 20 Percent," report, 2016, https://www.refed.com/downloads/ReFED_Report_2016.pdf, 2018 年 11 月 13 日閲覧。

第三章

1. Arthur C. Clarke, *Profiles of the Future: An Inquiry into the Limits of the Possible* (New York: Popular Library, 1973).（『未来のプロフィル』福島正実、川村哲郎訳、早川書房）
2. Martin Doyle, *The Source: How Rivers Made America and America Remade Its Rivers* (New York: W. W. Norton, 2018), p. 31.
3. Doris Kearns Goodwin, *Team of Rivals* (New York: Simon & Schuster, 2006).
4. William Cronon, *Nature's Metropolis: Chicago and the Great West* (New York: W. W. Norton, 1991).
5. 同書。
6. Michael V. Hazel, "Browder's Springs," Texas State Historical Association, https://tshaonline.org/handbook/online/articles/rpb04, accessed April 21, 2018; "A History of Railroads in Dallas," Museum of the American Railroad, http://www.museumoftheamericanrailroad.org/learn/ahistoryofrailroadsinnorthtexas.aspx, 2018 年 4 月 21 日閲覧。
7. Stanley Steamer, Stanley Motor Carriages Technical Information, http://www.stanleymotorcarriage.com/

These 7 Charts Explain Why," October 13, 2017, https://www.vox.com/2016/8/31/12368246/charts-explain-obesity.

34. Steve Connor, "Super Size Me: How the Last Supper Became a Banquet over 1,000 Years," *The Independent*, March 24, 2010, http://www.independent.co.uk/news/science/super-size-me-how-the-last-supper-became-a-banquet-over-1000-years-1926159.html.
35. Michael Kahn, "Obesity Contributes to Global Warming: Study," Reuters, May 15, 2008.
36. Food and Agriculture Organization (FAO) of the United Nations, "Food Loss and Food Waste," http://www.fao.org/food-loss-and-food-waste/en/, 2018 年 7 月 8 日閲覧。
37. A. D. Cuellar and M. E. Webber, "Wasted Food, Wasted Energy: The Embedded Energy in Food Waste in the United States," *Environmental Science and Technology*, 44, no. 16, July 21, 2010.
38. 見た目の悪い果物や野菜を食べる運動の事例については以下を参照。 http://www.endfoodwaste.org/ugly-fruit---veg.html.
39. Vijaya Nagarajan, *Feeding a Thousand Souls: Women, Ritual and Ecology in India—An Exploration of the Kolam* (New York: Oxford University Press, 2018), pp. 240–242.
40. Kurlansky, *Salt: A World History*.(『「塩」の世界史：歴史を動かした、小さな粒』、山本光伸訳、扶桑社）
41. Adam Thomson, "'Tortilla Riots' Give Foretaste of Food Challenge," *Financial Times*, October 12, 2010.
42. Ines Perez, "Climate Change and Rising Food Prices Heightened Arab Spring," ClimateWire via *Scientific American*, March 4, 2013.
43. "Food and the Arab Spring: Let Them Eat Baklava," *The Economist*, May 17, 2012.
44. スミソニアン協会と USDA はウェブページを開設し、これらのポスターコレクションを公開した。たとえば以下を参照。Cory Bernat, "An Exhibition of Posters," http://www.good-potato.com/beans_are_bullets/index.html, 2010; and Amanda Fiegl, *Smithsonian Magazine*, May 28, 2010, https://www.smithsonianmag.com/arts-culture/american-food-posters-from-world-war-i-and-ii-89453240/.
45. USDA, Economic Research Service, "US Domestic Corn Use," という "Corn and Other Feedgrains," May 15, 2018,中の図. https://www.ers.usda.gov/topics/crops/corn-and-other-feedgrains/background/,2018 年 11 月 13 日閲覧。
46. Joel K. Bourne Jr., "Green Dreams," *National Geographic*, October 2007.
47. Terry Macalister, "Biofuel Bonanza Not So Sweet for Brazil's Sugar Cane Cutters," *The Guardian*, June 4, 2008, https://www.theguardian.com/environment/2008/jun/04/biofuels.oil, 2018 年 11 月 13 日閲覧。
48. "Coffee-Enhanced Fuel Set to Power London Buses," Agence France-Presse, November 17, 2017, https://www.pri.org/stories/2017-11-17/coffee-enhanced-fuel-set-power-london-buses, 2018 年 4 月 30 日閲覧。
49. Austin Water, 'Dillo Dirt website, http://www.austintexas.gov/dillodirt, 2018 年 7 月 8 日閲覧。
50. Pollan, "Farmer-in-Chief."
51. M. E. Webber et al., "Agricultural

gov/consumption/residential/index.php, 2018 年7月8日閲覧。

20. Amanda Cuellar and Michael E. Webber, "Wasted Food, Wasted Energy: The Embedded Energy in Food Waste in the United States," *Environmental Science and Technology* 44 (2010): 6464–6469.
21. Winifred Gallagher, *House Thinking: A Room-by-Room Look at How We Live* (New York: HarperCollins, 2006).
22. C. M. Saunders, A. Barber, and Gregory J. Taylor, "Food Miles—Comparative Energy/Emissions Performance of New Zealand's Agriculture Industry," 2006, AERU Research Report series 344, Agribusiness and Economics Research Unit (AERU), Lincoln University, New Zealand, https://researcharchive.lincoln.ac.nz/handle/10182/125, 2018 年 11 月 13 日閲覧。
23. Tyler Colman and Pablo Paster, "Red, White, and 'Green': The Cost of Greenhouse Gas Emissions in the Global Wine Trade," *Journal of Wine Research* 20, no. 1 (2009): 15–26, DOI: 10.1080/09571260902978493.
24. Intergovernmental Panel on Climate Change, "2014: Summary for Policymakers," in *Climate Change 2014: Mitigation of Climate Change. Contribution of Working Group III to the Fifth Assessment Report of the Intergovernmental Panel on Climate Change*, O. Edenhofer et al., eds. (Cambridge, UK: Cambridge University Press, 2014).（『気候変動 2014：気候変動の緩和：政策決定者向け要約技術要約 (気候変動に関する政府間パネル第 5 次評価報告書、作業部会報告書)』、経済産業省訳、環境省）
25. 照明は全電力消費の約 7 パーセント、総エネルギー消費の約 3 パーセントを占める . US Energy Information Administration, FAQ, "How Much Electricity Is Used for Lighting in the United States?," February 9, 2018, https://www.eia.gov/tools/faqs/faq.php?id=99&t=3, 2018 年 7 月 8 日閲覧。
26. Christopher L. Weber and H. Scott Matthews, "Food-Miles and the Relative Climate Impacts of Food Choices in the United States," *Environmental Science and Technology* 42, no. 10 (2008): 3508–3513, DOI: 10.1021/es702969f.
27. K. T. Sanders and M. E. Webber, "A Comparative Analysis of the Greenhouse Gas Emissions Intensity of Wheat and Beef in the United States," *Environmental Research Letters* 9 (2014).
28. Weber and Matthews, "Food-Miles."
29. Michael Pollan, "Farmer-in-Chief," *New York Times Magazine*, October 12, 2008.
30. David S. Ludwig et al., "Dietary Carbohydrates: Role of Quality and Quantity in Chronic Disease," *BMJ* 361 (June 13, 2018): k2340, https://doi.org/10.1136/bmj.k2340.
31. David J. Suskind et al., "Clinical and Fecal Microbial Changes with Diet Therapy in Active Inflammatory Bowel Disease," *Journal of Clinical Gastroenterology* 52, no. 2 (February 2018): 155–163, DOI: 10.1097/MCG.0000000000000772.
32. Azeen Ghorayshi, "Too Big to Chug: How Our Sodas Got So Huge," *Mother Jones*, June 25, 2012, http://www.motherjones.com/media/2012/06/supersize-biggest-sodas-mcdonalds-big-gulp-chart/.
33. E. Barclay, J. Belluz, and J. Zarracina, "It's Easy to Become Obese in America.

Humankind (London: Bloomsbury Press, 2011).（『水と人類の1万年史』東郷えりか訳、河出書房新社）
4. Brian Fagan, *The Great Warming: Climate Change and the Rise and Fall of Civilizations* (London: Bloomsbury Press, 2009).（『千年前の人類を襲った大温暖化：文明を崩壊させた気候大変動』、東郷えりか訳、河出書房新社）
5. National Academies of Sciences, Engineering, and Medicine, *Nutrient Requirements of Beef Cattle*, 8th rev. ed. (Washington, DC: National Academies Press, 2016), https://doi.org/10.17226/19014.
6. Martin Doyle, *The Source: How Rivers Made America and America Remade Its Rivers* (New York: W. W. Norton, 2018).
7. US Department of Agriculture, *Equine 2005, Part II: Changes in the US Equine Industry, 1998–2005*, March 2007. USDA-APHIS-VS, CEAH, Fort Collins, CO, N452-0307.
8. Jay F. Martin et al., "Energy Evaluation of the Performance and Sustainability of Three Agricultural Systems with Different Scales and Management," *Agriculture, Ecosystems, and Environment* 115 (2006): 128–140; Dazhong Wen and D. Pimentel, "Energy Inputs in Agricultural Systems in China," *Agriculture, Ecosystems, and Environment* 11 (1984): 29–35.
9. Minnesota Historical Society, Mill City Museum, http://www.mnhs.org/millcity/learn, 2018年10月27日閲覧。
10. D. Pimentel, *Food, Energy, and Society* (Hoboken, NJ: Taylor and Francis, 2007).
11. Horizon Farms, Nutritional Label, https://www.horizon.com/products/milk/whole-milk, 2018年7月7日閲覧。
12. サンドリーヌ・ヴィオレによると「glacières」つまり「氷室」に言及している書籍にはニコラス・ジャケ『ヴェルサイユ宮殿の秘密 Secrets of Versailles』など数冊。Nicolas Jacquet, *Secrets of Versailles* (Paris: Parigramme, 2011), 177. 以下のフランス語版ウィキペディアの記事も参考になる。https://fr.wikipedia.org/wiki/Glaci%C3%A8res_de_Versailles.
13. Emily Badger, "What Happens When the Richest US Cities Turn to the World?" *New York Times*, December 22, 2017, https://www.nytimes.com/2017/12/22/upshot/the-great-disconnect-megacities-go-global-but-lose-local-links.html?_r=0.
14. William Cronon, *Nature's Metropolis: Chicago and the Great West* (New York: W. W. Norton, 1991), p. 225.
15. 同書 p. 231.
16. Mark Kurlansky, *Salt: A World History* (New York: Walker and Company, 2002).（『「塩」の世界史：歴史を動かした、小さな粒』、山本光伸訳、扶桑社）
17. "*Industries of the British Empire* (1933)," The Art of Rockefeller Center, Rockefeller Center, 2018年12月7日閲覧，https://www.rockefellercenter.com/art-and-history/art/industries-of-the-british-empire/.
18. James L. Sweeney, *Energy Efficiency: Building a Clean, Secure Economy*, Hoover Institution Press Publication no. 668 (Stanford, CA: Hoover Institution at Leland Stanford Junior University, 2016).
19. US Department of Energy, Energy Information Administration, "Residential Energy Consumption Survey (RECS) 2015," released 2017, https://www.eia.

prior years).
48. Jeff Goodell, *Big Coal: The Dirty Secret Behind America's Energy Future* (New York: Houghton Mifflin Harcourt, 2006).
49. Peter H. Gleick, *Bottled and Sold: The Story Behind Our Obsession with Bottled Water* (Washington, DC: Island Press, 2010).
50. Peter H. Gleick and Heather S. Cooley, "Energy Implications of Bottled Water," *Environmental Research Letters* 4 (2009).
51. Lizzie Dearden, "Venezuela Energy Crisis: President Tells Women to Stop Using Hairdryers and Go with 'Natural' Style to Save Electricity," *The Independent*, April 9, 2016.
52. Mark Raby, "Tea Time in Britain Causes Predictable, Massive Surge in Electricity Demand," *Geek-Cetera*, January 7, 2013, https://www.geek.com/geek-cetera/tea-time-in-britain-causes-predictable-massive-surge-in-electricity-demand-1535023/, 2018 年 11 月 13 日閲覧。
53. Karl Smallwood, "Does The UK Really Experience Massive Power Surges When Soap Operas Finish from People Making Tea?," Today I Found Out, May 28, 2017, http://www.todayifoundout.com/index.php/2017/05/uk-really-experience-power-surges-soap-operas-finish/, 2018 年 11 月 13 日閲覧。
54. C. Song et al., "An Analysis on the Energy Consumption of Circulating Pumps of Residential Swimming Pools for Peak Load Management," *Applied Energy* 195 (2017): 1–12, https://www.sciencedirect.com/science/article/pii/S0306261917302416.
55. International Energy Agency, "Water Energy Nexus," excerpt from *World Energy Outlook 2016* (Paris, 2016).
56. K. T. Sanders and M. E. Webber, "Evaluating the Energy Consumed for Water Use in the United States," *Environmental Research Letters* 7 (2012).
57. Norman Chan, "What SpaceX's Dragon Brought to the International Space Station," *Tested*, May 25, 2012, http://www.tested.com/science/space/44509-what-spacexs-dragon-brought-to-the-international-space-station/, 2015 年 1 月 3 日閲覧。
58. M. E. Webber, D. S. Baer, and R. K. Hanson, "Ammonia Monitoring Near 1.5 μm with Diode Laser Absorption Sensors," *Applied Optics* 40, no. 12 (2001); M. E. Webber et al., "Measurements of NH3 and CO2 with Distributed-Feedback Diode Lasers Near 2 μm in Bioreactor Vent Gases," *Applied Optics* 40, no. 24 (2001).
59. C. M. Chini et al., "Quantifying Energy and Water Savings in the US Residential Sector," *Environmental Science and Technology* 50, no. 17 (2016): 9003–9012, DOI: 10.1021/acs.est.6b01559.

第二章

1. C. I. Birney et al., "An Assessment of Individual Foodprints Attributed to Diets and Food Waste in the United States," *Environmental Research Letters* 12, no. 10 (2017).
2. A. D. Cuellar and M. E. Webber, "Wasted Food, Wasted Energy: The Embedded Energy in Food Waste in the United States," *Environmental Science and Technology* 44, no. 16, July 21, 2010.
3. Brian Fagan, *Elixir: A History of Water and*

(2018): 6695–6703, DOI: 10.1021/acs.est.8b00139.
31. E. L. Belmont et al., "Accounting for Water Formation from Hydrocarbon Fuel Combustion in Life Cycle Analyses," *Environmental Research Letters* 12 (2017), https://doi.org/10.1088/1748-9326/aa8390.
32. Jamie Satterfield, "180 New Cases of Dead or Dying Coal Ash Spill Workers, Lawsuit Says," *Knox News*, USA Today Network, March 28, 2018, https://www.knoxnews.com/story/news/crime/2018/03/28/tva-coal-ash-spill-cleanup-roane-county-lawsuits-dead-dying-workers/458342002/, 2018 年 3 月 30 日閲覧。
33. "Sewage Pollution of Water Supplies," *Engineering Record* 48 (August 1, 1903): 117, Doyle, *The Source*, p. 176. より。
34. 同書 p. 200.
35. United States Geological Survey, "The Water Cycle," http://ga.water.usgs.gov/edu/watercycle.html, 2014 年 12 月 31 日閲覧。
36. Peter H. Gleick, ed., *Water in Crisis: A Guide to the World's Fresh Water Resources* (New York: Oxford University Press, 1993).
37. Vaclav Smil, *Energy: A Beginner's Guide* (London: Oneworld Publications, 2006).
38. 概算値の出所は Peter H. Gleick, ed., *Water in Crisis: A Guide to the World's Fresh Water Resources* (New York: Oxford University Press, 1993) の Igor Shiklomanov が担当した章 "World Fresh Water Resources."
39. International Energy Agency, *Energy Access Outlook 2017: From Poverty to Prosperity*, World Energy Outlook Special Report (Paris, 2017), p. 3.
40. S. R. Kirshenbaum and M. E. Webber, "Liberation Power: What Do Women Need? Better Energy," *Slate*, November 4, 2013.
41. 家電製品と女性に関する議論については以下を参照。Institute of Electrical and Electronics Engineers (IEEE) Global History Network, "Household Appliances and Women's Work," 2012; and "Fridges and Washing Machines Liberated Women, Study Suggests," *Science Daily*, March 13, 2009.
42. Elaine Tyler May, *Homeward Bound* (New York: Basic Books, 1988).
43. 水と排水のインフラと処理システムに関する歴史については以下を参照。David Sedlak, *Water 4.0: The Past, Present, and Future of the World's Most Vital Resource* (New Haven, CT: Yale University Press, 2014).
44. Margaret B. Freeman, *The Unicorn Tapestries*, exhibition catalogue, the Cloisters, New York, 1976.
45. Doyle, *The Source*, p. 171.
46. Sedlak, *Water 4.0.*
47. 世界の飲料水と排水に関しては国連の情報が信頼できる。世界の水ストレスに関してはまず Vorosmarty の研究を参照すること。C. J. Vorosmarty et al., "Global Threats to Human Water Security and River Biodiversity," *Nature* 467, September 30, 2010. またパシフィック・インスティテュートでは淡水資源に関する報告書を隔年発行し、入手可能性、利用、政策、技術など水に関するデータと水問題の掘り下げた分析も掲載されていて有益。Peter Gleick et al., *The World's Water*, vol. 8 (Washington, DC: Island Press, 2014; and prior volumes in

2018, http://www.iea.org/newsroom/news/2018/march/commentary-energy-has-a-role-to-play-in-achieving-universal-access-to-clean-wate.html.

8. Martin Doyle, *The Source: How Rivers Made America and America Remade Its Rivers* (New York: W. W. Norton, 2018), p. 225.
9. 同書。
10. 同書 p.222.
11. 同書 p. 221.
12. 同書 p. 232.
13. "1920s," Electricity Supply Board archives, https://esbarchives.ie/2016/03/10/esb-advertising-1920s/ Dublin, Ireland.
14. Doyle, *The Source*, p. 82.
15. B. Cameron Reed, "Kilowatts to Kilotons: Wartime Electricity Use at Oak Ridge," *History of Physics Newsletter* (American Physical Society) 12, no. 6 (Spring 2015), https://www.aps.org/units/fhp/newsletters/spring2015/upload/spring15.pdf, 2018 年 5 月 27 日閲覧。
16. "League of Women Voters Through the Decades!" League of Women Voters, February 16, 2012, https://www.lwv.org/league-women-voters-through-decades.
17. Doyle, *The Source*, p. 197.
18. 『黄金のメロディ マッスル・ショールズ』(Muscle Shoals)、監督グレッグ・フレディ・キャアリア、2013 年 .
19. Bonneville Power Administration, BPA Film Collection, Vol. One, 1939–1954, https://www.bpa.gov/news/AboutUs/History/Pages/Film-Collection-Vol-One.aspx, 2018 年 7 月 5 日閲覧。
20. Doyle, *The Source*, p. 87.
21. Sardar Sarovar Narmada Nigam Ltd. (wholly owned government of Gujarat undertaking), http://sardarsarovardam.org, accessed August 4, 2018.
22. Xtankun Yang and X. X. Lu, "Ten Years of the Three Gorges Dam: A Call for Policy Overhaul," *Environmental Research Letters* 8 (2013).
23. Cutler Cleveland, "China's Monster Three Gorges Dam Is About to Slow the Rotation of the Earth," *Business Insider*, June 18, 2010, http://www.businessinsider.com/chinas-three-gorges-dam-really-will-slow-the-earths-rotation-2010-6, 2018 年 7 月 5 日閲覧。
24. Yang and Lu, "Ten Years of the Three Gorges Dam."
25. Madhusree Mukerjee, "The Impending Dam Disaster in the Himalayas," *Scientific American*, July 14, 2015.
26. Jill Castellano, Tracy Loew, and Rosalie Murphy, "Cracks in the System: Oroville Crisis Highlights Risky Dams, Spotty Inspections Around U.S.," *Desert Sun*, USA Today Network, February 15, 2017.
27. International Rivers, "Grand Inga Dam, DR Congo," https://www.internationalrivers.org/campaigns/grand-inga-dam-dr-congo, 2018 年 7 月 5 日閲覧。
28. Heather Rose, Charles Upshaw, and Michael E. Webber, "Evaluating Energy and Cost Requirements for Different Configurations of Off-Grid Rainwater Harvesting Systems," *Water* 10 (2018): 1024;DOI:10.3390/w10081024.
29. Doyle, *The Source*, p. 122.
30. Emily Grubert and Kelly T. Sanders, "Water Use in the United States Energy System: A National Assessment and Unit Process Inventory of Water Consumption and Withdrawals," *Environmental Science and Technology* 52, no. 11

原　注

序章

1. John N. Miksic and Geok Yian Goh, *Ancient Southeast Asia*, Routledge World Archaeology series (Florence, KY: Taylor and Francis, 2017), p. 14; および John N. Miksic からの私信、2018 年 10 月 30 日。
2. "Conservation of Energy," in Michael A. Gottlieb and Rudolf Pfeiffer, eds., *The Feynman Lectures on Physics,* vol. I, New Millennium Edition, California Institute of Technology, 2016 (1963), http://www.feynmanlectures.caltech.edu/I_04.html. (『ファインマン物理学 I 力学』坪井忠二訳、岩波書店)
3. Arthur C. Clarke, *Profiles of the Future: An Inquiry into the Limits of the Possible* (New York: Popular Library, 1973). (『未来のプロフィル』、福島正実、川村哲郎訳、早川書房)
4. Sun Ling Wang et al., "US Agricultural Productivity Growth: The Past, Challenges, and the Future," *Amber Waves* online magazine, US Department of Agriculture Economic Research Service, September 8, 2015, https://www.ers.usda.gov/amber-waves/2015/september/us-agricultural-productivity-growth-the-past-challenges-and-the-future/, 2018 年 11 月 12 日閲覧。
5. Richard E. Smalley, "Future Global Energy Prosperity: The Terawatt Challenge," *MRS Bulletin* 30 (June 2005).
6. International Energy Agency, *Energy Access Outlook 2017: From Poverty to Prosperity*, World Energy Outlook Special Report (Paris, 2017), p. 3.

第一章

1. International Energy Agency, "Water Energy Nexus," *World Energy Outlook 2016* (Paris, 2016) からの抜粋。
2. 水と文明に関するさらに踏み込んだ議論は以下を参照 . Michael E. Webber, *Thirst for Power: Energy, Water and Human Survival* (New Haven, CT: Yale University Press, 2016).
3. Fred Pearce, *When the Rivers Run Dry: Water—The Defining Crisis of the Twenty-First Century* (Boston: Beacon Press, 2006).
4. "Awash in Waste: Tradable Usage Rights Are a Good Tool for Tackling the World's Water Problems," *The Economist*, April 8, 2009.
5. A. T. Hodge, *Roman Aqueducts and Water Supply*, 2nd ed. (London: Bristol Classical Press, 2002).
6. Peter H. Gleick, "Water, Drought, Climate Change, and Conflict in Syria," *Weather, Climate, and Society* 6, no. 3 (July 2014).
7. Molly A. Walton, "Commentary: Energy Has a Role to Play in Achieving Universal Access to Clean Water and Sanitation," International Energy Agency, March 22,

【著者】マイケル・E・ウェバー（Michael E. Webber）

米国テキサス州生まれ。テキサス大学オースティン校のエネルギー資源の教授。スタンフォード大学で機械工学の博士号取得。現在ではテキサス大学ほか複数のエネルギー関連機関にも所属、精力的に活動している。

【訳者】柴田譲治（しばたじょうじ）

1957年、神奈川県生まれ。翻訳業。おもな訳書に、シモンズ他『世界薬用植物図鑑』、シップマン『ヒトとイヌがネアンデルタール人を絶滅させた』、ローズ『図説世界史を変えた50の植物』、ロビンソン『図説自身と人間の歴史』、スズキ『生命の聖なるバランス』など。

エネルギーの物語《ものがたり》

わたしたちにとってエネルギーとは何《なん》なのか

2020 年 7 月 22 日　第 1 刷

著者…………マイケル・E・ウェバー

訳者…………柴田譲治《しばたじょうじ》

装幀…………一瀬錠二（Art of NOISE）

発行者…………成瀬雅人
発行所…………株式会社原書房

〒 160-0022 東京都新宿区新宿 1-25-13
電話・代表 03（3354）0685
http://www.harashobo.co.jp
振替・00150-6-151594

印刷…………新灯印刷株式会社
製本…………東京美術紙工協業組合

ISBN978-4-562-05780-1, Printed in Japan